HEINZ GRIESBACH – DORA SCHULZ

Deutsche Sprachlehre für Ausländer

Grundstufe in einem Band

MAX HUEBER VERLAG

Ergänzungsmaterial zum Lehrbuch

		(Hueber-Nr.)		(Hueber-Nr.)
Glossare Deutsch	Arabisch	75.1006	Niederländisch	43.1006
	Dänisch	83.1006	Norwegisch	45.1006
	Englisch	35.1006	Persisch	86.1006
	Englisch-Bengali-Urdu	78.1006	Polnisch	68.1006
	Englisch-Marathi-Hindi	77.1006	Portugiesisch	37.1006
	Englisch-Suaheli	89.1006	Rumänisch	69.1006
	Englisch-Tamil-Telegu	79.1006	Schwedisch	44.1006
	Finnisch	73.1006	Serbokroatisch	72.1006
	Französisch	34.1006	Spanisch	36.1006
	Griechisch	74.1006	Thai	85.1006
	Hebräisch	92.1006	Tschechisch	87.1006
	Indonesisch	84.1006	Türkisch	38.1006
	Italienisch	39.1006	Ungarisch	88.1006
	Japanisch	42.1006	Vietnamesisch	76.1006

Tonbänder: mit 44 Texten des Lehrbuches und Übungen zur Aussprache. Die Texte werden langsam, aber zusammenhängend gesprochen; die Übungen sind mit Pausen zum Nachsprechen aufgenommen worden. (Hueber-Nr. 47.1006)

3 Schallplatten: mit Lesetexten der ersten 10 Lehrbuchlektionen. (Hueber-Nr. 48.1006)

Sprechübungen von Lorenz Nieder: Die Sprechübungen zur Neubearbeitung der Grundstufe in einem Band halten sich streng an die grammatische Progression des Lehrbuches. (Bänder: Hueber-Nr. 52.1006; Textheft: Hueber-Nr. 53.1006)

Lehrerheft: Deutsch, Englisch, Französisch, Spanisch. Das Heft enthält methodische Anweisungen, den Schlüssel zu den einzelnen Lektionen und Hinweise zum Einsatz des Tonbandmaterials. (Deutsch: Hueber-Nr. 46.1006; Englisch: Hueber-Nr. 49.1006; Französisch: Hueber-Nr. 59.1006; Spanisch: Hueber-Nr. 82.1006)

Lesehefte: Mit der Lektüre der Hefte sollte etwa nach der 10. Lehrbuch-Lektion begonnen werden. Die vorsichtige Erweiterung des Wortschatzes wird durch Zeichnungen unterstützt. (Leseheft 1: Hueber-Nr. 55.1006)

Diktattexte 1 und 2: Sämtliche Diktattexte wurden auf Tonband aufgenommen. (Diktattexte 1: Hueber-Nr. 94.1006; 2 Tonbänder mit Diktattexten 1: Hueber-Nr. 95.1006; Diktattexte 2: Hueber-Nr. 96.1006; 2 Tonbänder mit Diktattexten 2: Hueber-Nr. 97.1006)

Contrastive Grammar German-English von Adele T. Palmberg und U. Henry Gerlach: In Anlehnung an die Kapitel der Grundstufe werden strukturelle Unterschiede zwischen dem Englischen und Deutschen anhand von Beispielsätzen erläutert. (Hueber-Nr. 93.1006)

Hueber-Nr. 1006
8. Auflage der Neubearbeitung 1973
© 1967 Max Hueber Verlag, München
Einbandgestaltung und Zeichnungen: Erich Hölle, Otterfing
Gesamtherstellung: Reclam, Stuttgart
Printed in Germany

VORWORT

Die „Deutsche Sprachlehre für Ausländer. Grundstufe in einem Band" gibt eine Einführung in alle wichtigen Strukturen der deutschen Sprache. Sie macht den Lernenden mit der Lautung und Intonation, mit der Formenlehre und der Satzstruktur bekannt, so daß er schnell und sicher zu brauchbaren und ausbaufähigen Kenntnissen gelangt, die ihn zum aktiven mündlichen und schriftlichen Gebrauch der Sprache befähigen. Aus diesem Lehrziel ergibt sich, daß die Sprachlehre vor allem für intensive Sprachkurse bestimmt ist, wobei unter intensivem Unterricht nicht nur die Zahl der Unterrichtsstunden, sondern vor allem die Art des Unterrichts verstanden wird. Auch Unterricht mit geringer Stundenzahl kann das Ziel haben, den Schüler „intensiv" in den Gebrauch der Sprache einzuführen und ihm sichere Grundlagen für die eigene Weiterarbeit zu geben.

Jeder der 26 Abschnitte des Buches besteht aus mehreren Texten, zwischen denen sich die behandelte Grammatik und die Übungen dazu befinden. Die Progression dieses Lehrbuchs geht vom Satzbau aus. Jeder Abschnitt ist insofern eine Einheit, als er die Behandlung des Lernstoffs im Satz und Sinnzusammenhang um einen Schritt weiterführt. Formale Probleme verschiedener Wortarten erscheinen deshalb oft in einem Abschnitt zusammen, weil sich eine bestimmte Satzstruktur nur mit dem gesamten zugehörigen Wortmaterial darstellen und üben läßt. Umgekehrt werden Formen, wie z. B. die Deklinationsformen der Nomen, in Lernschritten behandelt, die auf mehrere Abschnitte verteilt sind. Es geht ja nicht darum, Nomen zu deklinieren, sondern den richtigen Gebrauch der Formen zu sichern.

Die Texte sind ihrer Zielsetzung und dem dargebotenen Sprachmaterial nach in Lesetexte, Dialoge und Texte zur Wortschatzerweiterung unterschieden. Die Lesetexte sollen die sprachlichen Grundlagen für die Lektüre in höheren Stufen schaffen, die Texte zur Wortschatzerweiterung auf den für viele Deutschlernende wichtigen Komplex „Sachtext" vorbereiten. In den Dialogen und den entsprechenden Übungen wird das Hörverständnis und die eigene Sprechfähigkeit ausgebildet, so daß der Lernende in die Lage versetzt wird, sich zunächst an einfachen, aber dann in zunehmendem Maß auch an schwierigeren Gesprächen zu beteiligen.

Das Erlernen einer fremden Sprache ist eine geistige Leistung, die man dem Lernenden nicht abnehmen kann. Wer nach dieser Sprachlehre Deutsch lernt, wird das im Buch festgelegte Lernziel nur erreichen, wenn er auch bereit ist, eigene Arbeit zu leisten, um das Gelernte zu festigen und sich eine solide

Grundlage in der deutschen Sprache zu schaffen. Die Verfasser haben allerdings versucht, diese Arbeit so leicht wie möglich zu machen. Sie glaubten das am besten durch sorgfältige Auswahl modernen und interessanten Sprachmaterials zu erreichen, ferner durch übersichtliche Gliederung des Stoffes, überlegte Dosierung der Schwierigkeiten und vor allem dadurch, daß sie nicht nur das Imitationsvermögen, sondern auch den Verstand und die Denkfähigkeit des Schülers ansprechen und anregen. Außerdem wurden zu dem Lehrbuch eine Reihe von Unterrichtshilfen geschaffen, die der Festigung des Lernstoffes und der Geläufigkeit im Gebrauch der Sprachmuster dienen.

Die „Deutsche Sprachlehre für Ausländer" hat in den 12 Jahren seit ihrem ersten Erscheinen eine weite Verbreitung und große Anerkennung gefunden. In der jetzt vorliegenden Neubearbeitung wurde an den wesentlichen Grundsätzen nichts Entscheidendes geändert. Die neuen Einsichten, die dem Sprachunterricht durch die Entwicklung der technischen Unterrichtsmittel erschlossen wurden, und das Bedürfnis, sie in den Unterricht zu integrieren – auch dort, wo technische Unterrichtsmittel selbst nicht zur Verfügung stehen –, machten neue Überlegungen über das Vorgehen im Einzelnen notwendig. In dieser neuen Ausgabe sind die Erfahrungen der Autoren und einer großen Anzahl von Kollegen im In- und Ausland sowie viele Anregungen, die aus der Unterrichtsarbeit kamen, berücksichtigt worden. Auch die in der Zwischenzeit erschienene Literatur zur deutschen Sprache und zur Methodik des modernen Sprachunterrichts hat ihren Niederschlag in dieser Bearbeitung gefunden.

Es sei an dieser Stelle allen Kollegen gedankt, die aus ihren Erfahrungen heraus durch Ratschläge und nützliche Kritik wertvolle Hinweise und Anregungen gegeben haben. Die Verfasser wünschen, daß dieses Lehrbuch, das unmittelbar aus dem praktischen Unterricht erwachsen ist, bei den Lehrern so kritisch aufgenommen wird, wie es ein Lehrbuch verdient. Sie sind allen Lehrern und auch den Schülern, die mit diesem Buch gearbeitet haben, für jeden Verbesserungsvorschlag dankbar und möchten in möglichst engem Kontakt mit ihnen diese Arbeit weiter vervollkommnen.

München und Bad Reichenhall, im Juli 1967   Die Verfasser

INHALTSVERZEICHNIS

---

* Text auf Tonband

V

VI

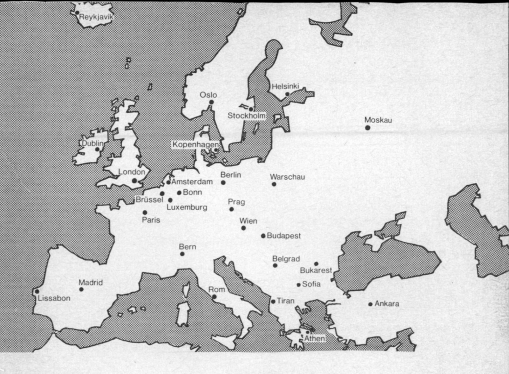

Die Landkarte

Hier ist eine Karte; das ist eine Landkarte von Europa. Hier ist Deutschland, und dort ist Frankreich. Frankreich liegt in Westeuropa, und Deutschland liegt in Mitteleuropa.

Hier ist Ungarn. Ungarn liegt in Osteuropa. Schweden und Norwegen liegen in Nordeuropa. Spanien, Italien und Griechenland liegen in Südeuropa.

Liegt Dänemark in Nordeuropa? – Ja, Dänemark liegt in Nordeuropa. Liegt Portugal auch in Nordeuropa? – Nein, Portugal liegt in Südeuropa. Portugal liegt nicht in Nordeuropa, sondern in Südeuropa.
Liegt Frankreich in Südeuropa?
Liegt Italien in Nordeuropa?
Liegt Finnland in Nordeuropa?
Wo liegt Spanien?
Spanien liegt in Südeuropa.
Wo liegen Italien und Griechenland?

München liegt in Deutschland. Wo liegt Paris?
Wo liegt London? – Wo liegt Rom?

Japan, Indien und Pakistan liegen in Asien. Ägypten liegt in Afrika. Kanada und Argentinien liegen in Amerika. Kanada liegt in Nordamerika, und Argentinien liegt in Südamerika.

Wo liegt Finnland? – Finnland liegt in Europa.
Wo liegt Sidney? – Sidney liegt in Australien.
Wo liegt Marokko?
Wo liegt China?
Wo liegt Brasilien?
Wo liegt Indien?

Wo liegt Kalkutta? – Kalkutta liegt in Indien.
Wo liegt Kopenhagen?
Wo liegt Moskau?
Wo liegen Rom und Mailand? – Rom und Mailand liegen in Italien.
Wo liegen Madrid und Barcelona?
Wo liegen Frankfurt und München?

Liegt Madrid in Spanien? – Ja, Madrid liegt in Spanien.
Liegt Köln in Westdeutschland?
Liegt Kairo in Ägypten?
Liegt Brüssel in Belgien?
Liegt Tokio in Japan?
Liegt Wien in Österreich?

Berlin ist eine Stadt. Paris ist auch eine Stadt. Berlin und Paris sind Städte.

Deutschland ist ein Land. Polen ist auch ein Land. Deutschland und Polen sind Länder.

Amerika ist ein Kontinent. Australien ist auch ein Kontinent. Amerika und Australien sind Kontinente.

A.: Guten Tag! Ich bin Anton Brega.

R.: Mein Name ist Richard Robertson. Ich komme aus England und lerne hier Deutsch.

P.: Mein Name ist Peter Karlis. Ich gehe auch hier in die Schule. Richard ist mein Freund.

A.: Ihr seid Freunde, lernt ihr oft zusammen?

R.: Ja, aber Peter arbeitet nicht viel, er arbeitet wenig. Ich sage immer: „Peter, du bist faul, und ich bin fleißig.“

P.: Ich bin faul, und du bist fleißig! Das ist falsch. Du lernst langsam, und ich lerne schnell.

A.: Wo ist denn die Lehrerin? Kommt sie nicht?

P.: Nein, Frau Meier kommt nicht. Sie ist in Berlin. Aber dort kommt Herr Müller. Er ist der Lehrer.

L.: Richtig, ich bin der Lehrer, und Sie sind die Schüler. Ich frage, und Sie antworten. Wir lernen die Sprache. Wir üben die Grammatik, und wir lernen die Regeln. Wo ist das Buch, Herr Robertson?

R.: Hier ist das Buch. Hier sind auch ein Heft, ein Füller und ein Bleistift.

L.: Richtig, danke!

fragen (die Frage)　　　　　—　　　　　antworten (die Antwort)

die Schule　　　—　　　　der Schüler　　　—　　　die Schülerin
　　　　　　　　　　　　　　der Lehrer　　　—　　　die Lehrerin
　　　　　　　　　　　　　　der Freund　　　—　　　die Freundin

fleißig　—　faul　　　　　　　　　　viel　—　wenig
langsam　—　schnell　　　　　　　richtig　—　falsch

Der Artikel

der Lehrer　　　　　　das Heft　　　　　　die　Regel
ein Lehrer　　　　　　ein Heft　　　　　　eine Regel

Singular	*maskulin*	*neutral*	*feminin*
bestimmt	der　Lehrer	das　Heft	die　Regel
unbestimmt	ein　Lehrer	ein　Heft	eine　Regel
unbestimmt negativ	kein Lehrer	kein Heft	keine Regel
Plural			
bestimmt	die　Lehrer (Hefte, Regeln)		
unbestimmt	Lehrer (Hefte, Regeln)		
unbestimmt negativ	keine Lehrer (Hefte, Regeln)		

1　**Übung 1:** *der, das, die?*

__ Antwort	__ Füller	__ Lehrer
__ Bleistift	__ Herr	__ Lehrerin
__ Buch	__ Heft	__ Name
__ Frage	__ Karte	__ Regel
__ Frau	__ Kontinent	__ Schule
__ Freund	__ Land	__ Schüler
__ Freundin	__ Landkarte	__ Schülerin

2　**Übung 2:** *ein, eine?*

__ Bleistift	__ Heft	__ Freund
__ Frau	__ Schülerin	__ Herr
__ Schüler	__ Landkarte	__ Freundin
__ Füller	__ Kontinent	__ Land

__ Schule	__ Name	__ Lehrerin
__ Buch	__ Karte	__ Lehrer
__ Antwort	__ Regel	__ Frage

Das Verb

Präsens

Richard und Peter komm**en**. **Sie** sag**en**: „**Wir** arbeit**en** viel. Arbeit**en Sie** auch viel, Herr Müller?"
Herr Müller antwort**et**: „Ja! Aber **ihr** arbeit**et** viel und lern**t** langsam."
Lern**st du** Deutsch, Anton? Arbeit**est du** viel? – Ja, **ich** lern**e** Deutsch und arbeit**e** viel.

a) *fragen*			b) *antworten*		
ich	frag–e	_e	ich	antwort–e	_e
du	frag–st	_st	du	antwort–est	_est
er (es, sie)	frag–t	_t	er (es, sie)	antwort–et	_et
wir	frag–en	_en	wir	antwort–en	_en
ihr	frag–t	_t	ihr	antwort–et	_et
sie (Sie)	frag–en	_en	sie (Sie)	antwort–en	_en

a) gehen, lernen, liegen, kommen,   b) arbeiten
   sagen, üben

Übung:

3

1. Richard und Peter komm_ aus England. Sie lern_ hier Deutsch.
2. Ich frage Richard Robertson und Peter Karlis: „Komm_ Sie aus Spanien?"
3. „Nein, wir komm_ aus England; wir komm_ nicht aus Spanien."
4. Ich frage Anton Brega: „Geh_ Sie hier in die Schule?"
5. „Ja, ich lern_ hier Deutsch. Ich geh_ in die Schule und arbeit_ viel."
6. Anton frag_, und Richard antwort_.
7. „Komm_ ihr aus England? Arbeit_ ihr oft zusammen?"
8. „Ja, aber Peter arbeit_ nicht viel, er lern_ schnell."
9. „Ja Richard, du arbeit_ viel, aber du lern_ langsam."
10. Ich frag_, und du antwort_. Die Schüler frag_, und der Lehrer antwort_.

sein

ich	bin	wir	sind	Das Verb *sein*
du	bist	ihr	seid	ist unregelmäßig.
er (es, sie)	ist	sie (Sie)	sind	

4 **Übung:**

1. __ Sie aus Paris? – Ja, wir __ aus Paris. (Nein, wir __ nicht aus Paris.)
2. __ Sie der Lehrer? – Nein, ich __ ein Schüler. **3.** Wo __ das Buch? – Das
Buch __ hier. **4.** Du __ aus London, Anton __ aus Madrid; ihr __ in Deutschland. **5.** Richard und Peter __ fleißig.

6. Ich __ Peter, du __ Paul.
Ich __ fleißig, du __ faul.

Personalpronomen

maskulin: **er**	Lernt **der Schüler** Deutsch?	– Ja, **er** lernt Deutsch.	
	Wo ist **der Bleistift**?	– **Er** ist hier.	
neutral: **es**	Geht **das Kind** in die Schule?	– Ja, **es** geht in die Schule.	
	Liegt **das Buch** dort?	– Ja, **es** liegt dort.	
feminin: **sie**	Kommt **Frau Meier** aus Berlin?	– Nein, **sie** kommt aus Köln.	
	Wo liegt **die Stadt** Hamburg?	– **Sie** liegt in Deutschland.	

5 **Übung:**

1. Wo liegt das Buch? – __ liegt hier. **2.** Liegt der Bleistift auch hier? – Nein,
__ liegt nicht hier. **3.** Kommt Frau Meier? – Nein, __ kommt nicht. **4.** Lernt
das Kind fleißig? – Ja, __ lernt fleißig. **5.** Fragt Herr Müller viel? – Ja, __ fragt
viel. **6.** Antwortet Richard richtig? – Ja, __ antwortet richtig. (Nein, __ antwortet falsch.) **7.** Wo ist die Landkarte? – __ liegt dort. **8.** Ist mein Heft hier? –
Ja, __ ist hier. **9.** Arbeitet Herr Müller viel? – Ja, __ arbeitet viel. **10.** Wo ist
der Bleistift? – Hier liegt __. **11.** Wo ist Frau Müller? – Dort kommt __.
12. Wo ist das Heft? – Hier liegt __.

	Peter, Paul und ich sind Freunde.	
du	Ich frage Peter:	Lernst **du** Deutsch?
ihr	Ich frage Peter und Paul:	Lernt **ihr** Deutsch?

	Peter ist ein Kind, Paul ist auch ein Kind.	
du	Herr Müller fragt Peter:	Lernst **du** Deutsch?
ihr	Er fragt Peter und Paul:	Lernt **ihr** Deutsch?
Sie	Herr Müller fragt Peter Karlis:	Lernen **Sie** Deutsch?
	Er fragt Peter Karlis und Anton Brega:	Lernen **Sie** Deutsch?

Übung:

6

1. Peter ist mein Freund. Ich frage Peter: „Geh___ ___ in die Schule? – Arbeit___ ___ viel? – Lern___ ___ Deutsch? – Komm___ ___ aus England?"

2. Paul ist auch mein Freund. Ich frage Peter und Paul: „Geh___ ___ in die Schule? – Arbeit___ ___ viel? – Lern___ ___ Deutsch? – Komm___ ___ aus England?"

3. Herr Müller fragt Peter: „Geh___ ___ in die Schule, Herr Karlis? – Arbeit___ ___ viel? – Lern___ ___ Deutsch? – Komm___ ___ aus England?"

4. Frau Meier fragt Peter und Paul: „Geh___ ___ in die Schule? – Arbeit___ ___ viel? – Lern___ ___ Deutsch? – Komm___ ___ aus England?"

Verb + Adjektiv

Richard **ist** fleißig.   Der Schüler **arbeitet** fleißig.
Aber er **ist** langsam.   Aber er **lernt** . . . . . .
Die Antwort **ist** falsch.   Er **antwortet** . . . . . .
Die Antwort **ist** richtig.   Sie **antworten** . . . . . .

Negation

Richard ist fleißig.   Peter ist **nicht** fleißig.
Richard arbeitet viel.   Peter arbeitet **nicht** viel.
Frau Meier ist in Berlin.   Herr Müller ist **nicht** in Berlin.
Herr Müller ist hier.   Frau Meier ist **nicht** hier.

Der Unterricht

1.

Die Schüler gehen in das Schulzimmer. Der Lehrer kommt auch, und der Unterricht beginnt.

L.: Guten Morgen! Ich sage jetzt einen Satz. Bitte wiederholen Sie den Satz!
Hier ist das Schulzimmer.
Es hat einen Fußboden, eine Decke und vier Wände.
Hier vorn hängt die Tafel, hier sind auch Kreide und Schwamm.
Dort hinten hängt die Landkarte.
Rechts ist die Tür, und links sind die Fenster.
Dort oben hängen die Lampen.
Wir haben hier auch Tische und viele Stühle.

Die Schüler wiederholen die Sätze. Der Lehrer verbessert die Fehler und sagt dann:
L.: Danke, sehr gut! Jetzt frage ich, und Sie antworten. (*Er zeigt ein Buch.*) Was habe ich hier, Herr Robertson?
S.: Sie haben ein Buch.
L.: Richtig, Herr Robertson; das Buch – und wie heißt der Plural?
S.: Die Bücher.
L.: Gut! Lernen Sie immer den Artikel und den Plural! Dann machen

Sie keine Fehler. (*Er zeigt einen Bleistift*). Was habe ich hier, Herr Montez?

S.: Sie haben einen Füller.

L.: Nein, das ist nicht richtig. Was habe ich hier, Herr Karlis?

S.: Sie haben einen Bleistift.

L.: Gut, bilden Sie jetzt einen Satz, bitte!

S.: Der Bleistift ist lang.

L.: Sehr gut, und wie heißt das Gegenteil von ‚lang'?

S.: Das Gegenteil von lang ist kurz.

L.: Richtig, danke!

2.

Der Lehrer diktiert einen Satz: „Asien ist groß, aber Europa ist klein."
Die Schüler schreiben den Satz. Richard Robertson fragt den Lehrer:
„Was heißt *klein*, bitte. Ich verstehe das Wort nicht." Der Lehrer erklärt
das Wort nicht, sondern er schreibt ein Beispiel an die Tafel:

Das Kind ist klein.

Die Schüler lernen viele Wörter und bilden Sätze. Aber sie machen noch
viele Fehler. Der Lehrer verbessert die Fehler.

Der Unterricht dauert eine Stunde. Dann sagt der Lehrer: „Der Unterricht ist aus. Auf Wiedersehen!" Die Schüler schließen die Bücher und
die Hefte und gehen nach Haus.

groß – klein	lang – kurz	rechts – links
hinten – vorn	oben – unten	hier – dort

der Fuß	+	**der** Boden	→	**der** Fußboden
das Land	+	**die** Karte	→	**die** Landkarte
die Schule	+	**das** Zimmer	→	**das** Schulzimmer
das Wort (⁻er)	+	**das** Buch	→	**das** Wörterbuch

guten Morgen! – guten Tag!
Bitte beginnen Sie – Danke! Danke sehr!
Er erklärt das Wort. – Er erklärt das Wort **nicht**.
Der Bleistift ist klein. – Der Bleistift ist **nicht** klein.

Das Nomen (das Substantiv)
Singular und Plural

Singular	Plural		
1. der Lehrer	die Lehrer	der Fehler, das Fenster, der Füller, der Schüler, das Zimmer	_
2. das Heft	die Hefte	der Abschnitt, der Bleistift, der Freund, der Kontinent, der Tisch	_e
der Satz	die Sätze	der Fuß, der Schwamm, die Stadt, der Stuhl, die Wand	⸚e
3. das Kind	die Kinder		
das Wort	die Wörter	das Buch, das Haus, das Land	⸚er
4. die Antwort	die Antworten	die Frau, der Herr, die Tür	_en
die Frage	die Fragen	die Decke, die Karte, die Lampe, der Name, die Schule, die Sprache, die Stunde die Regel, die Tafel	_n
die Lehrerin	die Lehrerinnen	die Schülerin, die Freundin	_nen

7 **Übung:** *Wie heißen die Artikel und die Pluralformen?*

__ Antwort	__ Füller	__ Lampe	__ Stadt
__ Bleistift	__ Fuß	__ Lehrer	__ Stuhl
__ Buch	__ Haus	__ Lehrerin	__ Stunde
__ Decke	__ Heft	__ Name	__ Tafel
__ Fehler	__ Herr	__ Regel	__ Tisch
__ Fenster	__ Karte	__ Satz	__ Tür
__ Frage	__ Kind	__ Schule	__ Wort
__ Frau	__ Kontinent	__ Schulzimmer	__ Wand
__ Freund	__ Land	__ Schwamm	__ Zimmer
__ Freundin	__ Landkarte	__ Sprache	

Der Akkusativ

Richard versteht **den** Satz, **das** Wort und **die** Regel.
Er wiederholt **einen** Satz, **ein** Wort und **eine** Regel.

Der Lehrer verbessert **die** Fehler, er wiederholt **die** Wörter und erklärt **die** Regeln.
Der Lehrer verbessert Fehler, wiederholt Wörter und erklärt Regeln.

Akkusativ	Nominativ
Richard sagt **den Satz.**	**Der Satz** ist richtig.
Zeigen Sie **einen Bleistift!**	Hier ist **ein Bleistift.**

Nur *Maskulin Singular* hat eine Akkusativform!

Übung:

8

1. Herr Müller erklärt d_ Wort. **2**. Die Schüler schließen d_ Hefte und d_ Bücher. **3**. Anton wiederholt d_ Frage. **4**. Richard versteht d_ Satz nicht. **5**. Herr Robertson macht ein_ Fehler. **6**. Der Lehrer verbessert d_ Fehler und wiederholt d_ Frage. **7**. Die Kinder fragen d_ Lehrer. **8**. Ich frage ein_ Freund. **9**. Was zeigt Peter? Er zeigt d_ Tisch (d_ Stuhl, d_ Füller, d_ Lampe, d_ Bleistift, d_ Heft, d_ Schwamm). **10**. Was versteht Herr Karlis nicht? Er versteht d_ Satz nicht (d_ Frage, d_ Antwort, d_ Wort, d_ Regel).

Das Verb

haben

ich	hab–e	einen	Bleistift	wir	hab–en		Bleistifte
du	hast	ein	Buch	ihr	hab–t	die	Kreide
er (es, sie)	hat	die	Hefte	sie (Sie)	hab–en	keine	Bücher

haben + Akkusativ

Übung: *haben – ein_, kein_*

1. Was __ Sie hier? – Ich __ ein_ Bleistift. **2**. __ Sie auch ein_ Füller? – Nein, __ __ __ __. **3**. Mein Freund __ ein Buch. – __ du auch ein_ Buch? – Nein, ich __ __ __. **4**. __ Sie ein_ Frage? – Nein, ich __ __ __. **5**. Das Zimmer __ ein_ Fußboden, ein_ Decke, ein_ Tür und ein_ Fenster. **6**. __ ihr Bücher und Hefte? – Nein, wir __ __ __ __ __ __.

heißen – schließen

ich heiß–e	ich schließ–e
du **heiß–t** (heiß–(s)t)	du schließ–t
er heiß–t	er schließ–t
usw.	usw.

10 Übung: *heißen – schließen?*

1. Wie __ du? – Ich __ Paul. **2.** __ du auch Paul? – Nein, ich __ nicht Paul. **3.** Jetzt __ du das Buch bitte und gehst nach Haus. **4.** Er __ das Fenster, und du __ die Tür.

Imperativ

Der Lehrer sagt: „Herr Robertson, *schreiben Sie* einen Satz! Bitte *lesen Sie!*"

Schreiben Sie! ist eine Imperativform.

11 Übung: *Bilden Sie Imperativsätze!*

1. den Lehrer fragen **2.** die Frage wiederholen **3.** das Wort erklären **4.** keine Fehler machen **5.** den Satz verbessern **6.** einen Satz bilden **7.** die Bücher schließen **8.** jetzt ins Zimmer kommen **9.** den Satz diktieren **10.** das Wort an die Tafel schreiben

Fragepronomen

1. **Wer** fragt?	**Der** Freund (**das** Kind, **die** Frau) fragt. **Die** Freunde (**die** Kinder, **die** Frauen) fragen.
Wen fragt er?	Er fragt **den** Freund (**das** Kind, **die** Frau). Er fragt **die** Freunde (**die** Kinder, **die** Frauen).
2. **Was** ist groß?	**Der** Tisch (**das** Fenster, **die** Tür) ist groß. **Die** Tische (**die** Fenster, **die** Türen) sind groß.
Was zeigt er?	Er zeigt **den** Tisch (**das** Fenster, **die** Tür). Er zeigt **die** Tische (**die** Fenster, **die** Türen).
3. **Was** ist falsch?	**Der** Satz (**das** Wort, **die** Regel) ist falsch. **Die** Sätze (**die** Wörter, **die** Regeln) sind falsch.
Was schreibt er?	Er schreibt **den** Satz (**das** Wort, **die** Regel). Er schreibt **die** Sätze (**die** Wörter, **die** Regeln).

	Person	*Sache*
Nominativ	wer?	was?
Akkusativ	wen?	was?

Der Freund, das Kind, die Frau sind **Personen.**
Das Fragepronomen ist: Nominativ: **wer?** – Akkusativ: **wen?**

Der Tisch, das Fenster, die Tür sind **Sachen.**
Das Fragepronomen ist: Nominativ und Akkusativ: **was?**

Der Satz, das Wort, die Regel sind **Begriffe.**
Das Fragepronomen ist: Nominativ und Akkusativ: **was?**

Übung: *wen? was?*

1. Der Schüler fragt den Lehrer. – __ fragt der Schüler?
2. Das Kind versteht das Wort nicht. – __ versteht das Kind nicht?
3. Herr Robertson hat einen Füller. – __ hat Herr Robertson?
4. Frau Meier erklärt den Satz. – __ erklärt Frau Meier?
5. Der Schüler versteht den Lehrer. – __ versteht der Schüler?
6. Sie zeigt den Tisch und den Stuhl. – __ zeigt sie?
7. Das Kind fragt die Frau. – __ fragt das Kind?
8. Herr Müller schließt das Fenster. – __ schließt Herr Müller?
9. Die Lehrerin diktiert einen Satz. – __ diktiert die Lehrerin?
10. Die Schüler sagen: „Der Unterricht ist aus, wir gehen nach Haus." – __ sagen die Schüler?

Das Alphabet

a   b   c   d   e   f   g

h   i   j   k   l   m   n   o   p

q   r   s   t   u   v   w

x   y   z

Hier sind die Buchstaben. *A, e, i, o* und *u* sind Vokale. Wie heißen die Konsonanten? – Die Umlaute von *a, o, u* sind *ä, ö, ü.*

ai, ei, eu und *au* sind Diphthonge. Der Umlaut von *au* heißt *äu.*
Das *ß* in *fleißig* heißt *eszet.*
Die Nomen schreiben wir immer groß.

Wie heißen Sie? – Ich verstehe nicht. Bitte buchstabieren Sie!

Die Silben

Ein Wort hat *eine Silbe* (Heft, Schwamm, hier, du), *2 Silben* (Hef-te, Leh-rer, kom-men, flei-ßig), *3 Silben* (Schul-zim-mer, ver-bes-sern), *4 Silben* (Kon-so-nan-ten, wie-der-ho-len), *5 Silben* (un-re-gel-mä-ßig).

Vorsilbe: **un**-bestimmt, **er**-klären, **ver**-bessern

Nachsilbe: lang-**sam**, richt-**ig**.

Endung: du geh-**st**, komm-**en**, Schule-**n**, Tür-**en**.

Zwei Konsonanten oder *ck* machen den Vokal kurz: He**rr**, Schwa**mm**, Zi**mm**er, Fü**ll**er, kö**nn**en, verbe**ss**ern, De**ck**e.

ie (das e macht das i lang): h**ie**r, l**ie**gen, w**ie**derholen.
_h (das h macht den Vokal lang): St**uh**l, F**eh**ler.

ß – ss: Vokal (lang) – **ß**   : Fu**ß**, gro**ß**
         Vokal (kurz) – **ß**   : Ru**ß**land, Flu**ß**

         Vokal (lang) – **ß** – Vokal : Fü**ß**e, regelmä**ß**ig, schlie**ß**en
         Vokal (kurz) – **ss** – Vokal : verbe**ss**ern, Flü**ss**e

13   **Übung 1:** *Bitte buchstabieren Sie!*

Wort – Heft – falsch – Fenster – Haus – Sprache – Übung – hinten – Lehrerin – richtig – und – Wand – Freund – Kind – Wörterbuch – Beispiel – Fußboden – Zimmer – können – Decke – Stuhl – Fehler – verbessern

14   **Übung 2:**

i, ih oder ie?

1. Par_s l_gt h_r. **2.** D_ Lehrer_n d_kt_rt v_le Sätze. **3.** Gr_chenland und _tal_en l_gen in Südeuropa. **4.** _ch b_n h_r. **5.** _r arbeitet n_cht v_l. **6.** B_tte, w_derholen S_!

s, ss oder ß?

1. Das Kind i_t flei_ig. **2.** Schlie_en Sie bitte das Fen_ter! **3.** Das Hau_ i_t link_. **4.** Herr Müller verbe_ert die Fehler. **5.** Ich habe zwei Fü_e. **6.** Oben i_t die Decke, unten der Fu_boden.

ein Konsonant oder zwei Konsonanten?

1. Der U_terricht begi_t. **2.** Der Schü_er ko_t schne_. **3.** Der Artikel „ein" ist unbesti_t. **4.** Wo ist der Schwa_? **5.** Das Schulzi_er ist rechts. **6.** Richard und Pe_er arbei_en oft zusa_en.

Die Zahlen

Wir haben hier viele Stühle. Wie viele Stühle sind hier? Wir zählen die Stühle: eins, zwei, drei, vier, fünf, sechs, sieben, acht, neun, zehn. Wir haben zehn Stühle.

Herr Müller hat viel Geld. Er hat Geldstücke und Geldscheine. Er zählt zuerst die Geldstücke: zwei Fünfmarkstücke – das sind zehn Mark – und viele Markstücke: elf, zwölf, dreizehn, vierzehn, fünfzehn, sechzehn, siebzehn, achtzehn, neunzehn, zwanzig, einundzwanzig, zweiundzwanzig Mark. Jetzt hat Herr Müller noch vier Zweimarkstücke. Er zählt weiter: vierundzwanzig, sechsundzwanzig, achtundzwanzig, dreißig Mark.

Dann zählt Herr Müller die Scheine: zuerst die Zehnmarkscheine: vierzig, fünfzig, sechzig, siebzig, achtzig, neunzig, hundert Mark. Herr Müller hat noch fünf Zwanzigmarkscheine: 120, 140, 160, 180, 200 Mark.

Herr Müller hat auch noch Kleingeld, aber das sind nur Pfennige. Die Pfennige zählt er nicht.

Herr Müller kauft einen Füller, ein Buch, zwei Hefte, zwei Bleistifte und Briefpapier. Der Füller ist teuer, er kostet 13,50 DM*. Die Hefte sind billig. Ein Heft kostet nur 0,25 DM**.

---

* 13,50 DM = dreizehn Mark fünfzig.   ** 0,25 DM = fünfundzwanzig Pfennig

Herr Müller bezahlt die Rechnung;
er zahlt 23,66 DM.

Hier ist die Rechnung:

SCHREIBWAREN · PAPIER	
RECHNUNG	DM
1 Füller	13,50
1 Buch	7,20
2 Hefte	0,50
2 Bleistifte	0,66
Briefpapier	1,80
	23,66

Herr Müller kauft ein Heft; er kauft **noch** ein Heft;
er kauft **auch noch** einen Bleistift.

der Buchstabe, _n	—	buchstabieren
die Rechnung, _en	—	rechnen
die Zahl, _en	—	zählen – zahlen – bezahlen

Er **zahlt** Geld (20 Mark, 50 Pfennig).
Er **bezahlt** die Rechnung (den Füller, das Buch).

der Brief	+	**das** Papier	→	**das** Briefpapier
das Geld	+	**das** Stück	→	**das** Geldstück
eine Mark	+	**das** Stück	→	**das** Markstück
das Geld	+	**der** Schein	→	**der** Geldschein
zehn Mark	+	**der** Schein	→	**der** Zehnmarkschein
klein	+	**das** Geld	→	**das** Kleingeld

Der Satz

I	II	III		
	kauft	die Frau	jetzt	das Buch?
Die Frau	kauft	....	jetzt	das Buch.
Jetzt	kauft	die Frau	..... das Buch.	
Das Buch	kauft	die Frau	jetzt	....

15 **Übung:** *Antworten Sie!*

1. Zählt Herr Müller zuerst die Geldstücke? **2.** Zählt er dann die Geldscheine?
3. Hat Herr Müller auch noch Kleingeld? **4.** Hängt die Lampe jetzt hier?
5. Rechnet ihr immer richtig? **6.** Kauft Herr Müller jetzt Briefpapier? **7.** Bezahlt Herr Müller dann die Rechnung? **8.** Sind Bleistifte immer lang?

Das Demonstrativpronomen „das"

Ein Herr kommt. Wir fragen: „Wer ist **das**?" – „**Das** ist Herr Müller."
Herr Müller zeigt ein Fünfmarkstück. Er fragt: „Was ist **das**?" – Ich antworte:
„**Das** ist ein Fünfmarkstück." oder „**Das sind** fünf Mark."

Das Demonstrativpronomen **das**	1. Person oder Sache
	2. Singular oder Plural

Übung: *Antworten Sie!*

16

1. *Wer* ist das? (Herr Müller – Herr und Frau Meier – mein Freund – die
Lehrerin – eine Schülerin – mein Kind – die Schüler – die Lehrerinnen – die
Schülerinnen – die Kinder)

2. *Was* ist das? (ein Stuhl – die Lampe – das Briefpapier – ein Markstück –
die Bleistifte – viele Stühle – ein Tisch – ein Beispiel – der Fußboden – mein
Name – Häuser)

Die Zahlen

0	null	10	zehn	20	zwanzig		
1	eins	11	**elf**	21	ein**und**zwanzig	10	zehn
2	zwei	12	zw**ö**lf	22	zwei**und**zwanzig	20	zwanzig
3	drei	13	dreizehn	23	dreiundzwanzig	30	drei**ß**ig
4	vier	14	vierzehn	24	vierundzwanzig	40	vierzig
5	fünf	15	fünfzehn	25	fünfundzwanzig	50	fünfzig
6	sechs	16	se**ch**zehn	26	sechsundzwanzig	60	se**ch**zig
7	sieb**en**	17	siebzehn	27	sieb**en**undzwanzig	70	siebzig
8	acht	18	achtzehn	28	achtundzwanzig	80	achtzig
9	neun	19	neunzehn	29	neunundzwanzig	90	neunzig

100	hundert, einhundert		200	zweihundert
101	hunderteins		300	dreihundert usw.
110	hundertzehn		1 000	tausend, eintausend
		1 000 000	eine Million (die Million, –en)

Merken Sie!

1	ein**s**	aber:	21	einundzwanzig (**ein**-und-zwanzig)		
3	drei	aber:	30	drei**ß**ig		
6	sech**s**	aber:	16	sechzehn	60	sechzig
7	sieb**en**	aber:	17	siebzehn	70	siebzig

17 Übung 1: *Lesen Sie!*

6, 10, 8, 5, 3, 9, 7, 4, 2, 1, 11, 18, 13, 15, 19, 12, 14, 17, 16, 25, 47, 74, 29, 92, 68, 96, 66, 35, 78, 55, 27, 46, 21, 64, 77, 91, 82, 139, 416, 926, 555, 915, 1294, 7512, 5432, 6666, 4711.

18 Übung 2: *Wieviel Geld haben Sie?*

1,75 DM, 3,98 DM, 9,35 DM, —,66 DM, —,02 DM, 49,06 DM, 73,15 DM, 56,77 DM, 859,35 DM, 719,82 DM, 811,— DM, 521,75 DM, 1387,45 DM.

Wieviel kostet: ein Füller (*13,50 DM*), ein Heft (*0,25 DM*), der Schwamm (*2,50 DM*), die Tafel (*185,— DM*), die Lampe (*46,— DM*), ein Bleistift (*0,33 DM*), ein Stuhl (*14,50 DM*), ein Buch (*6,50 DM*), ein Tisch (*120,— DM*). *Wieviel kosten:* 2 Füller, 3 Hefte, 4 Bleistifte, 10 Stühle, 5 Tische?

19 Übung 3: *Wie viele –?*

1. Wie viele Stühle sind hier? Hier sind 6 Stühle. **2.** Wie viele Schüler sind hier? (18) **3.** Wie viele Fenster sind hier? (4) **4.** Wie viele Sätze diktiert der Lehrer? (5) **5.** Wie viele Fehler haben Sie? (1) **6.** Wie viele Bücher liegen hier? (3)

Die Zeit

Ein Tag hat 24 Stunden. Eine Stunde hat 60 Minuten, und eine Minute hat 60 Sekunden.

Ich habe eine Uhr. Jetzt ist es 8 Uhr. Der Unterricht beginnt um 9 Uhr. Ich habe noch eine Stunde Zeit. Der Unterricht dauert 3 Stunden, von 9 bis 12 Uhr. Von 2 bis 3 Uhr arbeite ich zu Haus. Um 3 Uhr kommt dann mein Freund.

20 Übung: *Uhr – Stunde*

1. Ich habe eine ＿ **2.** Meine ＿ geht richtig. **3.** Wieviel ＿ ist es jetzt? **4.** Es ist jetzt 9 ＿. **5.** Der Unterricht beginnt um 10 ＿. **6.** Ich habe noch eine ＿ Zeit. **7.** Wir haben von 10 ＿ bis 12 ＿ Unterricht. **8.** Der Unterricht dauert 2 ＿.

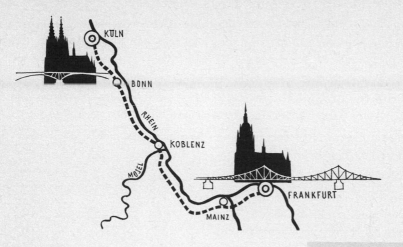

Eine Reise

Herr Breuer wohnt in Köln. Heute fährt er nach Frankfurt. Er nimmt das Kursbuch und liest den Fahrplan. Auf Seite 312 findet er einen Personenzug, einen Eilzug und einen Schnellzug (D-Zug).

Köln – Koblenz – Mainz – Frankfurt			
Zug-Nr *	1284	E 722	D 514
Köln . . . . . . ab	5.14	8.58	9.44
|	|	|	|
an	6.01	9.31	10.09
Bonn . . . . . ab	6.06	9.32	10.11
|	|	|	|
an	7.47	10.52	11.08
Koblenz . . . . ab	8.21	11.21	11.13
|	|	|	|
an	11.10	12.29	12.53
Mainz . . . . . ab	11.50		12.55
|	|		|
Frankfurt . . . . an	12.47		13.32

Der Personenzug fährt um 5.14 Uhr von Köln ab und kommt um 12.47 Uhr in Frankfurt an. Er fährt 7 Stunden und 33 Minuten. In Koblenz hat er 34 Minuten und in Mainz 40 Minuten Aufenthalt.

Der Eilzug fährt um 8.58 Uhr von Köln ab, aber er fährt nicht nach Frankfurt, sondern nur bis Mainz.

---

* Nr. = die Nummer, _n

Der Schnellzug fährt um 9.44 von Köln ab. Die Fahrt nach Frankfurt dauert nur 3 Stunden und 48 Minuten. Der Zug hält in Bonn, Koblenz und Mainz.

Herr Breuer nimmt den Schnellzug. Er kauft eine Fahrkarte, steigt ein und geht in ein Abteil. Dort ist ein Platz frei. Viele Leute fahren nach Frankfurt. Herr Breuer kauft eine Zeitung und eine Illustrierte und liest.

In Frankfurt nimmt Herr Breuer seinen Koffer und seine Tasche, steigt aus und verläßt den Bahnhof.

*

B.: Bitte, fährt der Zug hier nach Frankfurt?
A.: Nein, er fährt nur bis Mainz.
B.: Wann fährt ein Zug nach Frankfurt?
A.: Um 9.44 Uhr.
B.: Vielen Dank! Dann habe ich ja noch eine Stunde Zeit.

*

B.: Fährt der Zug hier nach Frankfurt?
A.: Ja, machen Sie schnell, Sie haben keine Zeit mehr!
B.: Fährt der Zug über Bonn und Mainz?
A.: Ja, aber bitte steigen Sie jetzt schnell ein! Der Zug fährt pünktlich ab.

Der Zug nach Frankfurt über Bonn, Koblenz und Mainz fährt ab. Bitte einsteigen* und die Türen schließen!

*

B.: Ist das Taxi hier frei?
A.: Ja. Bitte steigen Sie ein! Wohin fahren Sie?
B.: Talstraße 19 bitte! Wie lange dauert die Fahrt?
A.: In 10 Minuten sind wir in der Talstraße.
B.: Gut, dann komme ich noch pünktlich.

---

fahren nach	Ich fahre **nach** Frankfurt.
fahren über	Der Zug fährt **über** Bonn nach Frankfurt.
fahren bis	Der Zug fährt nicht nach Frankfurt, er fährt nur **bis** Mainz.

* einsteigen! ist auch eine Imperativform (vergleichen Sie S. 12)

*ab*fahren von	Herr Breuer fährt **von** Köln ab.	
*an*kommen in	Er kommt um 9 Uhr **in** Frankfurt an.	

wo?	Wo wohnt Herr Breuer? – Er wohnt **in** Köln.
wohin?	Wohin fährt er? – Er fährt **nach** Frankfurt.

wie lange?	Wie lange fährt der Zug? – Er fährt 3 Stunden.
wann?	Wann fährt Herr Breuer? – Er fährt heute. Er fährt um 9 Uhr.
um wieviel Uhr?	Um wieviel Uhr fährt er? – Er fährt um 9 Uhr.

fahren	–	*ab*fahren	bestimmt	– *un*bestimmt
kommen	–	*an*kommen	betont	– *un*betont
			trennbar	– *un*trennbar

die Person (–en)	+	**der** Zug	→	**der** Personenzug
schnell	+	**der** Zug	→	**der** Schnellzug
eilen	+	**der** Zug	→	**der** Eilzug
fahren	+	**die** Karte	→	**die** Fahrkarte

Das Verb

Das Präsens

Ich *fahre* nach Frankfurt.	Herr Breuer *fährt* nach Frankfurt.
Ich *nehme* das Buch.	Er *nimmt* das Buch.
Ich *lese* den Fahrplan.	Er *liest* den Fahrplan.

Infinitiv	fahren	lesen	nehmen
Präsens {	ich fahre	ich lese	ich nehme
	du **fähr**st	du liest	du **nimm**st
	er **fähr**t	er liest	er **nimm**t
	wir fahren usw.	wir lesen usw.	wir nehmen usw.

Die Verben **fahren, halten, nehmen, lesen, verlassen** sind stark.

Lernen Sie immer!	fahren	halten	verlassen*	lesen*	nehmen
	er fährt	er hält	er verläßt	er liest	er nimmt

Übung: *Bilden Sie die Verbformen!*   21

1. Herr Breuer __ (*fahren*) nach Frankfurt. **2**. __ (*fahren*) du auch nach Frankfurt? **3**. Er __ (*nehmen*) den Zug um 9.44 Uhr. **4**. Der Zug __ (*halten*) in

---

* du *verläßt* – du *liest*: vergleichen Sie S. 11: du *heißt*, du *schließt*

Koblenz. **5.** Ich ___ (*kaufen*) eine Fahrkarte. **6.** ___ (*verlassen*) Sie den Zug in Mainz? **7.** Nein, ich ___ (*fahren*) nach Frankfurt. **8.** ___ (*kaufen*) Sie eine Zeitung? **9.** ___ (lesen) du auch eine Zeitung? – Nein, ich ___ (*lesen*) eine Illustrierte. **10.** Hier ist Frau Meier. Sie ___ (*lesen*) ein Buch. **11.** ___ (*fahren*) Frau Meier auch nach Frankfurt? – Nein, sie ___ (*fahren*) nur bis Bonn. **12.** Herr Breuer ___ (*nehmen*) seinen Koffer und ___ (*verlassen*) den Bahnhof.

Vorsilbe und Verb

a) Der Zug **fährt** von Köln **ab**. Er **kommt** um 12 Uhr in Frankfurt **an**. Der Herr **steigt** in Köln **ein**; er **steigt** in Frankfurt **aus**.

ab-fahren

Der Zug *fährt* um 6 Uhr von Köln **ab**
Der Zug *fährt* . . . . **ab**

Die Verben **ab**fahren, **an**kommen, **ein**steigen, **aus**steigen sind **trennbar**. Die Vorsilbe* ist betont:

*áb*fahren – *án*kommen – *éin*steigen – *áus*steigen

22 **Übung:** *Bilden Sie die Verbformen!*

1. Der Zug ___ (*abfahren*) um 9.44 Uhr in Köln. **2.** Mein Freund ___ (*aussteigen*) schon in Bonn. **3.** ___ (*einsteigen*) Sie! Der Zug ___ (*abfahren*) pünktlich. **4.** ___ (*fahren*) Frau Meier auch nach Frankfurt? – Nein, sie ___ (*aussteigen*) schon in Mainz. **5.** Herr Breuer ___ (*ankommen*) pünktlich in Frankfurt. **6.** Er ___ (*aussteigen*) schnell. **7.** Sagen Sie bitte, wann ___ (*abfahren*) der Zug hier, und wann ___ (*ankommen*) er in Frankfurt? **8.** Wo ___ (*aussteigen*) Sie? In Bonn oder in Köln? – Ich ___ (*aussteigen*) in Köln.

b) Herr Müller **erklärt** den Fahrplan. – Meine Reise **beginnt** in Köln. – Jetzt **verlassen** wir den Bahnhof. – Peter **versteht** ein Wort nicht.

Die Verben **beginnen, erklären, verbessern, verlassen, verstehen, wiederholen** sind **untrennbar**. Die Vorsilbe ist nicht betont, sie ist **unbetont**: beg*i*nnen, erkl*ä*ren, verb*e*ssern, verl*a*ssen, verst*e*hen, wiederh*o*len.

---

* Hier ist die Vorsilbe ein Wort: *ab, an, aus, ein*. Sie heißt auch **Verbzusatz**.

| Vorsilbe betont | = Verb trennbar! |
| Vorsilbe unbetont | = Verb untrennbar! |

Übung: *Bilden Sie Sätze!* 23

1. abfahren, Zug, Köln, 13.20 Uhr. **2**. ankommen, Herr Breuer, pünktlich, Frankfurt. **3**. verlassen, er, Bahnhof. **4**. beginnen, Herr Breuer, seine Reise, Köln. **5**. wiederholen, Herr Müller, Aufgabe; verbessern, Fehler; erklären Regeln. **6**. aussteigen, Peter, und, kaufen, Zeitung. **7**. einsteigen, mein Freund, und, abfahren, Zug. **8**. ankommen, Zug, Frankfurt, und, aussteigen, mein Freund.

Wortstellung

I	II	III	E*
Er	wiederholt	jetzt die Frage.	
Jetzt	wiederholt	er die Frage.	
Der Zug	fährt	um 9 Uhr von Köln	ab.
Um 9 Uhr	fährt	der Zug von Köln	ab.

Übung: 24

1. Herr Breuer fährt heute nach Frankfurt. Heute __ __ __ __ __.
2. Der Zug fährt um 5 Uhr ab. Um 5 Uhr __ __ __ __.
3. Die Fahrt nach Frankfurt dauert 4 Stunden. 4 Stunden __ __ __ __ __.
4. Ein Platz ist dort frei. Dort __ __ __ __.
5. Ich habe noch eine Stunde Zeit. Noch eine Stunde __ __ __.
6. Herr Breuer liest jetzt den Fahrplan. Jetzt __ __ __ __.
7. Er verläßt den Bahnhof schnell. Schnell __ __ __ __.
8. Viele Leute fahren nach Frankfurt. Nach Frankfurt __ __ __.
9. Herr Breuer nimmt jetzt seine Tasche. Jetzt __ __ __ __ __.
10. Er steigt in Köln aus. In Köln __ __ __.
11. Herr Müller zählt zuerst die Geldstücke. Zuerst __ __ __ __ __.
12. Ein Heft kostet 0,25 DM. 0,25 DM __ __ __.
13. Ich komme heute nicht. Heute __ __ __.
14. Er steigt schon in Mainz aus. Schon in Mainz __ __ __.

---

* E = Endstellung

Präpositionen

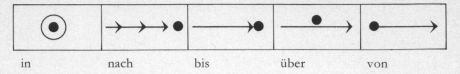

| in | nach | bis | über | von |

25 Übung: *in, nach, bis, über, von?*

1. Der Zug fährt ___ Köln ___ Frankfurt. **2**. Der Eilzug fährt nur ___ Mainz. **3**. Jetzt sind wir ___ Koblenz. **4**. Um wieviel Uhr sind wir ___ Frankfurt? **5**. Ich fahre heute ___ Stuttgart. **6**. Wie lange hat der D-Zug ___ Mainz Aufenthalt? **7**. Der D-Zug kommt um 13.32 Uhr ___ Frankfurt an. **8**. Fährt der Zug ___ München hier ab? **9**. Was kostet eine Fahrkarte ___ Hamburg? **10**. Frau Meier kommt ___ Berlin und fährt ___ München. **11**. Der Zug München–Frankfurt fährt ___ Nürnberg und Würzburg. **12**. Der Zug hält nicht ___ Mainz, sondern nur ___ Bonn und ___ Koblenz.

Tag – Monat – Jahr

Ein Tag hat 24 Stunden. Die Tageszeiten heißen: der Morgen, der Vormittag, der Mittag, der Nachmittag, der Abend und die Nacht.

Sieben Tage sind eine Woche: Montag, Dienstag, Mittwoch, Donnerstag, Freitag, Sonnabend und Sonntag. In West- und Süddeutschland heißt der Sonnabend Samstag.

Ungefähr vier Wochen sind ein Monat; zwölf Monate sind ein Jahr. Die Monate heißen: Januar, Februar, März, April*, Mai, Juni, Juli, August*, September, Oktober, November und Dezember.

Ein Jahr hat 365 Tage. Manchmal hat das Jahr auch 366 Tage. Es heißt dann Schaltjahr. Ein Jahr hat auch vier Jahreszeiten; sie heißen: der Frühling, der Sommer, der Herbst und der Winter.

Es gibt auch viele Feiertage, z. B.** Neujahr, Ostern, Pfingsten und Weihnachten.

---

* Wir betonen: Apríl, Augúst, Septémber, Október, Novémber, Dezémber
** z. B.: = zum Beispiel

Ein Freund kommt

Der Briefträger klingelt. Frau Braun öffnet die Tür. Der Briefträger gibt Frau Braun ein Telegramm. Sie geht in das Zimmer zurück. Dort sitzt ihr Mann und arbeitet.

„Hier ist ein Telegramm, Paul!" sagt sie. Herr Braun öffnet das Telegramm und liest. Dann sagt er: „Heute kommt Besuch. Mein Freund Walter fährt nach Hamburg und unterbricht seine Reise hier. Sein Zug kommt schon um 3.45 Uhr an!" – „Oh, dann kommt er ja bald! Ich koche schnell Kaffee." Frau Braun geht in die Küche. Herr Braun hilft seiner Frau und kauft Kuchen.

Um vier Uhr kommt der Freund. Herr und Frau Braun begrüßen ihren Gast herzlich. Dann führt Herr Braun seinen Freund ins Zimmer. Seine Frau bietet ihrem Gast Kaffee und Kuchen an. „Möchtest du eine Zigarette, Walter?" fragt Herr Braun seinen Freund. Er aber lehnt ab: „Danke, nein! Zigaretten schaden meiner Gesundheit."

Walter erzählt seinen Gastgebern viel, und die Zeit vergeht schnell. Schließlich sagt Walter: „Leider fährt mein Zug schon um 7 Uhr. Wo finde ich hier ein Taxi?" – „Du brauchst kein Taxi", antwortet Herr Braun, „wir nehmen unser Auto. Es gehört meiner Firma. Ich fahre schnell in die Stadt, und du erreichst deinen Zug pünktlich."

Frau Braun gibt ihrem Gast die Hand und sagt: „Auf Wiedersehen, Walter! Hoffentlich kommst du bald wieder!" – „Ich hoffe es auch. Auf Wiedersehen!"

*

B.: Guten Tag, Walter! Du kommst auch einmal nach Köln?

W.: Ich mache gerade eine Geschäftsreise. Heute abend fahre ich nach Hamburg weiter.

B.: Schade, dann ist dein Besuch ja sehr kurz. Wie geht es deiner Familie?

W.: Danke, sehr gut. Wir sind alle gesund. Mein Sohn studiert jetzt in Frankfurt.

B.: Und deine Tochter? Was macht sie?

W.: Erika geht noch in die Schule.

B.: Aber gehen wir doch ins Zimmer! Du möchtest bestimmt eine Tasse Kaffee!

W.: Ja, sehr gern! Vielen Dank!

---

auf Wiedersehen!	– *wieder*sehen	– ich sehe meinen Freund bald wieder
schade!	– schaden	– Zigaretten schaden **der** Gesundheit.
danke!	– danken	– wir danken unser**em** Freund.
bitte!	– bitten	– wir bitten unser**en** Vater.

Wie geht es ___? (D): Wie geht es dein**em** Vater (Ihr**em** Freund, Ihr**er** Frau)?
Wie geht's? – Danke, gut!

Was macht ___? Was macht Erika? – Sie geht noch in die Schule.
   Zwei Bleistifte und ein Heft, wieviel macht das? – Das macht
   1,10 DM.
   Machen Sie schnell! Der Zug fährt ab.

viel Zeit – viel Geld – viel**en** Dank!
Ich sage (**den** Dank, mein**en** Dank) viel**en** Dank.

öffnen	– schließen		bitten	– danken
*auf*machen	– *zu*machen		*an*bieten	– *ab*lehnen
			geben	– nehmen

ich möchte Kaffee – du möcht**est** eine Zigarette – er möcht**e** Kuchen

Das Nomen

Der Dativ

Herr Braun hilft **dem** Freund. – Der Briefträger antwortet **dem** Kind. –
Wie geht es **der** Frau und **den** Kindern?

		maskulin		neutral		feminin	
Singular	N:	der	Freund	das	Kind	die	Tasche
	A:	den	—	das	—	die	—
	D:	**dem**	—	**dem**	—	**der**	—
Plural	N:	die	Freunde	die	Kinder	die	Taschen
	A:	die	—	die	—	die	—
	D:	**den**	Freunde**n**	**den**	Kinder**n**	**den**	Taschen
						(n + **n** = n)	
Singular	N:	mein	Freund	mein	Kind	meine	Tasche
	A:	mein**en**	—	mein	—	meine	—
	D:	mein**em**	—	mein**em**	—	mein**er**	—
Plural	N:	meine	Freunde	meine	Kinder	meine	Taschen
	A:	meine	—	meine	—	meine	—
	D:	mein**en**	Freunde**n**	mein**en**	Kinder**n**	mein**en**	Taschen
Singular		dem		dem		der	
Plural				den _n			

Dativ Plural hat immer die Endung _n

Übung:

1. Die Frau antwortet d_ Briefträger. 2. Die Bücher gehören d_ Kind. 3. Herr
Robertson dankt d_ Lehrer und d_ Lehrerin herzlich. 4. Wem gehören die
Sachen hier? Der Bleistift gehört mein_ Sohn, das Heft gehört mein_ Tochter,
die Bücher gehören d_ Kind_ (*Plur.*). 5. Herr Braun hilft d_ Freund_ (*Plur.*).
6. Ich rauche keine Zigaretten und trinke keinen Kaffee. Zigaretten und Kaffee
schaden d_ Gesundheit. 7. Herr Müller hilft d_ Schüler (d_ Schülerin, d_
Briefträger, d_ Frau). 8. Frau Meier hilft viel_ Schüler_ (viel_ Schülerin_,
viel_ Frau_). 9. Kuchen schadet d_ Kind_ (*Plur.*) nicht.

Der Dativ und der Akkusativ

Er gibt **dem** Freund **den** Bleistift. – Er kauft **dem** Kind **ein** Heft. – Er zeigt
der Frau **das** Telegramm. – Er öffnet **den** Gästen **die** Tür.

Herr Braun gibt	**dem** Gast	**den** Füller.
	den Gästen	
Der Freund kauft	**dem** Kind	**eine** Uhr
	den Kindern	
Erika zeigt	**der** Freundin	**das** Buch.
	den Freundinnen	

Zuerst kommt der **Dativ,** dann kommt der **Akkusativ!**

27 **Übung 1:** *Dativ und Akkusativ*

1. Herr Müller erklärt d— Kindern d— Fahrplan. **2.** Frau Braun gibt d— Gast d— Hand. **3.** Wir kaufen d— Kind ein Buch. **4.** Er bietet d— Freund ein— Zigarette an. **5.** Der Briefträger bringt d— Frau d— Telegramm. **6.** Walter diktiert d— Freund ein— Brief. **7.** Richard gibt d— Briefträger d— Geld. **8.** Die Frau bringt d— Mann d— Zeitung. **9.** Bietet ihr d— Freund kein— Zigaretten an? **10.** Ich gebe d— Kindern mein— Bücher.

28 **Übung 2:** *Bilden Sie Sätze!*

1. gehören, Auto, Gast. **2.** schaden, Kaffee, Kind. **3.** öffnen, Herr Müller, Tür, Gast. **4.** anbieten, Walter, Zigaretten, Freund. **5.** schreiben, wir, Brief, Freund. **6.** zeigen, du, Stadt, Gast. **7.** geben, du, eine Zigarette, Briefträger. **8.** zeigen, wir, Rechnung, Freunde. **9.** bringen, Frau Braun, Geld, Briefträger. **10.** kaufen, sie, ein Schwamm, Kind.

Das Fragepronomen „wem"?

Wem gehören die Bücher? – Sie gehören **dem** Freund (**dem** Kind, **der** Frau). Sie gehören **den** Freunden (**den** Kindern, **den** Frauen).

Wem? fragt nur nach Personen.

29 **Übung:** *Bilden Sie Fragen!*

Beispiel: Wir kaufen dem Kind ein Buch.
Wem kaufen wir ein Buch? Dem Kind.
Was kaufen wir dem Kind? Ein Buch.

1. Der Briefträger gibt der Frau ein Telegramm. **2.** Der Mann gibt seinem Freund viel Geld. **3.** Die Kinder bringen dem Lehrer das Kursbuch. **4.** Frau

Müller kocht dem Gast Kaffee. **5**. Frau Braun gibt dem Gast den Koffer und die Tasche. **6**. Sie bietet Walter Kuchen an. **7**. Walter zeigt Frau Müller das Haus. **8**. Ich kaufe meinem Freund die Fahrkarte.

Possessiv-Pronomen

Ich habe einen Freund . . . . das ist **mein** Freund.
ein Buch . . . . das ist **mein** Buch.
eine Uhr . . . . das ist **meine** Uhr.
viele Freunde . . . . . . das sind **meine** Freunde.

	maskulin		*neutral*		*feminin*	
ich	mein	Freund	mein	Buch	meine	Uhr
	meine	Freunde	meine	Bücher	meine	Uhren
du	dein	Freund	dein	Buch	deine	Uhr
	deine	Freunde	deine	Bücher	deine	Uhren
er, es	sein	Freund	sein	Buch	seine	Uhr
	seine	Freunde	seine	Bücher	seine	Uhren
sie	ihr	Freund	ihr	Buch	ihre	Uhr
	ihre	Freunde	ihre	Bücher	ihre	Uhren
wir	unser	Freund	unser	Buch	unsere	Uhr
	unsere	Freunde	unsere	Bücher	unsere	Uhren
ihr	euer	Freund	euer	Buch	eu*re*	Uhr
	eu*re*	Freunde	eu*re*	Bücher	eu*re*	Uhren
sie	ihr	Freund	ihr	Buch	ihre	Uhr
	ihre	Freunde	ihre	Bücher	ihre	Uhren
Sie	Ihr	Freund	Ihr	Buch	Ihre	Uhr
	Ihre	Freunde	Ihre	Bücher	Ihre	Uhren

Übung: *Possessivpronomen* 30

1. Richard hat einen Gast. Das ist __ Gast. **2**. Erika hat einen Gast. Das ist __ Gast. **3**. Richard und Erika haben einen Gast. Das ist __ Gast. **4**. Guten Tag, Walter, wie geht es __ Frau und __ Kindern? **5**. Guten Tag, Herr Braun, wie geht es __ Frau und __ Sohn? **6**. Herr Breuer erreicht __ Zug pünktlich; Frau Braun erreicht __ Zug nicht mehr. **7**. Wo ist mein Buch, Herr Robertson? __ Buch? Hier liegt es. **8**. Herr Breuer nimmt __ Koffer und verläßt den Bahnhof. **9**. Herr Breuer hilft seiner Frau. Er nimmt auch __ Koffer. **10**. Richard raucht nicht. Zigaretten schaden __ Gesundheit. Erika raucht auch nicht. Auch __ Gesundheit schaden die Zigaretten.

Unsere Familie

Mein Vater und meine Mutter sind meine Eltern. Ich bin ihr Sohn. Meine Eltern haben auch eine Tochter. Sie ist meine Schwester, und ich bin ihr Bruder. Wir sind Geschwister. Unsere Familie lebt in Stuttgart.

Mein Vater hat keine Eltern mehr. Sie sind tot. Meine Mutter hat noch einen Vater und eine Mutter. Unsere Großeltern leben auch in Stuttgart. Wir lieben unseren Großvater und unsere Großmutter sehr.

Mein Vater hat einen Bruder. Er ist unser Onkel, seine Frau ist unsere Tante. Ich bin sein Neffe, und meine Schwester ist seine Nichte. Seine Kinder sind unsere Vettern und Kusinen. Meine Mutter hat eine Schwester. Sie ist auch meine Tante.

Großvater	–	Großmutter		Bruder	–	Schwester
Vater	–	Mutter		Onkel	–	Tante
Sohn	–	Tochter		Vetter	–	Kusine

Zwei Studenten in München

Robert studiert seit einem Monat in München. Er wohnt mit seinem Freund Hans beim Kaufmann Krüger, Elisabethplatz 30. Frau Krüger ist ihre Hausfrau. Die Wohnung ist nicht weit von der Universität. Sie liegt der Post gegenüber.

Morgens um 8 Uhr geht Robert aus dem Haus und fährt mit seinem Fahrrad zur Universität. Hans geht immer zu Fuß, denn er hat kein Fahrrad. Der Weg ist nicht weit; vom Elisabethplatz zur Universität braucht er nur 10 Minuten.

Mittags geht Robert mit seinem Freund zum Essen. Sie gehen die Ludwigstraße entlang und dann links um die Ecke zu einem Gasthaus. Dort ißt man sehr gut. Gewöhnlich bestellen sie das Menü, das ist nicht so teuer. Nach dem Essen lesen sie manchmal noch die Zeitungen oder die Illustrierten und trinken ein Glas Bier oder eine Tasse Kaffee.

Nachmittags geht Robert ohne seinen Freund zur Universität, denn Hans arbeitet zu Haus für seine Prüfung. Nach der Vorlesung fährt er nach Haus. Manchmal macht er auch noch einen Spaziergang durch den Park. Nach dem Abendessen gehen die Freunde zusammen spazieren. Manchmal besuchen sie ein Kino oder ein Theater, oder sie arbeiten zu Haus. Meistens gehen sie aber früh zu Bett, denn sie sind abends immer sehr müde.

Das Gasthaus

Hans (H), *Robert* (R), *der Ober* (*Kellner*, O)

H: Die Speisekarte bitte, Herr Ober!
O: Hier, meine Herren! Möchten Sie das Menü zu 3,80? Gemüsesuppe,
   Rindfleisch mit Kartoffeln und Salat, Nachtisch.
R: Gut, und ein Bier bitte!
H: Ich nehme auch das Menü, aber ohne Suppe bitte!
O: Was trinken Sie?
H: Ich trinke jetzt nichts, nach dem Essen bitte eine Tasse Kaffee.

Nach dem Essen:

R: Herr Ober, bitte zahlen!
O: Zusammen?
R: Nein, ich bezahle ein Menü und ein Bier.
O: Das macht 3,80 und 75, also 4,55, und 10%*, das sind 5 Mark.
H: Ich habe ein Menü ohne Suppe, zwei Brötchen und einen Kaffee.
O: 3,50, 20 und 60, zusammen 4,30; 4,75 bitte.

*Robert gibt dem Ober einen Zehnmarkschein, Hans gibt ihm ein Fünfmarkstück.
Der Kellner gibt Robert das Fünfmarkstück und Hans 25 Pfennig. Hans nimmt
das Geld nicht und sagt:*

H: Danke, für Sie!
O: Danke sehr, meine Herren, Auf Wiedersehen!

---

* % = Prozent

der Abend	+	das Essen	→	das Abendessen	
das Bier	+	das Glas	→	das Bierglas	
der Gast	+	das Haus	→	das Gasthaus	
das Haus	+	die Frau	→	die Hausfrau	
das Haus	+	die Tür	→	die Haustür	
das Geschäft	+	die Reise	→	die Geschäftsreise	
fahren	+	das Rad	→	das Fahrrad	
kaufen	+	der Mann	→	der Kaufmann	

die Hausfrau (süddeutsch)   die Zimmerwirtin (norddeutsch)

Man ißt hier sehr gut. – In Deutschland arbeitet *man* sonntags nicht.

gehen: er geht zu Fuß

fahren: er fährt mit dem Fahrrad (mit dem Auto, mit dem Zug)

er geht *nach Haus* – er ist *zu Haus* – er kommt *von zu Haus*
er geht *zu Fuß* – er geht *zu Bett*

immer – oft – manchmal – selten – nie

Präpositionen

Präpositionen mit dem Dativ

lokal	aus	⊐→	Robert geht *aus dem* Haus. Richard kommt *aus* London. Er trinkt Bier *aus einem* Glas.	Er wohnt dort.
	von	●→	Er hat das Geld *von seinem* Vater. Der Zug kommt *von* Mainz.	
	nach	→●→	Wir fahren *nach* Köln. Er reist *nach* Amerika. Er geht *nach* oben. Wir gehen *nach Haus*.	Stadt, Land (ohne Artikel), Adverb **Ausnahme**
	zu	→● ⊡	Wir gehen *zu einem* Freund. Robert geht *zur* Universität. Ich gehe *zum* Essen. Ich bin *zu Haus*.	Person, Haus, Infinitiv **Ausnahme**

	bei ⭕●	Hans wohnt *bei seiner* Tante. Mein Hotel ist *beim* Bahnhof.
	gegenüber **|←→|**	Die Wohnung liegt der Post *gegenüber.*
temporal	nach	*Nach der* Vorlesung geht er spazieren. Was machst du *nach dem* Essen?
	seit	Ich wohne *seit einer* Woche hier. Er studiert *seit* drei Jahren.
	mit	Ich schreibe *mit einem* Füller. Wir fahren *mit dem* Auto. Er lernt *mit seinem* Freund.

aus, bei, mit, nach, seit, von, zu, gegenüber
immer mit Dativ

Merken Sie: **gegenüber** steht oft **nach** dem Nomen.

bei dem	→	beim	zu dem	→ zum
von dem	→	vom	zu der	→ zur

31 Übung:

1. Robert geht um 8 Uhr aus d_ Haus. **2**. Er wohnt mit sein_ Freund Hans zusammen. **3**. Ich gehe heute zu mein_ Schwester. **4**. Kommt der Brief von dein_ Großmutter? **5**. Ich bin schon seit ein_ Woche hier. **6**. Sie geht mit ihr_ Tante spazieren. **7**. Nach d_ Essen besuchen wir Frau Meier. **8**. Meine Wohnung liegt d_ Bahnhof gegenüber. **9**. Ich zahle mit ein_ Geldschein. **10**. Seit ein_ Monat hat mein Freund ein Auto. **11**. Ich fahre zu mein_ Onkel. **12**. Wohnen Sie bei Ihr_ Eltern? **13**. Bier trinken wir aus ein_ Glas, Kaffee aus ein_ Tasse. **14**. Die Studenten kommen von d_ Universität und gehen zu d_ Bahnhof. **15**. Nach d_ Vorlesung gehen wir zu d_ Essen. **16**. Die Post ist d_ Bahnhof gegenüber.

Präpositionen mit dem Akkusativ

lokal	durch		Hans geht *durch den* Park. Ich sehe *durchs* Fenster. Sie fährt *durch* Frankreich nach Spanien.
	gegen		Das Auto fährt *gegen ein* Haus.
	um		Wir sitzen *um den* Tisch. Das Auto fährt *um die* Stadt.
	entlang		Wir fahren *die* Straße *entlang.*
temporal	gegen		*Gegen* 8 Uhr komme ich zum Essen.
	um		*Um* 8 Uhr komme ich zum Essen. Der Zug fährt *um* 7.42 Uhr.
	für		Er kauft ein Fahrrad *für seinen* Sohn. Hier ist ein Brief *für* Peter.
	ohne		Robert geht *ohne seinen* Freund spazieren. *Ohne* Auto mache ich keine Reise.

durch, für, gegen, ohne, um, entlang
immer mit Akkusativ

Merken Sie: **entlang** steht **nach** dem Nomen.

durch das → durchs
für das → fürs
um das → ums

Übung:

1. Heute gehe ich ohne mein_ Freund spazieren. 2. Wir fahren schnell durch d_ Stadt. 3. Robert geht um d_ Haus. 4. Herr Braun arbeitet für ein_ Firma. 5. Der Briefträger bringt Geld für mein_ Vater. 6. Gehen Sie links um d_ Ecke! 7. Wir gehen durch d_ Ludwigstraße nach Haus. 8. Robert fährt mit seinem Fahrrad gegen ein_ Auto. 9. Herr Ober, bringen Sie ein Glas Bier für mein_ Freund!

Wortstellung

		I	II	III
Robert geht zur Universität,	*aber*	Hans	lernt	zu Haus.
Wir gehen zu Bett,	*denn*	wir	sind	sehr müde.
Robert liest,	*und*	Hans	schreibt	einen Brief.
Sie lesen Zeitungen,	*oder*	sie	arbeiten	zusammen.
Er arbeitet nicht,	*sondern*	er	geht	spazieren.

Beachten Sie die Stellung von: **aber, denn, und, oder, sondern!**

33 **Übung:** *Verbinden Sie die zwei Sätze!*

Beispiel: Wir gehen zu Bett. Wir sind müde. (denn)
Wir gehen zu Bett, denn wir sind müde.

1. Sie lesen die Zeitung. Sie trinken eine Tasse Kaffee. (und) **2.** Hans geht zu Fuß. Er hat kein Fahrrad. (denn) **3.** Sie gehen nicht ins Kino. Sie machen einen Spaziergang. (sondern) **4.** Trinken Sie ein Glas Bier? Möchten Sie eine Tasse Kaffee? (oder) **5.** Er fährt mit dem Taxi. Er hat keine Zeit. (denn) **6.** Er möchte eine Tasse Kaffee. Er hat kein Geld. (aber) **7.** Robert bestellt ein Glas Bier. Hans trinkt eine Tasse Kaffee. (aber) **8.** Er geht nicht zur Vorlesung. Er arbeitet zu Haus. (sondern) **9.** Walter raucht nicht. Das Rauchen schadet seiner Gesundheit. (denn)

Das Zeitadverb

Morgens geht Robert aus dem Haus. – *Mittags* geht er zum Essen. – Sie gehen *abends* immer spazieren. – *Sonntags* arbeiten die Studenten nicht.

Nomen	Adverb	Nomen	Adverb
der Morgen	morgens	der Abend	abends
der Vormittag	vormittags	die Nacht	nachts
der Mittag	mittags	der Montag	montags
der Nachmittag	nachmittags	der Dienstag usw.	dienstags

34 **Übung:**

1. Wir haben __ (*Morgen*) und __ (*Nachmittag*) Vorlesungen. **2.** Ich esse __ (*Mittag*) immer um 1 Uhr. **3.** In Deutschland arbeitet man __ (*Sonntag*) nicht. **4.** __ (*Freitag*) besuche ich meinen Onkel. **5.** Er fährt __ (*Nacht*) nicht Auto. **6.** Ich trinke __ (*Abend*) ein Glas Bier, __ (*Mittag*) trinke ich Kaffee.

Die Mahlzeiten

Das Frühstück, das Mittagessen und das Abendessen sind die drei Mahlzeiten in Deutschland.

Zum Frühstück trinkt man meistens Kaffee mit Milch und Zucker und ißt Brot oder Brötchen mit Butter und Marmelade. Sonntags ißt man auch Kuchen.

Mittags essen die Leute zuerst einen Teller Suppe, dann Fleisch mit Soße, Gemüse oder Salat und Kartoffeln. Nach dem Essen gibt es zum Nachtisch eine Süßspeise oder Obst. Freitags essen viele Leute Fisch. Oft trinkt man zum Essen Bier oder Wein.

Zum Essen braucht man ein Besteck. Das sind der Löffel, das Messer und die Gabel. Man benutzt auch eine Serviette.

Zu Abend ißt man oft kalt, d. h.* es gibt nur Brot mit Butter, Wurst, Schinken oder Käse. Zum Abendessen trinkt man dann Tee.

Sonnabends und sonntags trinken viele Leute zu Haus Kaffee und essen Kuchen. Manchmal gehen sie auch in ein Café und trinken ihren Nachmittagskaffee dort. Das macht man meist gegen 4 Uhr.

---

das Frühstück:	Kaffee, Milch, Zucker
	Brot oder Brötchen, Butter, Marmelade
	Kuchen
das Mittagessen:	Suppe, Fleisch mit Sauce, Gemüse, Kartoffeln, Salat
	Süßspeise oder Obst (Äpfel, Birnen, Apfelsinen usw.)
	Bier, Wein
das Abendessen:	Brot mit Butter, Wurst, Schinken, Käse – Tee

wir frühstücken – wir essen *zu* Mittag – wir essen *zu* Abend
wir essen *warm* – wir essen *kalt*

---

* d. h. = das heißt

Gespräche

1.

R: Guten Tag, Herr Arndt!

A: Guten Tag, Herr Robertson! Wie geht's? Wo gehen Sie denn hin?

R: Ich gehe heute abend zu Dr.* Müller und will jetzt noch schnell ein Geschenk für ihn kaufen.

A: So, zu Doktor Müller! Was wollen Sie ihm denn schenken?

R: Etwas zum Rauchen, Zigarren oder Zigaretten.

A: Das ist sicher nicht falsch.

R: Aber was kann ich seiner Frau mitbringen? Können Sie mir einen Rat geben?

A: Blumen sind für Damen immer richtig!

R: Sehr gut, vielen Dank für Ihren Rat! Den Kindern will ich Schokolade und Bonbons mitbringen. Das macht ihnen bestimmt Freude.

A: Das glaube ich auch. – Wieviel Uhr ist es schon? Die Geschäfte schließen um halb sieben.

R: Ach, schon Viertel vor sechs, da muß ich aber gehen! Ich muß ja noch die Geschenke kaufen.

A: Bitte grüßen Sie Dr. Müller von mir!

R: Gern! Ich habe noch eine Frage. Herr Müller hat heute Geburtstag. Was sage ich zu ihm?

A: Ich gratuliere Ihnen zum Geburtstag und danke Ihnen für die Einladung.

R: Danke, das will ich sagen. Jetzt muß ich aber gehen.

A: Ich wünsche Ihnen recht viel Vergnügen für heute abend. Auf Wiedersehen!

---

* Dr. = Doktor

2.

P: Guten Morgen, Fritz! Kannst du heute abend zu mir kommen?

F: Heute leider nicht, Peter! Ich muß zu Haus bleiben und arbeiten.

P: Aber vielleicht morgen?

F: Morgen gehe ich mit Erika zum Tanzen. Aber Samstag bin ich frei.

P: Gut, dann lade ich dich am Samstag zum Abendessen ein. Meine Schwester und ich wollen nach dem Essen ins Kino gehen. Die Vorstellung beginnt um Viertel nach acht. Wir essen um sieben Uhr, dann kommen wir nicht zu spät. Kannst du gegen sieben Uhr bei uns sein?

F: Ja, vielen Dank, ich komme um sieben Uhr. Auf Wiedersehen bis Samstag!

P: Wir erwarten dich um sieben Uhr. Auf Wiedersehen!

Ich *gehe zu* meinem Freund. – Wir *gehen zum* Tanzen. – *Etwas zum* Rauchen. – Er kauft ein Geschenk *für* die Kinder. – Viel Vergnügen *für* heute abend! – Ich *gratuliere* Ihnen *zum* Geburtstag. – Was *sage* ich *zu* ihm?

guten Morgen! – guten Tag! – guten Abend! – Grüß Gott! (süddeutsch) vielen Dank! – viel Vergnügen! – auf Wiedersehen!

| einladen* | – die Einladung | schenken | – das Geschenk |
| tanzen | – der Tanz | freuen | – die Freude |

Modalverben

Robert *will* nach Deutschland *fahren.* Zuerst *muß* er Deutsch *lernen.* Dann *kann* er die Leute dort *verstehen.*

Peter und Else *wollen* zum Tanzen *gehen,* aber sie haben kein Geld. Sie *müssen* ihren Vater *fragen.* Er gibt Peter zehn Mark, und sie *können* zum Tanzen *gehen.*

wollen:	ich will	*müssen*:	ich muß	*können*:	ich kann
	du willst		du mußt		du kannst
	er will		er muß		er kann
	wir wollen		wir müssen		wir können
	ihr wollt		ihr müßt		ihr könnt
	sie wollen		sie müssen		sie können

---

* *ein*laden: ich lade ... ein, du lädst ... ein, er lädt ... ein, wir laden ... ein usw.

Merken Sie: ich will, ich muß, ich kann: **ohne e** (vgl. ich gehe, ich nehme usw.)

er will, er muß, er kann; **ohne t** (vgl. er geht, er nimmt usw.)

Ich *fahre* mit Peter nach Hamburg.

Ich *will* mit Peter nach Hamburg *fahren*.

Er *steht* morgens um 7 Uhr *auf*.

Er *muß* morgens um 7 Uhr *aufstehen*.

Wir *verstehen* und *sprechen* Deutsch.

Wir *können* Deutsch *verstehen* und *sprechen*.

Wortstellung (Modalverben)

I	II	III	E
Ich	will	mit Peter nach Deutschland	fahren
Nach Deutschland	will	ich mit Peter	fahren
Mit Peter	will	ich nach Deutschland	fahren

35 **Übung:** *Bilden Sie Sätze mit Modalverben!*

1. Sie sprechen gut Deutsch. (*können*) **2.** Mein Vater trinkt ein Glas Bier. (*wollen*) **3.** Wir lernen viel. (*müssen*) **4.** Sie findet den Geldschein nicht. (*können*) **5.** Ich esse heute das Menü. (*wollen*) **6.** Hans geht zu Fuß zur Universität. (*müssen*) **7.** Erika steigt in Mainz aus. (*wollen*) **8.** Herr Braun fährt seinen Freund zum Bahnhof. (*wollen*) **9.** Kommen Sie heute abend zu mir? (*können*) **10.** Das Auto fährt schnell weiter. (*müssen*) **11.** Nach dem Essen gehen wir ins Kino. (*wollen*) **12.** Bist du gegen sieben Uhr bei Peter? (*können*) **13.** Wir sehen unsere Freunde bald wieder. (*wollen*) **14.** Ich kaufe jetzt die Geschenke ein. (*müssen*) **15.** Gehst du heute abend zum Tanzen? (*wollen*) **16.** Ich gehe heute abend zu Dr. Müller. (*müssen*) **17.** Herr Müller hat Geburtstag; was sage ich zu ihm? (*können*) **18.** Ich bleibe zu Haus und arbeite. (*müssen*) **19.** Ich bringe den Kindern Schokolade mit. (*können*) **20.** Morgen lade ich Fritz zum Abendessen ein. (*wollen*) **21.** Ich rauche jetzt eine Zigarette und trinke ein Glas Wein. (*müssen*)

Das Personalpronomen*

Ich frage *dich*, und du fragst *mich*. (du fragst *ihn, es, sie*)
Wir fragen *euch*, und ihr fragt *uns*. (du fragst *sie, Sie*)

Wie geht es *dir*? – Danke, es geht *mir* gut. (es geht *ihm, ihr* gut)
Wie geht es *euch*? – Danke, es geht *uns* gut. (es geht *ihnen, Ihnen* gut.)

	Singular					Plural			
Nom.:	ich	du	er	es	sie	wir	ihr	sie	Sie
Akk.:	mich	dich	ihn	es	sie	uns	euch	sie	Sie
Dat.:	mir	dir	ihm	ihm	ihr	uns	euch	ihnen	Ihnen

Übung 1: *Antworten Sie nur mit Personalpronomen!*   36

1. Bringst du dein Buch mit? Bringen Sie Ihre Schwester mit? Bringen Sie Ihren Füller mit? Bringen Sie Ihre Zigaretten mit?
2. Lesen Sie die Zeitung? Lesen Sie das Buch? Lesen Sie den Brief? Lesen Sie die Bücher?
3. Geht es Ihrer Mutter gut? Geht es Ihrem Vater gut? Geht es Ihrem Kind gut? Geht es Ihren Geschwistern gut? Geht es Ihren Eltern gut? Geht es dir gut? Geht es Ihnen gut? Geht es dir und Robert gut?
4. Hilft er seinem Freund? Hilft er seinen Freunden? Hilft er seiner Frau? Hilft er euch? Hilft er dir? Hilft er seiner Familie? Hilft er seinen Eltern?

Übung 2: *Ergänzen Sie die Sätze!*   37

1. Mein Vater kommt zu __ (*ich*). **2.** Ich fahre zu __ (*er*). **3.** Meine Schwester besucht __ (*ihr*) abends. **4.** Der Lehrer fragt __ (*du*) und nicht __ (*ich*). **5.** Wir fahren mit __ (*ihr*) zu __ (*sie, Plur.*). **6.** Wohnt Herr Breuer bei __ (*Sie*)? Nein, er wohnt __ (*ich*) gegenüber. **7.** Du hast keine Zeit für __ (*ich*); ich gehe ohne __ (*du*) spazieren. **8.** Sie hat ein Buch von __ (*ihr*). **9.** Ich arbeite oft mit __ (*er*). **10.** Ich bin um 7 Uhr bei __ (*sie, Plur.*); ich komme mit __ (*sie, Sing.*), aber ohne __ (*er*). **11.** Sie schreiben __ (*Sie*) heute. Bitte, antworten Sie __ (*sie*) bald! **12.** Kommst du morgen mit __ (*sie, Plur.*) zu __ (*wir*)? **13.** Was kann ich __ (*sie, Sing.*) mitbringen? **14.** Sie haben zwei Kinder. Was bringe ich __ (*sie, Plur.*) mit?

---

* er	(der)	es	(das)	sie	(die)	sie	(die)
ihn	(den)	es	(das)	sie	(die)	sie	(die)
ihm	(dem)	ihm	(dem)	ihr	(der)	ihnen	(den + n)

Wortstellung (Personalpronomen)

Kauft	der Vater	· dem Kind	das Buch?
Kauft	er	es	ihm ?

Regel 1: **Nomen:*** 1. Nominativ 2. Dativ 3. Akkusativ
Regel 2: **Pronomen:** 1. Nominativ 2. Akkusativ 3. Dativ

ein Pronomen	Kauft	er	dem Kind	das Buch?
zwei Nomen	Kauft	ihm	der Vater	das Buch?
	Kauft	es	der Vater	dem Kind?
zwei Pronomen	Kauft	er	ihm	das Buch?
ein Nomen	Kauft	er	es	dem Kind?
	Kauft	es	ihm	der Vater?

Regel 3: zuerst **Pronomen,** dann **Nomen**

---

38 **Übung 1:** *Nehmen Sie die Personalpronomen!*

a) für das Dativobjekt
b) für das Akkusativobjekt
c) für die zwei Objekte

1. Ich schenke meiner Schwester den Füller. **2.** Er schreibt seinem Freund einen Brief. **3.** Herr Braun gibt dem Briefträger das Geld. **4.** Wir kaufen unserem Großvater die Fahrkarte. **5.** Er bringt dem Gast die Suppe. **6.** Robert bestellt seinem Bruder ein Glas Bier. **7.** Ich kaufe den Kindern Schokolade. **8.** Ich zeige dem Freund das Haus. **9.** Kaufen Sie den Kindern das Wörterbuch? **10.** Heute diktiert er den Schülern die Regel. **11.** Kaufen Sie Ihrem Sohn die Schokolade! **12.** Bringen Sie Peter den Kaffee! **13.** Heute bringt er seiner Frau die Blumen mit. **14.** Morgen kann er seiner Frau die Blumen nicht kaufen.

39 **Übung 2:** *Antworten Sie mit Personalpronomen!*

Beispiel: Wer gibt Fritz heute das Buch? (*der Lehrer*)
        Heute gibt es ihm der Lehrer.

1. Wer bringt Ihrem Sohn jetzt das Essen? (*Frau Meier*) **2.** Wer bringt uns heute den Nachtisch? (*der Ober*) **3.** Wer muß dem Mann jetzt das Geld geben? (*sein Freund*)

---

* Vergl. S. 28

Die Uhrzeiten

7.00 Uhr = *sieben Uhr*
7.05 Uhr = fünf (Minuten)
            nach sieben
7.10 Uhr = zehn (Minuten)
            nach sieben
7.15 Uhr = (ein) Viertel *nach*
            sieben/Viertel acht
7.20 Uhr = zwanzig *nach* sieben/
            zehn *vor* halb acht
7.25 Uhr = fünf *vor* halb acht
7.30 Uhr = *halb acht*
7.35 Uhr = fünf *nach* halb acht
7.40 Uhr = zehn *nach* halb acht/
            zwanzig *vor* acht
7.45 Uhr = (ein) Viertel *vor* acht/
            drei Viertel acht

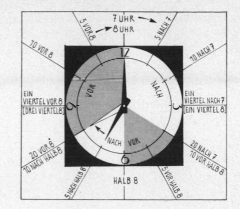

7.50 Uhr = zehn *vor* acht
7.55 Uhr = fünf *vor* acht
8.00 Uhr = *acht Uhr**

Übung: *Lesen Sie die Uhrzeiten!*   40

10.10 Uhr; 8.25 Uhr; 23.55 Uhr; 4.15 Uhr; 14.55 Uhr; 22.30 Uhr; 11.15 Uhr;
6.25 Uhr; 1.45 Uhr; 0.05 Uhr; 12.35 Uhr; 7.20 Uhr; 14.40 Uhr; 20.50 Uhr;
18.59 Uhr; 4.11 Uhr; 5.31 Uhr; 8.19 Uhr.

Ein Telefongespräch

Herr Müller will Dr. Breuer anrufen, aber er hat zu Haus kein Telefon.
Er muß zur Post gehen und von dort telefonieren.

Er geht in die Post. Dort sind die Fernsprechzellen. Eine Zelle ist noch
frei. Er geht in die Zelle, nimmt das Telefonbuch und sucht die Nummer.
Er liest:

---

* 14.00 Uhr = zwei Uhr (mittags); 16.10 Uhr = zehn nach vier (nachmittags);
19.15 Uhr = ein Viertel nach sieben (abends); 23.45 Uhr = ein Viertel vor
zwölf (nachts); 0.05 Uhr = fünf nach zwölf (nachts).

Breu Fritz, in Firma Breu & Co.,
Mchn*-Pasing, Bahnhofstr. 18
47 62 41

Breucher Anita, Modesalon, M 23,
Rheinstr. 7   73 76 02

Breuer Robert, Dr. med. dent.,
Zahnarzt, M 22, Maximilianstr. 18
29 71 62

Jetzt nimmt er den Hörer ab, wirft seine zwei Zehnpfennigstücke ein und wählt die Nummer. Er dreht die Wählscheibe sechsmal: 2, 9, 7, 1, 6, 2. Er hört eine Stimme.

– Hier Frau Breuer!
– Hier Robert Müller! Guten Tag, Frau Breuer! Kann ich mit Ihrem Mann sprechen?
– Mein Mann ist leider nicht zu Haus. Er kommt aber gegen 8 Uhr nach Haus. Wollen Sie bitte nach 8 Uhr noch einmal anrufen?
– Das ist nicht nötig! Grüßen Sie ihn bitte von mir! Ich danke Ihnen und Ihrem Mann für die Einladung. Ich komme morgen abend.
– Schön, Herr Müller. Wir erwarten Sie morgen um halb acht zum Abendessen. Auf Wiedersehen!
– Auf Wiedersehen, Frau Breuer!

Herr Müller hängt den Hörer wieder ein und verläßt die Telefonzelle.

---

das Telefon	– der Fernsprecher
das Telefonbuch	– das Fernsprechbuch
telefonieren mit	– *an*rufen A.

Herr Müller *telefoniert mit* Dr. Breuer – Er ruft Dr. Breuer *an*.
Ich *spreche mit dem* Mann. – *Grüßen* Sie Ihren Mann *von mir*. – Ich *danke* Ihnen *für die* Einladung

---

* Mchn = München

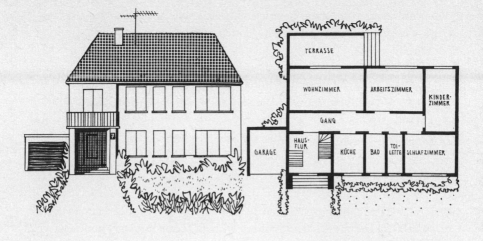

Mein Haus

Mein Haus ist in der Gartenstraße. Wollen Sie es sehen? Dann zeige ich es Ihnen.

Wir stehen jetzt vor dem Haus. Es hat zwei Stockwerke und liegt in einem Garten. Unten im Erdgeschoß wohne ich mit meiner Frau und meinen Kindern; über uns wohnt Familie Müller. Neben der Haustür ist die Hausnummer: Gartenstraße 7. Die Wohnung oben hat einen Balkon. Er ist über der Haustür. Auf dem Dach können Sie die Antenne und den Kamin sehen. Links neben dem Haus ist die Garage für meinen Wagen.

Gehen Sie jetzt mit mir ins Haus! Im Hausflur ist die Treppe. Aber wir wollen nicht nach oben gehen, sondern im Erdgeschoß bleiben. Gehen Sie nicht durch diese Tür! Hinter dieser Tür ist die Kellertreppe. Unten im Keller ist nur die Heizung. Bitte treten Sie ein!

Jetzt sind wir im Gang. Hier ist die Garderobe. Bitte legen Sie ab!

Hier links ist das Wohnzimmer; neben dem Wohnzimmer ist mein Arbeitszimmer. Dort hinten sind das Kinderzimmer und das Schlafzimmer, und hier rechts ist die Küche. Zwischen der Küche und dem Schlafzimmer sind das Bad und die Toilette.

Wir gehen jetzt nach links ins Wohnzimmer. Die Couch dort an der Wand und die Sessel sind ganz neu. Den Eßtisch und die Stühle wollen wir ans Fenster stellen. Morgen kommt unser Fernsehapparat. Den stellen wir in die Ecke dort. Der Teppich ist nicht sehr groß, wir müssen noch einen Teppich kaufen. Über die Couch wollen wir noch ein Bild von München hängen.

Die Tür hier geht auf die Terrasse. Haben Sie noch Zeit? Dann setzen wir uns auf die Terrasse und trinken ein Glas Wein zusammen. Sie können dann auch meine Familie begrüßen, sie ist sicher im Garten hinter dem Haus.

Ist dieses Haus nicht sehr schön? Es ist mein Haus, und ich liebe es sehr.

*

Ich will in die Wohnung gehen

Was mache ich? Ich nehme meinen Schlüssel aus der Tasche und stecke ihn ins Schloß. Jetzt steckt der Schlüssel im Schloß, und ich kann die Tür aufschließen.

*

Ich will ablegen

Was mache ich? Ich ziehe meinen Mantel aus und hänge ihn an den Haken in der Garderobe. Jetzt hängt der Mantel am Haken. Dann nehme ich den Hut ab und lege ihn auf die Hutablage. Wo sind meine Handschuhe? Sie stecken doch in meiner Manteltasche.

wohnen –	die Wohnung	– das Wohnzimmer –	die Wohnungstür
arbeiten –	die Arbeit	– das Arbeitszimmer	
schlafen –	der Schlaf	– das Schlafzimmer	
baden –	das Bad	– das Badezimmer (das Bad)	
schließen –	das Schloß	– der Schlüssel – *auf*schließen – *zu*schließen	
Ich *ziehe* den Mantel *aus*.	–	Ich *nehme* den Hut *ab*. – Ich *lege ab*.	
Ich sitze *auf* dem Stuhl.	–	Ich sitze *auf* der Couch. – Ich sitze *im* Sessel.	

Das Demonstrativpronomen „d i e s –"

Gehen Sie nicht durch *diese* Tür! Hinter *dieser* Tür ist die Kellertreppe. – Ist *dieses* Haus nicht schön! In *diesem* Haus wohne ich seit einer Woche.

	Singular			Plural
	mask.	*neutr.*	*fem.*	*mask. neutr. fem.*
Nom.	der dieser	das dieses	die diese	die diese
Akk.	den diesen	das dieses	die diese	die diese
Dat.	dem diesem	dem diesem	der dieser	den diesen

Die Endungen beim Demonstrativpronomen sind wie die Endungen beim Artikel.

Übung: *Ergänzen Sie die Endungen!* 41

1. Dies_ Haus gehört mir. **2.** Ich bringe Frau Müller dies_ Blumen mit. **3.** Ich wünsche Ihnen viel Vergnügen für dies_ Abend. **4.** Raucht Herr Müller dies_ Zigaretten? **5.** Ich danke Ihnen für dies_ Rat. **6.** Mit dies_ Uhr bin ich sehr zufrieden. **7.** Dies_ Serviette gehört mir nicht. **8.** Mit dies_ Füller kann ich nicht schreiben.

Woher? – Wo? – Wohin?

Woher kommt er?	*Wo ist er?*	*Wohin fährt er?*
Er kommt	Er ist	Er fährt
von / *aus* } England.	*in* England.	*nach* England.
von / *aus* } London.	*in* London.	*nach* London.
von der / *aus der* } Schule.	*in der* Schule.	*in die* Schule.
von seinem Onkel.	*bei seinem* Onkel.	*zu seinem* Onkel.

woher?   wo?   wohin?

42 Übung: *Fragen Sie mit „woher?", „wo?" oder „wohin?"!*

1. Mein Bruder studiert in Deutschland. **2.** Wir sitzen um den Tisch. **3.** Robert kommt aus dem Haus. **4.** Wir gehen zu einem Freund. **5.** Ich bleibe zu Haus. **6.** Die Wohnung liegt der Post gegenüber. **7.** Wir fahren nach Amerika. **8.** Robert wohnt beim Kaufmann Krüger.

Präpositionen mit dem Akkusativ oder dem Dativ

Wohin gehe ich? – Ich gehe *an den* Tisch, *auf die* Treppe, *hinter die* Tür, *neben die* Tafel, *in das* Zimmer, *unter die* Lampe, *vor das* Haus, *zwischen das* Auto und *das* Haus.

Wohin hänge ich die Lampe? – Ich hänge sie *über den* Tisch.

Wo stehe ich? – Ich stehe *am (an dem)* Tisch, *auf der* Treppe, *hinter der* Tür, *neben der* Tafel, *im (in dem)* Zimmer, *unter der* Lampe, *vor dem* Haus, *zwischen dem* Auto und *dem* Haus.

Wo hängt die Lampe? – Sie hängt *über dem* Tisch.

FRAGE: *wohin?* PRÄPOSITION mit dem *Akkusativ!*
FRAGE: *wo?* PRÄPOSITION mit dem *Dativ!*

Lokal		*Wohin?* (Akkusativ)	*Wo?* (Dativ)
an		Ich hänge das Bild *an die* Wand.	Das Bild hängt *an der* Wand.
auf		Ich gehe *auf die* Straße.	Jetzt bin ich *auf der* Straße.
hinter		Gehen Sie *hinter das* Haus!	Der Garten ist *hinter dem* Haus.
neben		Fahren Sie das Auto *neben das* Haus!	Die Garage ist *neben dem* Haus.
in		Heute gehen wir *ins* Kino.	Die Kinder sind *im* Kino.
über		Wir hängen die Lampe *über den* Tisch.	Die Lampe hängt jetzt *über dem* Tisch.

unter		Ich gehe *unter den* Balkon.	Jetzt stehe ich *unter dem* Balkon.
vor		Ich fahre *vor die* Garage.	Mein Auto steht *vor der* Garage.
zwischen		Legen Sie das Heft *zwischen die* Bücher!	Das Heft ist *zwischen den* Büchern.

an dem → am   an das → ans   in dem → im   in das → ins

das Bild *über der* Couch   die Garage *neben dem* Haus
der Teppich *auf dem* Fußboden   der Wagen *in der* Garage

an, auf, hinter, neben, in
über, unter, vor und **zwischen** (lokal)
1. mit **Akkusativ** (Aktion, Frage: wohin?) oder **Dativ** (Position, Frage: wo?)
2. nach Nomen meist mit Dativ

Temporal		*Wann?* (Dativ)	
an		Ich komme *am* Montag. Ich bin *an* Weihnachten zu Haus. *Am* Vormittag arbeite ich.	Wochentage, Feiertage, Tageszeit
in		*In diesem Jahr* kaufe ich ein Haus. *Im Jahr* 1970 mache ich mein Examen. *1970* mache ich mein Examen.	Jahr, Monat, Woche Jahreszeit aber: Vor Jahreszahlen keine Präposition!
vor		*Vor dem* Monat August kann ich nicht kommen. – Es ist Viertel *vor* 5 Uhr.	
zwischen		Ich komme *zwischen* 3 und 4 Uhr.	

an, in, vor, zwischen
mit **Dativ** (wann? temporal)

Übung 1: *Ergänzen Sie die Endungen!*

a)

1. Ich gehe in d— Geschäft. **2.** Es liegt zwischen d— Post und mein— Haus.
3. Mein Fahrrad steht hinter d— Haus. **4.** Die Hausnummer ist neben d— Haustür. **5.** Mein Bleistift ist unter Ihr— Stuhl. **6.** Kommen Sie zu mir auf d— Terrasse! **7.** Der Schlüssel ist in mein— Tasche. **8.** Bitte, steigen Sie in d— Auto ein!
9. Das Bild über d— Couch gehört meinem Vater. **10.** Herr Müller schreibt
ein Wort an d— Tafel. **11.** Die Kinder sind in d— Garten hinter d— Haus.
12. Das Gasthaus ist zwischen d— Post und d— Universität.

b)

1. In dies— Woche gehe ich nicht zur Universität. **2.** Der Winter beginnt in
Deutschland nicht vor d— Monat November. **3.** Ich komme an d— Mittwoch.
4. In d— Frühling fahre ich nach Berlin. **5.** An d— Abend gehen die Freunde
spazieren.

Übung 2: *Ergänzen Sie die Artikel!*

Beispiel: das Bild an —— Wand – das Bild an der Wand –
der Wagen vor —— Tür – der Teppich auf —— Boden – der Wein in —— Glas –
die Lampe an —— Decke – das Bild über —— Couch – die Garderobe in —— Gang –
das Fleisch auf —— Teller – die Suppe in —— Teller – der Schrank an —— Wand –
der Fernsehapparat in —— Ecke – die Hausnummer neben —— Tür – der Balkon
über —— Tür

Wohin . . . ? (Aktion)   **Wo . . . ? (Position)**

Ich *lege* das Buch *auf den* Tisch.   Das Buch *liegt auf dem* Tisch.

   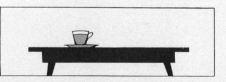

Ich *stelle* die Tasse *auf den* Tisch.   Die Tasse *steht auf dem* Tisch.

Die Mutter *setzt* das Kind *auf den* Stuhl. Das Kind *sitzt auf dem* Stuhl.

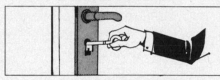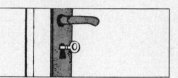

Ich *hänge* das Bild *an die* Wand.   Das Bild *hängt an der* Wand.

Ich *stecke* den Schlüssel *ins* Schloß.   Der Schlüssel *steckt* im Schloß.

Die Verben **legen,** **stellen,** **setzen** haben **ein Akkusativobjekt** und die Präposition mit dem **Akkusativ.**	Die Verben **liegen,** **stehen,** **sitzen** haben **kein** Objekt und die Präposition mit dem **Dativ.**

Die Verben **hängen** und **stecken** haben **ein Akkusativobjekt** und die Präposition mit dem **Akkusativ**
oder kein Objekt und die Präposition mit dem **Dativ.**

Übung 1: *Antworten Sie auf die Fragen!*   45

Beispiel: Wohin steckt Herr Breuer die Zeitung? (*Tasche*) – Er steckt sie in die Tasche. *oder:* Wo ist die Zeitung? (*Tasche*) – Sie steckt in der Tasche.

1. Wo hängt das Bild? (*Wand*) **2.** Wo sitzen die Großeltern? (*Tisch*) **3.** Wohin hängen Sie Ihren Mantel? (*Haken*) **4.** Wohin stellt Robert seine Tasche? (*Fußboden*) **5.** Wohin setzt der Vater das Kind? (*Couch*) **6.** Wo liegt das Besteck? (*Tisch*) **7.** Wohin hängen wir die Lampe? (*Decke*) **8.** Wo hängt die Lampe? (*Tisch*) **9.** Wohin legen Sie das Fleisch? (*Teller*) **10.** Wo ist der Kaffee? (*Tasse*) **11.** Wo ist der Balkon? (*Haustür*) **12.** Wo sitzt Hans? (*sein Freund und seine Schwester*)

46 **Übung 2:** *Beschreiben Sie das Bild!*

1. Wo steht der Sessel? (vor d— Heizung; neben d— Tisch; auf d— Fußboden) **2.** Wo steht die Lampe? (hinter d— Tisch; zwischen d— Tisch und d— Fenster) **3.** Wo ist die Heizung? (hinter d— Sessel; unter d— Fenster) **4.** Wo steht der Tisch? (neben d— Sessel; vor d— Lampe) **5.** Wo liegt das Buch? (auf d— Tisch; unter d— Lampe) **6.** Wo hängt das Bild? (an d— Wand; neben d— Fenster) **7.** Wo sind die Blumen? (in d— Vase) **8.** Wo steht d— Vase? (auf d— Tisch) **9.** Wo sind die Vorhänge? (an d— Fenster) **10.** Wo ist das Fenster? (hinter d— Sessel; über d— Heizung; neben d— Bild) **11.** Wo ist der Teppich? (auf d— Boden; unter d— Tisch; unter d— Sessel).

47. **Übung 3:** *Bilden Sie Sätze!*

1. liegen, seine Wohnung, über, meine Wohnung. **2.** hängen, der Mantel, an, der Haken. **3.** hängen, ich, der Mantel, an, der Haken. **4.** legen, Robert, die Zeitung, auf, der Tisch. **5.** sein, die Teller und die Tassen, in, die Küche. bringen, ich, sie, in, das Zimmer. **6.** stecken, der Schlüssel, in, meine Tasche. **7.** stecken, der Vater, der Schlüssel, in, seine Tasche. **8.** bringen, das Kind, die Kartoffeln, in, der Keller. **9.** frühstücken, wir, auf, die Terrasse. **10.** erwarten, ich, Sie, nicht, vor, dieser Freitag. **11.** gehen, wir, immer, an, der Vormittag, in, die Universität. **12.** sein, Weihnachten, in, der Winter; sein, Ostern, in, der Frühling.

Zimmer zu vermieten

Hausfrau (H) – Student (S)

S: Guten Tag! Sie haben ein Zimmer zu vermieten. Ist es noch frei?
H: Ja, es ist noch frei. Bitte treten Sie ein! Hier in dieses Zimmer gleich neben der Wohnungstür. – Hier rechts ist das Bett mit dem Nachttisch. Am Fenster steht der Schreibtisch, und dort hinten in dem Sessel können Sie abends bequem sitzen und lesen; ich stelle noch eine Stehlampe in die Ecke.

S: Ist dieser Schrank dort ein Kleiderschrank?

H: Ja, in diesen Schrank können Sie Ihre Kleider hängen. Sie haben auch noch genug Platz für Ihre Wäsche. Ein Regal für Ihre Bücher hängt dort links.

S: Haben Sie auch Zentralheizung?

H: Leider nicht. Aber dieser Ofen heizt das Zimmer sehr gut.

S: Und wo ist das Waschbecken?

H: Zum Waschen können Sie ins Bad gehen. Ich bin allein in der Wohnung. Das Bad ist also fast immer frei.

S: Können Sie mir das Zimmer aufräumen?

H: Meine Putzfrau kommt täglich zum Aufräumen. Sie kann auch Ihre Wäsche waschen. Sie heizt auch den Ofen.

S: Kann ich meinen Radioapparat mitbringen?

H: Aber sicher, Sie können bis 11 Uhr abends Radio hören.

S: Ist das Zimmer auch ruhig?

H: Ja, die Fenster gehen in den Garten. Das Zimmer ist sehr ruhig.

S: Das Zimmer gefällt mir. Was kostet es denn im Monat?

H: Die Miete ist nicht hoch. Sie zahlen im Monat für das Zimmer mit Heizung 90 Mark und 20 Mark für die Putzfrau. Die Wäsche bezahlen Sie extra.

S: Kann ich auch Frühstück bekommen?

H: Ja, für das Frühstück müssen Sie 30 Mark im Monat bezahlen.

S: Das ist nicht zu viel. Ich miete das Zimmer. Kann ich schon heute einziehen? Dann hole ich jetzt meine Koffer. Die Miete bezahle ich sofort.

H: Danke. Hier ist die Quittung. – Auf Wiedersehen!

---

also : Ich bin allein in der Wohnung. Das Bad ist *also* fast immer frei. – Ich habe kein Geld. Ich kann *also* nicht ins Kino gehen. – Er will in Deutschland studieren. *Also* muß er Deutsch lernen. – Ich kann heute einziehen. *Also* hole ich jetzt meine Koffer.

Frau Meier hat ein Zimmer. Sie *vermietet* es. – Sie hat ein Zimmer *zu* vermieten.

Der Taschendieb

Ein Kaufmann machte einmal eine Reise. Er stieg in einer Kleinstadt aus, denn er wollte dort seinen Freund treffen. In einem Hotel mietete er ein Zimmer und ging dann in die Wohnung des Freundes.

Die Freunde saßen lange zusammen und erzählten. Spät in der Nacht ging der Kaufmann in sein Hotel zurück. Die Straßen der Stadt waren sehr dunkel, und er konnte nur schwer seinen Weg finden. Niemand war auf der Straße. Plötzlich hörte er Schritte. Ein Mann kam eilig um die Ecke einer Seitenstraße und stieß mit dem Kaufmann zusammen. Der Mann sagte eine Entschuldigung und eilte weiter.

Der Kaufmann blieb stehen. „Wieviel Uhr ist es schon?" dachte er und wollte auf seine Uhr sehen. Er griff in die Tasche seiner Jacke, aber er fand die Uhr nicht. Auch die Taschen seiner Weste waren leer. Schnell lief er dem Mann nach, faßte ihn am Mantel und rief: „Geben Sie mir sofort die Uhr!" Der Mann erschrak sehr, denn die Stimme des Kaufmanns klang zornig. Er gab ihm die Uhr, und der Kaufmann ging zufrieden weiter.

Im Hotel ging er sofort in sein Zimmer und machte Licht. Da sah er auf dem Nachttisch neben seinem Bett eine Uhr. Er griff in seine Tasche und fand – die Uhr des Mannes! „Mein Gott!" sagte der Kaufmann, „ich bin ja ein Taschendieb und nicht dieser Mann!"

In dieser Nacht schlief der Kaufmann sehr schlecht. Am Morgen brachte er die Uhr zur Polizei. Diese konnte den Besitzer der Uhr schnell finden und gab sie ihm zurück.

Ende gut, alles gut!

Es war einmal ein Mann,
der hatte einen Schwamm.
Der Schwamm war ihm zu naß,
da ging er auf die Straß'.
Die Straß' war ihm zu kalt,
da ging er in den Wald.
Der Wald war ihm zu grün,
da fuhr er nach Berlin.
Berlin war ihm zu groß,
da fuhr er wieder los,
fuhr heim nach Oberau
und nahm sich eine Frau,
lebt glücklich dort bis heute,
das wissen alle Leute.

eilen – eilig – die Eile – der Eilzug	Ich habe keine Zeit. Ich *eile* zum Bahnhof, ich bin *in Eile.* – Der Brief muß schnell fort, er ist *eilig.*
klingen – klang, klingeln – klingelte	Die Stimme des Mannes *klang* zornig. Der Briefträger *klingelte* bei Frau Braun.
bringen – *mit*bringen – *zurück*bringen	Herr Müller *bringt* mir die Zeitung. Ich muß sie ihm wieder *zurück*bringen. Dann *bringe* ich auch seinen Kindern etwas *mit.*
laufen – *nach*laufen – *weiter*laufen	Dort *läuft* der Dieb. Wir *laufen* ihm schnell *nach*, aber er *läuft weiter*, und wir erreichen ihn nicht.
mieten – vermieten	Ich brauche ein Zimmer, also muß ich es *mieten.* Frau Meier *vermietet* mir ein Zimmer, denn sie braucht es nicht.
stehen bleiben – sitzen bleiben – liegen bleiben	Der Arzt sagt: „*Bleiben* Sie noch 3 Tage *liegen!*" Die Polizei sagt: „Weitergehen bitte! Nicht *stehen bleiben!*"

da : Der Kaufmann machte Licht. *Da* sah er seine Uhr. – Er wollte auf die Uhr sehen; *da* fand er sie nicht mehr.

schlecht	– gut		dunkel	– hell
leer	– voll		billig	– teuer
leicht	– schwer		zufrieden	– unzufrieden

Der Genitiv

Der Kaufmann ging in die Wohnung *des Freundes*. – Die Uhr ist in der Tasche *seines Mantels*. – Die Straßen *der Stadt* waren dunkel.

	maskulin	*neutral*	*feminin*
Singular:	**des** Schülers	**des** Zimmers	**der** Schwester
	des Freundes	**des** Kindes	
	mein**es** Schülers	mein**es** Zimmers	mein**er** Schwester

Plural: **der** { Schüler / Zimmer / Schwestern }   mein**er** { Schüler / Zimmer / Schwestern }

Singular: des – (e)s   des – (e)s   der

Plural: der

Genitiv Singular   **maskulin** hat oft die Endung **-s** oder **-es***,
neutral hat immer die Endung **-s** oder **-es***,
feminin hat keine Endung

Plural   **maskulin, neutral und feminin haben keine Endung**

Wessen Buch ist das? – Das ist das Buch des Kindes.
wessen? fragt nach dem Genitiv (*bei Personen*)

---

48   **Übung 1:** *Ergänzen Sie den Genitiv!*

1. Der Kaufmann hat ein Geschäft. Ich gehe oft in das Geschäft __ __.
2. Das Auto gehört meinem Onkel. Manchmal fahre ich mit dem Auto __ __.
3. Die Stadt hat viele Straßen. Wir gehen gern durch die Straßen __ __.
4. Die Zigarren gehören meinem Vater. Ich rauche die Zigarren __ __ nicht.
5. Unser Haus hat einen Garten. Ich liebe den Garten __ __.
6. Meine Kinder haben Freunde. Ich begrüße die Freunde __ __.
7. Ihr Zimmer hat einen Ofen. Meine Putzfrau heizt den Ofen __ __.
8. Das Haus hat einen Balkon. Der Balkon __ __ ist über der Haustür.
9. Er ist Student an der Universität München. Er besucht die Vorlesungen __ __.

---

* Nomen mit einer Silbe haben die Endung –es, denn der Genitiv maskulin und neutral hat meistens zwei Silben; z. B. des Freun–des, des Kin–des, des Man–nes; aber: des Kaufmanns.

10. Der Zug fährt um 9 Uhr ab. Ich warte auf die Abfahrt __ __.

11. Unsere Eltern besuchen uns morgen. Der Besuch __ __ macht uns Freude.

12. Unsere Freunde haben die Telefonnummer 23 45 67. Wir wählen die Nummer __ __.

Übung 2: *Kennen Sie Ihre Familie?* 49

1. Ich bin der Sohn mein_ Eltern und der Bruder mein_ Schwester. **2**. Die Brüder mein_ Vater_ und mein_ Mutter_ sind meine Onkel. **3**. Die Schwestern mein_ Vater_ und mein_ Mutter_ sind meine Tanten. **4**. Die Töchter mein_ Onkel_ und mein_ Tante_ sind meine Kusinen. **5**. Die Brüder mein_ Kusinen sind meine Vettern. **6**. Der Vater mein_ Vater_ und der Vater mein_ Mutter_ sind meine Großväter. **7**. Die Frauen mein_ Großväter sind meine Großmütter. **8**. Dort steht ein Mann. Der Vater dies_ Mann_ ist der Sohn mein_ Vater_. Mein Vater hat nur einen Sohn und keine Tochter. Wer ist der Mann?*

Das Präteritum (Imperfekt)

I.

Ein Kaufmann *machte* einmal eine Reise. Er *mietete* sich ein Zimmer. Abends *machte* er einen Spaziergang. Da *hörte* er plötzlich Schritte. Ein Mann *eilte* um die Ecke und *faßte* ihn am Mantel.

a) sagen		*b) antworten*	
ich sag-t-e	-t-e	ich antwort-et-e	-et-e
du sag-t-est	-t-est	du antwort-et-est	-et-est
er sag-t-e	-t-e	er antwort-et-e	-et-e
wir sag-t-en	-t-en	wir antwort-et-en	-et-en
ihr sag-t-et	-t-et	ihr antwort-et-et	-et-et
sie sag-t-en	-t-en	sie antwort-et-en	-et-en

a) *ab*lehnen, *auf*räumen, bestellen, besuchen, bezahlen, brauchen, danken, dauern, diktieren, drehen, eilen, *ein*kaufen, entschuldigen, erklären, erzählen, fassen, fragen, führen, gehören, glauben, gratulieren, grüßen, heizen, holen, hören, kaufen, klingeln, leben, legen, lernen, lieben, machen, rauchen, schenken, stellen, studieren, suchen, telefonieren, üben, verbessern, wählen, wiederholen, wohnen, wollen, wünschen, zählen, zeigen.

---

mein Sohn

b) arbeiten, betrachten, enden, erwarten, kosten, mieten, öffnen, rechnen, schaden, vermieten, warten.

Diese Verben sind **schwach** *und haben vor der Konjugationsendung immer ein* **-t-** *oder* **-et-**.

50   Übung: *Bilden Sie das Präteritum!*

1. Frau Meier wohnt in Berlin. **2.** Walter lehnt die Zigaretten ab. **3.** Hans studiert in München. **4.** Er sucht dort ein Zimmer. **5.** Er besucht einen Freund. **6.** Er gratuliert ihm zum Geburtstag. **7.** Wir wünschen ihm viel Vergnügen. **8.** Sie zählen ihr Geld und kaufen ein Geschenk. **9.** Die Frau räumt das Zimmer auf und heizt den Ofen. **10.** Die Frau vermietet das Zimmer. Es kostet 100 Mark. **11.** Ich zahle die Miete sofort und hole meine Koffer vom Bahnhof. **12.** Er kauft noch einen Sessel und stellt ihn auf den Teppich.

2.

Der Mann *hatte* seine Uhr noch. Er *brachte* die Uhr des Mannes zur Polizei. Er *kannte* die Stadt nicht und *konnte* den Weg zur Polizei nur schwer finden.

Merken Sie!	*Infinitiv*	*Präteritum*
	bringen	er **brach**te
	denken	er **dach**te
	kennen	er kannte
	haben	er hatte
	können	er konnte
	müssen	er mußte

51   Übung: *Bilden Sie das Präteritum!*

1. Walter kennt diesen Mann nicht. **2.** Morgens bringt Frau Meier die Zeitung, mittags bringe ich sie wieder zurück. **3.** Ich habe kein Geld und kann das Buch nicht kaufen. **4.** Der Kaufmann muß zur Polizei gehen, denn er hat die Uhr des Mannes. **5.** Wir kennen hier die Leute nicht und haben keine Freunde. **6.** Ihr müßt für die Prüfung arbeiten und könnt nicht zum Tanzen gehen.

3.

Der Kaufmann *rief* zornig: „Geben Sie mir die Uhr!" Der Mann *erschrak* und gab sie ihm. Der Kaufmann *war* zufrieden und *ging* weiter. Im Hotel *fand* er aber seine Uhr. Da *schlief* er schlecht und *war* sehr unzufrieden.

geben	rufen	gehen	
ich **gab**	ich **rief**	ich **ging**	–
du **gab**–st	du **rief**–st	du **ging**–st	–st
er **gab**	er **rief**	er **ging**	–
wir **gab**–en	wir **rief**–en	wir **ging**–en	–en
ihr **gab**–t	ihr **rief**–t	ihr **ging**–t	–t
sie **gab**–en	sie **rief**–en	sie **ging**–en	–en

Infinitiv	Präsens	Präteritum	Infinitiv	Präsens	Präteritum
*an*bieten		er **bot**.....an	laufen	er **läuft**	er **lief**
beginnen		er beg**ann**	lesen	er **liest**	er **las**
bleiben		er bl**ieb**	liegen		er **lag**
*ein*laden	er **lädt**.....ein	er **lud**.....ein	nehmen	er **nimmt**	er **nahm**
*ein*ziehen		er z**og**.....ein	rufen		er **rief**
erschrecken	er erschr**ickt**	er erschr**ak**	schlafen	er **schläft**	er **schlief**
essen	er **ißt**	er **aß**	schließen		er **schloß**
fahren	er **fährt**	er **fuhr**	schreiben		er **schrieb**
finden		er **fand**	sehen	er **sieht**	er **sah**
geben	er **gibt**	er **gab**	sitzen		er **saß**
gefallen	er **gefällt**	er gef**iel**	sprechen	er **spricht**	er **sprach**
gehen		er **ging**	stehen		er **stand**
greifen		er gr**iff**	steigen		er **stieg**
halten	er **hält**	er **hielt**	stoßen	er **stößt**	er **stieß**
hängen		er **hing**	treffen	er **trifft**	er **traf**
heißen		er **hieß**	treten	er **tritt**	er **trat**
helfen	er **hilft**	er **half**	trinken		er **trank**
klingen		er **klang**	waschen	er **wäscht**	er **wusch**
kommen		er **kam**	werfen	er **wirft**	er **warf**

Diese Verben sind **stark** *und ändern ihren Vokal und oft auch ihre Konsonanten.*
Lernen Sie immer die Formen!

Merken Sie! **sein**: *Präteritum:* er **war**

Übung 1: *Bilden Sie das Präteritum!* 52

1. Der Kaufmann steigt in Frankfurt aus und geht zu seinem Freund. **2**. Die Freunde sitzen zusammen und trinken ein Glas Wein. **3**. Der Kaufmann ist müde und geht bald nach Haus. **4**. Ein Mann kommt ihm entgegen. **5**. Der

Kaufmann sieht den Mann nicht und stößt mit ihm zusammen. **6.** Er bleibt stehen und sieht auf seine Uhr.

7. Das Haus meines Vaters ist in der Gartenstraße. **8.** Wir gehen oft zu meinem Vater. **9.** Wir bleiben auf der Terrasse, oder wir gehen in den Garten. **10.** Die Wohnung meiner Eltern ist sehr schön. **11.** Wir sitzen oft zusammen um den Tisch; die Sessel sind sehr bequem. **12.** Auf dem Boden liegt ein Teppich, an der Wand hängt ein Bild von Berlin.

13. Ich lade Erika zum Abendessen ein. **14.** Sie kann leider nicht kommen; sie ißt mit ihrer Freundin zu Abend. **15.** Dann geht sie ins Kino.

53 **Übung 2:** *Setzen Sie den Text auf Seite 31: „Zwei Studenten in München" ins Präteritum! Bitte beginnen Sie:*

Vor vielen Jahren studierte Robert in München. . . . .

54 **Übung 3:** *Bilden Sie das Präteritum!*

1. Du bist krank und mußt zu Haus bleiben. **2.** Ihr könnt nicht kommen, denn ihr seid müde. **3.** Du kannst die Suppe nicht essen, denn du hast keinen Löffel. **4.** Der Unterricht ist aus, ihr könnt nach Haus gehen. **5.** Ihr müßt in die Stadt gehen, denn ihr wollt noch ein Geschenk kaufen. **6.** Du willst Auto fahren, aber du hast kein Auto. Also kannst du nicht fahren.

Morgengymnastik im Rundfunk

Gestern drehte Peter um 6 Uhr morgens das Radio an. Er hörte eine Stimme aus dem Lautsprecher:

Guten Morgen, liebe Hörerinnen und Hörer! Unsere Morgengymnastik beginnt. – Machen Sie die Fenster weit auf und atmen Sie tief ein! Und nun atmen Sie langsam wieder aus!

Wir machen jetzt die Übung eins. Strecken Sie die Arme waagerecht nach vorn und beugen Sie langsam die Knie! Kopf und Oberkörper bleiben senkrecht. Die Füße stehen nebeneinander. – Jetzt strecken Sie die Beine wieder und senken Sie die Arme. Machen Sie diese Übung dreimal! Eins, – – zwei, – – drei.

Die Übung zwei ist gut für Ihre Bauchmuskeln. Wir sitzen auf dem Boden und strecken die Arme aus. – Heben Sie jetzt die Arme und beugen Sie den Rumpf nach vorn, aber halten Sie den Rücken möglichst gerade! – Nun berühren Ihre Finger die Zehen, Ihr Gesicht berührt die Knie. Atmen Sie immer durch die Nase, nicht durch den Mund! Wiederholen Sie diese Übung zweimal! Eins – – zwei – –.

Stehen Sie jetzt auf! Wir machen die Übung drei. Halten Sie die Hände und die Arme waagerecht vor der Brust und führen Sie sie dann schnell nach hinten. Die Schultern nehmen Sie möglichst weit zurück! Diese Übung machen wir jetzt fünf- bis zehnmal.

Und nun kommt eine Übung für die Halsmuskeln und die Handgelenke! – Stellen Sie die Füße weit auseinander und strecken Sie die Arme zur Seite! Dann drehen Sie den Kopf – einmal rechts herum, einmal links herum! Die Ohren berühren die Schultern. Machen Sie zu dieser Übung auch Kreise mit Ihren Händen, einmal nach vorn, dann nach hinten!

So, das ist jetzt genug für heute! Auf Wiederhören bis morgen früh!

---

ein*mal* – zwei*mal* – zehn*mal* – manch*mal* – 3 · 2 (drei *mal* zwei)
senkrecht (von oben nach unten oder von unten nach oben) – senken
waagerecht (von rechts nach links oder von links nach rechts) – die Waage
atmen (er atm*et*) – *ein*atmen – *aus*atmen – der Atem
 Auf Wiedersehen! – Auf Wiederhören! – der Höre*r* – die Hörerin – hören
der Hörer: Ein Mann sitzt am Radio. Er hört Radio; er ist ein *Hörer.*
 Ich gehe zum Telefon; ich nehme den *Hörer* ab.

Freundinnen

Ungeduldig wartet Peter Schmidt vor dem Palast-Kino. Es ist schon fünf vor halb neun, und Fräulein Inge ist noch nicht gekommen. Um halb neun beginnt der Film.

Peter hat Inge neulich beim Tanzen kennengelernt. Sie hat ihm gut gefallen, und er hat sich mit ihr für heute um acht Uhr verabredet.

Jetzt ist es schon drei Minuten nach halb neun. Hoffentlich kommt sie noch, denkt Peter. Er geht zu dem Fräulein an der Kasse und fragt: „Hat der Hauptfilm schon angefangen?" Das Fräulein sagt: „Nein, aber die Wochenschau läuft schon."

Jetzt kommt Inge endlich. Sie ist aber nicht allein, eine Freundin begleitet sie. „Guten Abend, Herr Schmidt!" sagt sie und lächelt freundlich. „Sie haben sicher schon gewartet, entschuldigen Sie bitte! Ich habe meine Freundin getroffen, und wir haben uns ein wenig verspätet. Darf ich Sie meiner Freundin Gisela vorstellen? Das ist Herr Schmidt – Fräulein Bender." – „Ich freue mich sehr", antwortet Peter, „Sie gehen doch mit uns ins Kino?" – „Ich möchte nicht stören", antwortet Gisela. – „Nein, Sie stören nicht", sagt Peter, denn Gisela gefällt ihm gut. Dann gehen die drei ins Kino.

Nach der Vorstellung fragt Peter die Mädchen: „Darf ich Sie noch zu einer Tasse Kaffee oder einem Glas Wein einladen?" Sie gehen zusammen ins Café Meran.

Nach einer Stunde will Inge heimgehen, denn es ist spät. „Darf ich Sie nach Haus bringen?" fragt Peter höflich. „Nein danke, wir gehen zusammen heim, Gisela wohnt in meinem Haus." – „Wann sehen wir uns wieder, Fräulein Huber?" – „Ich weiß es nicht. Aber rufen Sie doch im Büro an, hier ist die Nummer."

Dann verabschieden sie sich und gehen nach Haus. Unterwegs unterhalten sich die Mädchen. „Wie gefällt dir Peter?" fragt Inge. – „Nicht schlecht!" antwortet Gisela. „Aber warum hast du ihm denn deine Telefonnummer gegeben? Du hast doch schon einen Freund?" – „Ich habe ihm gar nicht meine Nummer gegeben, sondern – deine!"

Peter ruft an

P: Hier Peter Schmidt! Kann ich bitte Fräulein Inge Huber sprechen?

G: Leider nein, Herr Schmidt! Inge arbeitet nicht in diesem Büro. Hier ist Gisela Bender.

P: Fräulein Gisela, das ist aber eine Überraschung! Ich freue mich sehr. Wie geht es Ihnen?

G: Danke gut! Nochmals vielen Dank für den Abend neulich.

P: Ja, der Abend war wirklich schön. Können wir uns bald wieder treffen?

G: Leider nicht; Inge ist weggefahren.

P: Dann kommen Sie doch ohne sie! Wir haben uns neulich so gut unterhalten. Haben Sie morgen abend Zeit?

G: Ja, Zeit habe ich schon, und ich komme gern. Um acht Uhr bin ich frei.

P: Sehr schön, also morgen um 8 Uhr im Café Meran! Auf Wiedersehen!

---

der Film	– der Vorfilm –	die Wochenschau	– der Hauptfilm
		die Stadt	– die Hauptstadt
höflich	– unhöflich	die Straße	– die Hauptstraße
geduldig	– ungeduldig	der Bahnhof	– der Hauptbahnhof
pünktlich	– unpünktlich	die Post	– die Hauptpost

neu – neulich – das Neujahr
lachen – lächeln

Fräulein Inge kommt. **Sie** hat ihre Freundin getroffen.
An der Kinokasse ist eine Frau. Sie ist **das Fräulein** an der Kasse.
Man sagt zu ihr ‚Fräulein' ohne Namen. – **das** *Fräulein* an der Kasse: **sie** ist
an der Kasse.

ich *weiß* es nicht   er *weiß* es nicht

Reflexivpronomen

Ich freue *mich* sehr. Freust du *dich* auch? Und Peter? Er freut *sich* besonders. –
Können wir *uns* bald treffen? – Ihr trefft *euch* morgen um 8 Uhr. – Die Freunde
treffen *sich* vor dem Kino.

Ich kaufe *mir ein Buch.* – Er kauft *sich eine Fahrkarte.* – Kaufen Sie *sich* auch *eine
Fahrkarte?*

	1.			2.		
ich	wasche	*mich*	ich	wasche	*mir*	die Hände
du	wäschst	*dich*	du	wäschst	*dir*	die Hände
er (es, sie)	wäscht	**sich**	er (es, sie)	wäscht	**sich**	die Hände
wir	waschen	*uns*	wir	waschen	*uns*	die Hände
ihr	wascht	*euch*	ihr	wascht	*euch*	die Hände
sie (Sie)	waschen	**sich**	sie (Sie)	waschen	**sich**	die Hände

1. *Das Reflexivpronomen für ,,ich, du, wir, ihr"* = **Personalpronomen.***

2. *Das Reflexivpronomen für ,,er (es, sie)", ,,sie" (Plural) und ,,Sie" ist* **,,sich":**
   ,,sich" ist Akkusativ und Dativ.

3. Im Beispiel 2 *hat das Verb ein Akkusativobjekt, dann ist das Reflexivpronomen Dativ.* (*Wem* wäscht er die Hände? – Er wäscht *sich* die Hände.)

Ich wasche *das Kind.* – Peter kauft *ihm* ein Buch. (**zwei** Personen)
Ich wasche *mich.*   – Peter kauft *sich* ein Buch. (**eine** Person)

55 Übung: *Reflexivpronomen*

1. Die Leute waschen ____ morgens und abends. Wir waschen ____ auch. **2.** Wo kann
ich ____ die Hände waschen? Sie können ____ die Hände im Bad waschen. **3.** Fritz
setzt ____ an den Tisch und bestellt ____ ein Glas Bier. **4.** Ich setze ____ zu ihm und
bestelle ____ eine Tasse Kaffee. **5.** Wir müssen ____ jetzt verabschieden. **6.** Peter

---

* Personalpronomen s. S. 41

will __ von uns verabschieden. **7.** Sie sind krank, Herr Müller, Sie müssen __ ins Bett legen. **8.** Die Freunde begrüßten __ herzlich. **9.** Herr Breuer will __ ein Auto kaufen. **10.** Können wir __ heute abend treffen? **11.** Wann treffen Sie __ mit Fräulein Inge? **12.** Inge und Gisela entschuldigen __ bei Peter.

Das Verb

dürfen*

1. Ich will ins Kino gehen. Ich frage meinen Vater: „*Darf* ich ins Kino *gehen? Darf* Peter auch *mitkommen?*" Mein Vater sagt: „Ja, ihr *dürft* ins Kino *gehen.*"

2. Peter ist höflich. Er fragt: „*Darf* ich Sie zu einer Tasse Kaffee *einladen? Darf* ich Sie nach Haus *begleiten?*"

Präsens:	ich **darf**	wir **dürfen**	*Präteritum:* ich **durfte**
	du **darfst**	ihr **dürft**	usw.
	er **darf**	sie **dürfen**	

Übung:

1. Die Kinder __ heute ins Kino gehen. Gestern __ sie nicht gehen. **2.** Hier ist ein Brief für dich __ ich ihn lesen? __ ihn Peter auch lesen? **3.** Ich __ keinen Kaffee trinken, er schadet meiner Gesundheit. Peter __ auch keinen Kaffee trinken. **4.** __ die Kinder denn schon rauchen? – Nein, sie __ noch nicht rauchen. **5.** Wie fragen Sie höflich?: Sie wollen rauchen. Sie wollen zum Abendessen kommen. Sie wollen mir eine Zigarette anbieten. Sie wollen mich ins Kino einladen. Sie wollen mich nach Haus begleiten. Sie wollen sich an diesen Tisch setzen. Sie wollen mir Blumen schenken.

Das Perfekt

I.

I. *Das Verb ist* **schwach**	II. *Das Verb ist* **stark**
a) Ich *habe* ein Buch *gekauft.*	Sie *haben* das Geld *gefunden.*
b) Er *hat* die Tür *zugemacht.*	Er *hat* mich *eingeladen.*
c) Er *hat* seinen Sohn *besucht.*	Er *hat* das Wort nicht *verstanden.*
d) Peter *hat* in Köln *studiert.*	

---

* Modalverben s. S. 39

56

		Infinitiv	Partizip Perfekt	
	1.	kaufen	**ge**–kauf–**t**	ge–t
I) *schwach*	2.	zumachen	zu–**ge**–mach–**t**	–ge–t
	3.	besuchen	besuch–**t**	–t
		studieren	studier–**t**	–t
	1.	finden	**ge**–fund–**en**	ge–en
II) *stark*	2.	ankommen	an–**ge**–komm–**en**	–ge–en
	3.	verstehen	verstand–**en**	en

1. Das **Partizip Perfekt** hat die Vorsilbe **ge–**
   Verben wie *zumachen, einladen* sind **trennbar.***
   ge– steht zwischen Vorsilbe und Verb.

   Ausnahmen: Die Vorsilbe **ge–** haben **nicht:**
   a) Die Verben *besuchen, verstehen* usw. (**untrennbar!**)*
   b) Verben auf **–ieren** (studieren)

2. Die Verben *kaufen, besuchen, zumachen* usw. sind **schwach.** Das Partizip
   Perfekt hat **die Endung –t.**

   Die Verben *finden, ankommen, verstehen* usw. sind **stark.** Das Partizip Perfekt
   hat **die Endung –en.** Diese Verben ändern oft den Vokal und die Konsonanten.

57 **Übung:** *Bilden Sie das Partizip Perfekt!*

1. arbeiten – antworten – lernen – üben – diktieren – erklären – danken – verbessern – wiederholen – kaufen – kosten – ablehnen – erreichen – studieren –
   besuchen – frühstücken – gratulieren

2. stehen – verstehen – aufstehen – kommen – bekommen – ankommen –
   wiederkommen – finden

2.

Ich habe ein Buch gekauft. Wir sind nach Hause gegangen.
Er hat dem Vater geholfen. Wir sind mit dem Auto gefahren.
Die Vorstellung hat schon begonnen. Der Zug ist angekommen.
Er hat lange geschlafen. Er ist ins Zimmer eingetreten.

——— ————
* s. Seite 22

1. Wir bilden das Perfekt meistens mit dem **Präsens** von „haben" und dem **Partizip Perfekt.**

2. Die Verben „kommen, gehen, fahren, ankommen, eintreten usw." bilden das Perfekt *mit dem* **Präsens** *von* „sein" *und dem* **Partizip Perfekt.** Sie haben **kein Akkusativobjekt** und zeigen oft eine Bewegung **v o n** einem Platz **z u** einem Platz (*Fortbewegung*).

Merken Sie sich! : **s e i n** : ich **bin** ...... gewesen
b l e i b e n : ich **bin** ...... geblieben

3.

I	II	III	E
Ich	habe	mir gestern ein Buch	gekauft.
Leider	hat	Herr Breuer den Weg nicht	gefunden.
Sicher	ist	der Zug heute pünktlich	angekommen.
	Sind	Peter und Fritz mit dem Auto	gefahren?

Das Partizip Perfekt steht **am Ende** *des Satzes.*

Übung: *Bilden Sie das Perfekt!*

1. Peter kauft drei Kinokarten. 2. Wir lernen für die Prüfung. 3. Die Putzfrau räumt mein Zimmer auf. 4. Frau Meier vermietet ein Zimmer an einen Studenten. 5. Ich lege meinen Hut auf die Hutablage. 6. Herr Arndt erwartet uns um 8 Uhr. 7. Ich gratuliere ihm zum Geburtstag und wünsche ihm alles Gute. 8. Ich grüße Frau Meier von dir. 9. Ich frühstücke heute um 7 Uhr. 10. Meine Eltern leben in München. Wir besuchen sie oft. 11. Herr Braun begrüßt den Gast herzlich und führt ihn ins Zimmer. 12. Walter lehnt die Zigaretten ab. 13. Diese Bücher gehören mir nicht. 14. Peter rasiert sich morgens. 15. Er antwortet nicht auf meinen Brief. 16. Mein Vater arbeitet in Bonn und wohnt in Köln.

Konjugationsschema*

I.

a) ei	– i: – i: :	bleiben	blieb	ist geblieben
		schreiben	schrieb	geschrieben
		steigen	stieg	ist gestiegen
b) ei	– i – i :	leiden	litt	gelitten

a) Stammvokal im Präteritum und im Perfekt **lang**
b) Stammvokal im Präteritum und im Perfekt **kurz**

II.

a) e:	– o: – o: :	heben	hob	gehoben
i:	– o: – o: :	bieten	bot	geboten
		ziehen	zog	gezogen
ü:	– o: – o: :	lügen	log	gelogen
b) i:	– o – o :	schließen	schloß	geschlossen

a) Stammvokal im Präteritum und Perfekt **lang**
b) Stammvokal im Präteritum und Perfekt **kurz**

III.

i	– a – u :	finden	fand	gefunden
		klingen	klang	geklungen
		trinken	trank	getrunken

IV.

a) e:(i:)	– a: – o: :	stehlen (er stiehlt)	stahl	gestohlen
b) e(i)	– a: – o :	erschrecken (er erschrickt)	erschrak	ist erschrocken
		nehmen (er nimmt)	nahm	genommen
		sprechen (er spricht)	sprach	gesprochen
		treffen (er trifft)	traf	getroffen
o	– a: – o :	kommen	kam	ist gekommen

---

* Verben nach dem Alphabet s. S. 250

c) e(i)	– a – o :	helfen (er hilft)	half	geholfen
		werfen (er wirft)	warf	geworfen
i	– a – o :	beginnen	begann	begonnen

a) Stammvokal im Infinitiv, Präteritum und Perfekt **lang**
b) Stammvokal im Infinitiv und Perfekt **kurz,** im Präteritum **lang**
c) Stammvokal im Infinitiv, Präteritum und Perfekt **kurz**

V.

a) e:(i:)	– a: – e: :	lesen (er liest)	las	gelesen
		sehen (er sieht)	sah	gesehen
e:(i)	– a: – e: :	geben (er gibt)	gab	gegeben
i:	– a: – e: :	liegen	lag	gelegen
i	– a: – e: :	bitten	bat	gebeten
b) e(i)	– a: – e :	essen (er ißt)	aß	gegessen
i	– a: – e :	sitzen	saß	gesessen

a) Stammvokal im Präteritum und Perfekt **lang**
b) Stammvokal im Perfekt **kurz**

VI.

a) a:(ä:)	– u: – a: :	fahren (er fährt)	fuhr	ist gefahren
		laden (er lädt)	lud	geladen
b) a(ä)	– u – a :	waschen (er wäscht)	wusch	gewaschen

a) Stammvokal immer **lang**
b) Stammvokal immer **kurz**

VII.

a) a(ä)	– i: – a :	halten (er hält)	hielt	gehalten
		fangen (er fängt)	fing	gefangen
		schlafen (er schläft)	schlief	geschlafen
b) o:(ö)	– i: – o: :	stoßen (er stößt)	stieß	gestoßen
c) u:	– i: – u: :	rufen	rief	gerufen
d) au (äu)	– i: – au :	laufen (er läuft)	lief	ist gelaufen
e) ei	– i: – ei :	heißen	hieß	geheißen

Stammvokal im Infinitiv und im Perfekt **gleich**

Bitte merken Sie sich!

gehen	–	ging	–	ist gegangen
stehen	–	stand	–	gestanden
bringen	–	brachte	–	gebracht
denken	–	dachte	–	gedacht
kennen	–	kannte	–	gekannt
haben	–	hatte	–	gehabt
wissen	–	wußte	–	gewußt

59 **Übung 1:** *Bilden Sie das Perfekt!*

1. Gisela schreibt mir einen Brief. **2.** Er bietet dem Gast eine Zigarette an. **3.** Herr Müller zieht seinen Mantel aus. **4.** Wir schließen die Fenster und die Tür. **5.** Die Frau findet den Schlüssel nicht. **6.** Die Stimme des Mannes klingt zornig. **7.** Trinkt ihr keine Milch zum Frühstück? **8.** Sie trifft Gisela vor dem Kino. **9.** Der Vater spricht mit dem Lehrer. **10.** Er nimmt ein Buch aus dem Regal. **11.** Herr Braun hilft seiner Frau. **12.** Er wirft zwei Geldstücke ein. **13.** Der Hauptfilm beginnt um 9 Uhr. **14.** Sprechen Sie mit meinem Vater? **15.** Wir helfen Ihnen und schreiben den Brief für Sie.

60 **Übung 2:** *Bilden Sie das Perfekt!*

1. Der Kaufmann liest das Telegramm. **2.** Ich sehe auf meine Uhr. **3.** Wir essen heute Fisch zu Mittag. **4.** Ich gebe dir mein Buch. **5.** Ich sitze im Sessel und lese die Zeitung. **6.** Die Uhr liegt auf dem Nachttisch. **7.** Hans wäscht sich das Gesicht und die Hände. **8.** Wann fängt der Unterricht an? **9.** Der Herr ruft ein Taxi und fährt zum Bahnhof. **10.** Wie heißt denn dieser Mann? **11.** Die Polizei fängt den Dieb. **12.** Der Zug hält in Mainz nicht. **13.** Ich rufe Gisela an und lade sie zum Essen ein. **14.** Der Herr nimmt den Hörer ab und sagt seinen Namen.

61 **Übung 3:** *Bilden Sie das Perfekt!*

1. Ich blieb drei Tage in Berlin. **2.** Herr Breuer stieg in Frankfurt aus. **3.** Der Mann rief laut; das Kind erschrak sehr. **4.** Wann kam denn Frau Müller aus Hamburg zurück? **5.** Die Freunde gingen im Park spazieren. **6.** Meine Eltern machten eine Reise und fuhren nach Italien. **7.** Peter kam ins Kino; da lief gerade die Wochenschau. **8.** Der Kaufmann schlief in dieser Nacht schlecht und ging am Morgen sofort zur Polizei. **9.** Er gab die Uhr zurück und sagte: „Ich war der Dieb."

Am Morgen und am Abend

Es ist sieben Uhr, Max muß aufstehen. Seine Hausfrau hat ihn geweckt. Sie hat an die Tür geklopft und gerufen: „Aufstehen, Herr Müller, 5 Minuten vor 7!" Max springt sofort aus dem Bett, geht ins Bad und wäscht sich gründlich. Er trocknet sich ab und putzt sich die Zähne. Dann rasiert er sich. Nach dem Rasieren kämmt er sich die Haare, zieht sich schnell an, putzt seine Schuhe, wäscht sich die Hände und geht zum Frühstück.

Abends liegt Max meist schon um zehn Uhr im Bett. Vorher hat er sich ausgezogen, seinen Anzug auf einen Kleiderbügel gehängt und seine Wäsche auf einen Stuhl gelegt. Dann hat er seinen Schlafanzug angezogen, sich Gesicht und Hände gewaschen und sich die Zähne geputzt. Im Bett liest er noch etwas, aber bald macht er das Licht aus und schläft ein, denn er hat tagsüber viel gearbeitet und ist müde.

*

Was braucht Max im Bad? Zum Waschen braucht er Wasser, einen Schwamm und Seife und ein Handtuch. Zum Zähneputzen braucht er eine Zahnbürste und Zahnpaste. Diese ist in einer Tube. Er frisiert sich mit einem Kamm und einer Bürste. Er nimmt auch Haarwasser für seine Frisur.

Max rasiert sich elektrisch. Das ist sehr einfach. Er muß nur den Stecker seines Rasierapparats in die Steckdose an der Wand stecken.

*auf*sein	– im Bett liegen	*auf*stehen	– ins (zu) Bett gehen
die Schuhe putzen		sich die Zähne putzen	
er liest noch etwas	=	er liest nicht lange	
tagsüber	=	am Tag	

Ein Mißverständnis

Ein Student aus Frankreich machte einmal eine Reise durch Österreich. Er besuchte viele Städte und sah sich die Landschaft mit ihren Bergen und Seen an. Er fuhr meist auf Nebenstraßen, denn er wollte auch das Leben der Menschen auf dem Land kennenlernen. Er fuhr an Bauernhöfen vorbei und sah das Vieh auf den Wiesen. Die Bauern arbeiteten auf den Feldern und fuhren mit ihren Wagen die Ernte nach Haus. Das Wetter war schön, und die Luft war warm.

Plötzlich kamen viele Wolken aus dem Westen, und nach einer Viertelstunde zog ein Gewitter über das Land. Es regnete, blitzte und donnerte. Der Franzose kam in ein Dorf und hielt vor einem Gasthaus. Es war gerade Mittagszeit.

Er trat in die Gaststube ein; sie war klein und gemütlich. Der Gast setzte sich an einen Tisch in der Ecke und wollte ein Mittagessen bestellen. Er konnte aber nicht Deutsch, und der Wirt verstand kein Wort Französisch.

Das war für den Franzosen sehr unangenehm, denn er hatte Hunger, konnte aber nichts bestellen. Plötzlich hatte er einen Gedanken. Er nahm einen Bleistift und zeichnete auf die Serviette einen Pilz, denn er hatte gerade Appetit auf Pilze. Der Wirt sah die Zeichnung, nickte mit dem Kopf und ging aus der Gaststube.

Der Gast freute sich auf das Essen, und besonders auf die Pilze. Aber er freute sich zu früh, denn der Wirt brachte keinen Teller mit Pilzen, sondern – einen Regenschirm.

Schilder an den Straßen

Pack den Tiger in den Tank!
Denk an deine Frau – fahr vorsichtig!
Nimm dir Zeit – und nicht das Leben!
Seid nett zueinander!
Kauf was Gutes – kauf bei Meier!

die Stadt – das Land   die Stadt – das Dorf
regnen – der Regen   blitzen – der Blitz   donnern – der Donner
das Vieh (kollektiv)   die Tiere, z. B. Pferde, Kühe, Schafe
verstehen   mißverstehen = nicht richtig verstehen – das Mißverständnis

Wiederholung und Ergänzung der Deklination

	Singular	*Plural*
Akk.:	Der Wirt fragt *den Mann*.	Er fragt *die Männer*.
	Der Wirt fragt *den Student**en***.	Er fragt *die Student**en***.
Dat.:	Peter hilft *dem Freund*.	Er hilft *den Freunden*.
	Peter hilft *dem Bauer**n***.	Er hilft *den Bauer**n***.
Gen.:	Hier ist das Buch *des Gastes*.	Hier sind die Bücher *der Gäste*.
	Hier ist das Zimmer *des Herr**n***.*	Hier sind die Zimmer *der Herr**en***.

Sing.	*maskulin*		*neutral*	*feminin*
Nom.:	der Freund	der Mensch	das Kind	die Mutter
Akk.:	den –	den – en	das –	die –
Dat.:	dem –	dem – en	dem –	der –
Gen.:	des – (e)s	des – en	des – (e)s	der –
Plur.				
Nom.:	die Freunde	die Mensch**en**	die Kinder	die Mütter
Akk.:	die –	die –	die –	die –
Dat.:	den – **n**	den –	den – **n**	den – **n**
Gen.:	der –	der –	der –	der
	1. Nom. Plural **–en,** dann immer –en, nur nicht Nom. Singular	2. **kein –en** im Plural, dann Gen. Sing. die Endung **–(e)s**	Gen. Sing. immer **–s oder –es**	Singular **keine Endung**

Dativ Plural immer **–n** (–en + –n = en)

---

* Merken Sie sich: der Herr, den Herr**n**, dem Herr**n**, des Herr**n** – **die** Herr**en** usw.

Ausnahmen:

1. kein –n im Dativ Plural: alle Substantive mit –s im Plural

Plur.: *Nom.:* die Autos die Büros die Kinos die Cafés die Hotels
       Dat.: den Autos den Büros den Kinos den Cafés den Hotels
           ebenso: die Parks den Parks

2. –(e)n im Plural, –(e)s im Gen. Sing.

Sing.: *Nom.:* der Vetter   der See   der Doktor*
       Gen.: des Vetters   des Sees   des Doktors
Plur.: *Nom.:* die Vettern   die Seen   die Doktoren

3. –(e)n im Plural, –(e)n + s im Gen. Sing.

Sing.: *Nom.:* der Name   der Gedanke
       Gen.: des Namens   des Gedankens
Plur.: *Nom.:* die Namen   die Gedanken

62 **Übung:** *Ergänzen Sie die Sätze!*

1. Der Professor fragt __ (*der Student*). **2.** Der Franzose sieht __ (*der Bauer, Pl.*) auf den Feldern. **3.** Das ist das Haus __ (*mein Vetter*). **4.** Wir lernen __ (*der Mensch, Pl.*) auf dem Land kennen. **5.** Haben Sie (*ein Franzose*) in diesem Hotel getroffen? **6.** Fragen Sie doch __ (*dieser Herr*)! **7.** Ich muß heute noch __ (*Herr Meier*) anrufen. **8.** An der Universität gibt es __ (*ein Professor, Pl.*). **9.** Sind die Filme in __ (*dieses Kino, Pl.*) gut? **10.** In __ (*dieses Büro, Pl.*) arbeiten viele Menschen. **11.** Das Haus __ (*der Doktor*) ist neu; aber die Häuser __ (*der Professor, Pl.*) sind besonders schön. **12.** Der Lehrer hat __ (*der Name, Pl.*) nicht verstanden. **13.** Die Landschaft mit __ (*ihr See, Pl.*) und Bergen gefiel __ (*der Franzose*) sehr gut. **14.** Mit __ (*dieser Herr, Pl.*) arbeiten wir gern zusammen. **15.** Sagen Sie uns bitte __ (*Ihr Name*)! **16.** Die Kinder gaben __ (*der Professor*) und __ (*der Student*) die Hand.

Der Imperativ

Denk an deine Frau! – *Sei* bitte um 9 Uhr pünktlich vor dem Kino! – *Nimm* dir Zeit!

Helft euren Freunden! – *Antwortet* mir bitte sofort! – *Seid* nett zueinander!

Kaufen Sie sich dieses Buch! – *Entschuldigen Sie* bitte! – *Seien Sie* doch nicht so ungeduldig!

---

* Ebenso alle Substantive mit der Endung or – Dóktor, Doktóren

Infinitiv	du	ihr	Sie
1. legen	leg(**e**)!	leg**t**!	legen Sie!
arbeiten	arbeit**e**!	arbeit**et**!	arbeiten Sie!
mitbringen	bring(e) . . . mit!	bringt . . . mit!	bringen Sie . . . mit!
sich kämmen	kämm(e) dich!	kämmt euch!	kämmen Sie sich!
fahren	fahr(e)!	fahrt!	fahren Sie!
haben	hab(e)	habt!	haben Sie!
2. sein	**sei!**	**seid!**	**seien** Sie!
3. sprechen			
(du spr**i**chst)	spr**i**ch!	sprecht!	sprechen Sie!
n**e**hmen			
(du n**i**mmst)	n**i**mm!	nehmt!	nehmen Sie!
essen (du **i**ßt)	**i**ß!	eßt!	essen Sie!

Sie-Form: In der Sie-Form kommt zuerst das Verb und dann das Personalpronomen „Sie": **Sie legen – legen Sie!***
Ausnahme: **Sie sind,** aber: **Seien Sie!**

ihr-Form: Diese Imperativform ist wie die Verbform ohne Personalpronomen **ihr legt – legt!**

du-Form: Bei vielen Verben (Beispiel 1 und 2) ist die du-Form = Infinitiv-
Form ohne –n oder –en: **legen – leg(e)!**
Einige Verben ändern das „e" des Infinitivs in „i" (Beispiel 3);
dann ist der Imperativ wie die du-Form ohne Personalpronomen
und ohne –st: **du nimmst – nimm! du hilfst – hilf!**
Aber: fahren, du fährst: fahr(e)!

Übung: *Bilden Sie die Imperativform für „du" und „ihr"!* 63

1. Bringen Sie mir das Buch! **2.** Trinken Sie oft ein Glas Milch! **3.** Kommen
Sie heute abend zu mir! **4.** Kommen Sie nicht zu spät! **5.** Rauchen Sie nicht
so viele Zigaretten! **6.** Essen Sie viel Obst! **7.** Sehen Sie dort diesen See!
8. Setzen Sie sich bitte! **9.** Freuen Sie sich nicht zu früh! **10.** Grüßen Sie bitte
Ihre Mutter von mir! **11.** Fahren Sie nicht so schnell! **12.** Nehmen Sie doch
den Zug um 9 Uhr! **13.** Bleiben Sie noch ein wenig bei uns! **14.** Seien Sie
doch nicht immer so ungeduldig! **15.** Bitte treten Sie ein! **16.** Werfen Sie
bitte meinen Brief sofort ein!

---

* Vergleichen Sie S. 12

Das Personalpronomen „es"

Es war gerade Mittagszeit. Wieviel Uhr *war das? Es war* 12 Uhr. – *Es gibt* in Österreich viele Berge und Seen. – *Gibt es* hier ein Kino? – Wie *geht es* Ihrer Frau und Ihren Kindern? Danke, *es geht* ihnen gut.

Ein Gewitter kommt. *Es* regnet, *es* blitzt und *es* donnert.
Gefällt es Ihnen in Deutschland? – Hoffentlich *hat es* Ihnen gestern abend *gefallen!*

> Viele Verben haben das Subjekt **„es"**. Dieses Subjekt ist **unpersönlich,** d. h. es ist **unbestimmt** und **unbekannt.**
>
> **Merken Sie sich!** „es ist" steht zusammen mit einem **Nominativ.**
> „es gibt" hat immer ein **Akkusativ**objekt.
> „es geht", „es gefällt" hat immer ein **Dativ**objekt.

Auf dem Postamt

Herr Moll (M), *der Beamte* (B)

M: Kann ich hier ein Telegramm aufgeben?

B: Ja. Haben Sie das Formular schon ausgefüllt?

M: Ja, hoffentlich habe ich es richtig gemacht.

B: Sie haben aber sehr undeutlich geschrieben, und die Unterschrift kann ich nicht lesen. Die Adresse müssen Sie besonders deutlich schreiben.

M: Entschuldigen Sie bitte, ich mache es nochmal. – Ist es nun gut so?

B: Ja. Das Telegramm hat 10 Wörter. Es kostet 5,– DM.

M: Wann kommt das Telegramm an?

B: Ein Telegramm von hier nach Hamburg braucht etwa zwei Stunden.

M: Danke! Kann ich bei Ihnen auch Geld einzahlen?

B: Nein, am Schalter vier bitte!

Am Schalter vier; Herr Moll (M), *der Beamte* (B)

M: Ich möchte Geld einzahlen. Wie mache ich das?

B: Hat der Empfänger ein Postscheckkonto?

M: Ich weiß es leider nicht.

B: Dann füllen Sie diese Postanweisung aus, da genügt die Adresse des Empfängers. Den Absender müssen Sie zweimal schreiben, oben in die Mitte und hier links auf diesen Abschnitt. Den Betrag und die Adresse des Empfängers schreiben Sie in die Mitte und auf den Abschnitt rechts. Den bekommen Sie, er ist Ihre Quittung.

M: Haben Sie auch Briefmarken? Ich habe hier drei Briefe.

B: Wohin?

M: Ich habe einen Brief nach Frankfurt, einen nach London und einen nach Indien.

B: Im Inland kostet ein Brief 40 Pfennig, nach England 70 Pfennig. Den Brief nach Indien schicken Sie mit der Luftpost, sonst dauert es zu lange. Zusammen 2,60 DM.

M: Hier ist das Geld, bitte!

B: Danke! Werfen Sie die Briefe bitte dort in den Briefkasten. Hier haben Sie noch einen Zettel mit den Postgebühren.

M: Danke schön!

---

der Brief	– das Briefpapier – der Briefkasten – der Briefträger – die Briefmarke der Inlandsbrief – der Auslandsbrief – der Luftpostbrief – der Eilbrief
die Post	– das Postamt – die Postanweisung – die Postkarte – die Postgebühr – das Postscheckkonto – die Luftpost
die Schrift	– die Unterschrift – die Überschrift
	es dauert lange – es geht schnell

Ein Brief

Liebe Eltern!

Heute habe ich Euer Paket bekommen. Ich danke Euch herzlich dafür. Die Sachen darin kann ich sehr gut brauchen, besonders den Kugelschreiber. Ich kann gut damit schreiben, das seht Ihr ja an diesem Brief. Ich habe mich sehr darüber gefreut, natürlich auch über den Kuchen und die anderen guten Sachen.

Leider habt Ihr mir statt meiner Handschuhe die von Klaus geschickt. Meine Handschuhe habe ich in die Nachttischschublade gelegt; dort könnt Ihr sie sicher leicht finden. Außerdem möchte ich gern noch mein Wörterbuch haben. Könnt Ihr es mir bald schicken? Es hat früher immer im Regal gestanden. Vor meiner Abreise habe ich es in den Bücherschrank gestellt, glaube ich.

Seit vier Monaten bin ich nun hier. Ich wohne mit Erich Berger zusammen, das wißt Ihr ja. Erich ist mein Freund geworden. Er wird Arzt und macht auch im Wintersemester sein Examen. Trotz unserer Arbeit wollen wir mit seinen Eltern vierzehn Tage an die See fahren. Ich wollte wegen des Examens hierbleiben, aber Erich meint: die Ferien sind noch lang genug. Also mache ich die Reise mit und freue mich schon darauf.

Gestern haben wir das Ende des Semesters gefeiert. Zuerst waren wir im Theater, danach haben wir uns in ein Café gesetzt. Wir haben dort bis zwölf Uhr gesessen und viel Spaß gehabt.

Was macht Ihr während Eures Urlaubs? Vielleicht kann Vater mich besuchen. Nach der Rückkehr von unserer Reise muß ich hierbleiben. Für heute alles Gute und viele Grüße

von Eurem
Robert

Robert und Erich kaufen ein

Robert und Erich wollen zusammen zu Abend essen. Sie gehen in ein Geschäft mit Selbstbedienung und kaufen ein

R: Brauchen wir Brot?

E: Ja, ich habe keins mehr zu Haus. Und zwei Flaschen Milch?

R: Eine ist genug, ich trinke Bier.

E: Nehmen wir eine Flasche Bier, eine habe ich noch.

R: Käse brauchen wir auch. Hier liegt welcher.

E: Für mich bitte nicht, ich esse keinen. Butter?

R: Nein, ich habe noch welche, die reicht für heute. Nehmen wir etwas von diesem Schinken, 1,80, das ist nicht teuer.

E: Und Eier. Hol doch dort welche!

R: Hier, und nun noch Salat!

E: Ich habe schon welchen in den Korb gelegt.

R: So, und was brauchen wir noch? Öl, Essig, Salz?

E: Nein, das haben wir doch zu Haus. Vielleicht noch ein paar Tomaten?

R: Ja, aber dann Schluß für heute, sonst reicht unser Geld nicht!

---

die Nachttischschublade	=	die Schublade des Nachttischs
der Bücherschrank	=	der Schrank für Bücher
das Wintersemester	=	das Semester im Winter
die Selbstbedienung	=	man kann sich selbst bedienen

es reicht = es ist genug: die Butter reicht noch
das Geld reicht mir nicht mehr

Erich *wird* Arzt. – Er *ist* mein Freund *geworden*.

ich weiß es – du weißt es – er weiß es
wir wissen es – ihr wißt es – sie wissen es

Präpositionen mit dem Genitiv

statt, anstatt: Ich bat meinen Vater um Geld. Er schickte kein Geld, sondern nur einen Brief. Er hat *statt (anstatt) des Geldes* nur einen Brief geschickt.

trotz: Am Feiertag arbeitet man nicht. Peter arbeitet aber, er arbeitet *trotz des Feiertags.*

während (temporal): Im April habe ich Urlaub. *Während meines Urlaubs* mache ich eine Reise.

wegen (kausal): Der Student hat morgen ein Examen. *Wegen des Examens* kann er heute nicht ins Kino gehen.

> **(an)statt, trotz, während, wegen**
> *immer mit Genitiv*

64 **Übung:** *Ergänzen Sie die Endungen!*

1. Ich habe Frau Müller statt d_ Blumen Schokolade mitgebracht. **2**. Sein Vater hat ihm statt d_ Brief_ ein Paket geschickt. **3**. Er hat einen Fehler gemacht. Er hat statt d_ Dativ_ den Akkusativ gebraucht. **4**. Trotz d_ Zentralheizung war das Zimmer kalt. **5**. Trotz d_ Regen_ gehe ich zu Fuß. **6**. Trotz d_ Examen_ macht er doch die Reise. **7**. Während d_ Semester_ kann Robert nicht nach Haus fahren. **8**. Während d_ Essen_ rauchen wir nicht. **9**. Während sein_ Aufenthalt_ in München hat er seinen Freund besucht. **10**. Er hat wegen sein_ Koffer_ ein Taxi genommen. **11**. Wegen d_ Feiertag_ waren viele Autos auf den Straßen. **12**. Wegen dies_ Brief_ muß ich jetzt nochmal zur Post gehen.

Präteritum und Perfekt von

legen, liegen – stellen, stehen – setzen, sitzen – hängen – stecken*

Ich *legte* das Buch auf den Tisch.	Das Buch *lag* auf dem Tisch.
Ich *habe* es auf den Tisch *gelegt*.	Es *hat* auf dem Tisch *gelegen*.
Ich *stellte* das Buch in den Schrank.	Das Buch *stand* im Schrank.
Ich *habe* es in den Schrank *gestellt*.	Es *hat* im Schrank *gestanden*.
Ich *setzte* mich auf den Stuhl.	Ich *saß* auf dem Stuhl.
Ich *habe* mich auf den Stuhl *gesetzt*.	Ich *habe* auf dem Stuhl *gesessen*.
Ich *hängte* den Mantel an den Haken.	Der Mantel *hing* am Haken.
Ich *habe* ihn an den Haken *gehängt*.	Er *hat* am Haken *gehangen*.
Ich *steckte* den Schlüssel ins Schloß.	Der Schlüssel *steckte* im Schloß.
Ich *habe* ihn ins Schloß *gesteckt*.	Er *hat* im Schloß *gesteckt*.

---

* Vgl. S. 50

Die Verben „legen, stellen, setzen" sind schwach. Die Verben „liegen, stehen, sitzen" sind stark.	liegen – lag – gelegen stehen – stand – gestanden sitzen – saß – gesessen
Das Verb „hängen" ist schwach (Präp. mit Akk.) und stark (Präp. mit Dat.).	hängen – hängte – gehängt hängen – hing – gehangen
Das Verb „stecken" ist immer schwach.	

Fortbewegung (*Aktion*)		*keine Bewegung* (*Position*)	
Das Verb ist	legen	**Das Verb ist**	liegen
schwach	stellen	**stark**	stehen
Präposition	setzen	**Präposition**	sitzen
mit Akkusativ	hängen	**mit Dativ**	hängen

Übung: *Bilden Sie das Präteritum und das Perfekt!* 65

1. Ich lege das Besteck neben den Teller. **2**. Hans liegt im Bett, er ist krank. **3**. Ich stelle die Lampe in die Ecke. **4**. Das Auto steht vor dem Haus. **5**. Ich setze mich an den Tisch. **6**. Wir sitzen seit einer Stunde im Theater. **7**. Wir hängen die Landkarte an die Wand. **8**. Hier hängt das Bild richtig. **9**. Ich stecke meine Schlüssel in die Tasche. **10**. Der Schlüssel steckt nicht im Schloß. **11**. Der Radioapparat (*stellen* oder *stehen*) neben dem Schrank. **12**. Die Mutter (*setzen* oder *sitzen*) das Kind an den Tisch. **13**. Die Vase (*stellen* oder *stehen*) ich auf das Regal. **14**. Der Schlafanzug (*legen* oder *liegen*) im Schrank. **15**. Ich (*setzen* oder *sitzen*) lange im Arbeitszimmer. **16**. Ich (*legen* oder *liegen*) die Handschuhe in die Schublade.

Verben mit Präpositionen

arbeiten für A	Der Student *arbeitet für die* Prüfung.
anfangen mit D	Der Schüler *fängt mit der* Arbeit *an*.
beginnen mit D	Der Lehrer *beginnt mit dem* Unterricht.
bitten A um A	Ich *bitte* Sie *um einen* Bleistift.
danken D für A	Ich *danke* Ihnen *für Ihre* Hilfe.
erzählen D von D	Robert *erzählt* mir *von seinem* Land.

sich freuen über A	Peter hat einen Brief bekommen. Er *freut sich über den* Brief.
sich freuen auf A	Wir bekommen im Sommer Ferien. Wir *freuen uns auf die* Ferien.
schreiben A an A	Der Lehrer *schreibt einen* Brief *an meinen* Vater.
schreiben DA	Der Lehrer *schreibt meinem* Vater *einen* Brief.
schreiben D über A	Frau Müller *schreibt ihrer* Freundin *über ihre* Reise nach Italien.
sprechen mit D	*Sprechen Sie mit Ihrem* Freund!
sprechen über A	Die Freunde *sprechen* immer *über ihre* Arbeit.
sich unterhalten mit D	Wir *unterhalten uns mit den* Leuten immer deutsch.
warten auf A	Mein Vater hat noch nicht geschrieben; ich *warte auf einen* Brief von ihm.
sich verabschieden von D	Am Ende des Kurses *verabschieden* wir *uns von den* Lehrern und fahren nach Haus.

Viele Verben haben Objekte mit Präpositionen.
Lernen Sie diese Verben mit ihren Präpositionen!

66 Übung: *Antworten Sie!*

1. Für wen arbeiten Sie? (*meine Familie*) **2**. An wen schreiben Sie? (*mein Freund*) **3**. Über wen hat er geschrieben? (*der Professor*) **4**. Mit wem haben Sie sich unterhalten? (*die Studenten*) **5**. Über wen haben die Studenten gesprochen? (*der Briefträger*) **6**. Von wem hat sich Inge verabschiedet? (*Herr Schmidt*) **7**. Von wem wollen Sie mir etwas erzählen? (*Ihre Freunde in Paris*) **8**. Auf wen wartet Herr Braun? (*sein Gast*)

Präposition mit Fragewort und Pronomen

a) *Bei wem* wohnst du? Wohnst du *beim* Kaufmann Krüger? –
Ja, ich wohne *bei ihm.*

An wen schreibt er? Schreibt er *an seinen* Vater? –
Ja, er schreibt *an ihn.*

Für wen ist dieser Brief? Ist er *für meine* Schwester? –
Nein, er ist nicht *für sie*, sondern für deinen Bruder.

Mit wem geht sie spazieren? Geht sie *mit ihrem* Bruder spazieren? –
Ja, sie geht *mit ihm* spazieren.

Zu wem spricht der Lehrer? Spricht er *zu den* Schülern? –
Ja, er spricht *zu ihnen.*

Bei Personen in der Frage: Präposition + Fragepronomen (wen?, wem?)
in der Antwort: Präposition + Personalpronomen

b) *Wofür* hat er euch gedankt? Hat er euch *für das Paket* gedankt? –
Ja, er hat uns *dafür* gedankt.

Womit schreibst du? Schreibst du *mit dem Bleistift?* –
Nein, ich schreibe nicht *damit*, sondern mit einem Kugelschreiber.

Worüber freuen Sie sich? Freuen Sie sich *über die Reise?* –
Ja, ich freue mich *darüber*.

Worauf wartet Frau Meier? Wartet sie *auf das Essen?* –
Ja, sie wartet *darauf*.

Wovon spricht der Lehrer? Spricht er *von der Grammatik?* –
Ja, er spricht *davon*.

Bei Sachen in der Frage: wo + Präposition*
in der Antwort: da + Präposition

Zwischen zwei Vokalen steht immer ein –r–

wo + auf	= worauf?	da + auf	= darauf
wo + über	= worüber?	da + über	= darüber

Personen		**Sachen**	
Frage	*Antwort*	*Frage*	*Antwort*
Präp. + Frage-pronomen	Präp. + Personal-pronomen	wo(r) + Präp.	da(r) + Präp.
bei wem?	bei ihm	wobei?	dabei
an wen?	an ihn	woran?	daran
für wen?	für ihn	wofür?	dafür
mit wem?	mit ihm	womit?	damit
zu wem?	zu ihm	wozu?	dazu

c) Das Bild hängt *an der Wand. Wo* hängt es? Es hängt *dort.* – Der Teppich
liegt *auf dem Fußboden. Wo* liegt er? Er liegt *dort (hier).* – Ich lege die Kleider
in den Koffer. Wohin lege ich sie? Ich lege sie *hinein*.
Er kommt *aus Frankreich. Woher* kommt er? Er kommt *von dort.*

---

* vgl.: woher, wohin

da + Präposition steht **nicht** als Antwort
auf eine Frage mit **wo?, wohin?, woher?**

67 **Übung:** *Bilden Sie mit den Sätzen Fragen und Antworten!*

Beispiele: Der Professor spricht mit den Studenten.
Mit wem spricht er? Mit den Studenten? – Ja, er spricht *mit ihnen.*
Ich spreche über meine Reise.
Worüber sprechen Sie? Über meine Reise? – Ja, ich spreche *darüber.*

1. Sie ist mit ihrem Bruder spazieren gegangen. **2.** Mein Vater spricht immer von seiner Arbeit. **3.** Der Student freut sich auf den Brief. **4.** Du wartest immer auf Geld. **5.** Peter hat von seinen Vorlesungen gesprochen. **6.** Inge verabschiedet sich von Gisela. **7.** Wir müssen für unseren Vater ein Buch kaufen. **8.** Er freut sich auf die Reise. **9.** Die Handschuhe sind für meinen Bruder. **10.** Wir müssen für unser Examen arbeiten. **11.** Ich habe mit Herrn Müller gesprochen. **12.** Ich habe Sie um einen Hausschlüssel gebeten. **13.** Der Vater kann für seinen Sohn die Fahrkarte nicht bezahlen. **14.** Heute wollen wir über die Bundesrepublik Deutschland sprechen.

Pronomen für Nomen mit dem Artikel „ein-" („kein-") und ohne Artikel

1. Haben Sie hier *einen Mann* gesehen? – Ja, dort steht *einer.*
Haben Sie hier *Männer* gesehen? – Nein, hier waren *keine.*

Ich brauche noch *einen Apfel.* Hol doch *einen!*
Käse gibt es dort. Danke, ich esse *keinen.*

Ich suche noch *ein Heft.* – Da liegt doch *eins!*
Ich kaufe noch *Brot.* Ich habe *keins* mehr.

2. *Käse* brauchen wir noch. Da liegt *welcher.*
Hast du *Tomaten?* – Ja, ich habe *welche* in den Korb gelegt.

ein– oder kein–

	Singular					*Plural*
	ein Teller		*ein Messer*		*eine Gabel*	*keine Teller* (usw.)
Nom.:	ein**er**	(der)	ein**s**	(das)	ein**e**	(die)	keine	(die)
Akk.:	ein**en**	(den)	ein**s**	(das)	ein**e**	(die)	keine	(die)
Dat.:	ein**em**	(dem)	ein**em**	(dem)	ein**er**	(der)	keine**n**	(den)

ohne Artikel

	(der) Käse	(das) Geld	(die) Butter	Männer
Nom.:	welcher	welches	welche	welche
Akk.:	welchen	welches	welche	welche
Dat.:	welchem	welchem	welcher	welchen

Die Pronomen für Nomen mit dem Artikel **ein–** oder **kein–** und für Nomen **ohne** Artikel haben **die Endung des Artikels „der, das, die."**

Übung: *Antworten Sie mit den Pronomen!* 68

Beispiele: Haben Sie das Buch gefunden? Ja, ich habe es gefunden.
Haben Sie einen Bleistift gefunden? Ja, ich habe einen gefunden.

1. Haben Sie die Eier gekauft? **2.** Haben Sie auch Äpfel gekauft? **3.** Ist dort ein Obstgeschäft? **4.** Ist dort das Postamt 3? **5.** Haben deine Eltern das Paket geschickt? **6.** Haben sie dir eine Uhr geschenkt? **7.** Kaufen Sie noch Käse? **8.** Haben Sie noch Bananen? **9.** Brauchen Sie noch Geld? **10.** Haben Sie einen Brief für mich?

Wortstellung

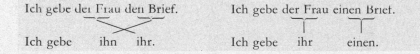

Übung: 69

Beispiele: Geben Sie der Frau einen Brief? Ja, ich gebe ihr einen.
Geben Sie der Frau den Brief? Ja, ich gebe ihn ihr.

1. Haben die Eltern Robert ein Paket geschickt? **2.** Haben sie ihm Kuchen geschickt? **3.** Hat sein Vater ihm die Uhr geschenkt? **4.** Hat Fritz dir ein Buch geschenkt? **5.** Hast du ihm die Handschuhe mitgebracht? **6.** Hast du ihm auch Bücher mitgebracht? **7.** Bringt die Frau dem Mann die Zeitung? **8.** Bringt sie ihm auch eine Tasse Kaffee? **9.** Kauft er den Kindern die Bücher? **10.** Kauft er den Kindern Bücher?

Sie kaufen billig im
Winterschlußverkauf
im

KAUFHAUS MÜLLER & Co.

Wir haben die Preise stark herabgesetzt!

Wir bieten an: **Herrenwintermäntel,** Ia Qualität,
braun, blau und schwarz, ganz gefüttert
Damenwintermäntel, Ia Qualität,
dunkelblau, hellgrau, mit u. ohne Pelz
Kindermäntel, viele Größen
Regenmäntel für Damen und Herren
mit und ohne Futter
Herrenanzüge, sehr preiswert
Damenkostüme, elegant, für jede Figur
Damenkleider, für den Tag und den Abend,
in Wolle, Seide und modernen Fasern
Sportjacken für Damen und Herren
grün, weinrot, blau und braun
Hosen für Damen, Herren und Kinder
alle Größen und viele Farben
Herrenhemden – Herrenwäsche,
Damenwäsche und **Kinderwäsche**

Ein Besuch lohnt sich! Kommen Sie zu uns! Preise wie noch nie!

Damen-, Herren- und Kinderbekleidung
Bamberger Straße 54/56

Kleines Städte-Quiz

Sie sehen hier die Bilder von 4 deutschen Städten. Können Sie sie erkennen?

1. Auf diesem Bild sehen Sie ein süddeutsches Kulturzentrum. Die Stadt hat bedeutende Baudenkmäler, darunter ein schönes Schloß und eine große Kirche mit zwei merkwürdigen Türmen. Sie liegt an einem „grünen" Fluß, denn die Bäume am Ufer spiegeln sich in seinem klaren Wasser. An ihrer Universität und ihren wissenschaftlichen Instituten studieren viele Ausländer; denn es gefällt ihnen in dieser „Großstadt mit Herz".

2. Ihre günstige Lage hat diese Stadt zu einem deutschen Wirtschaftszentrum gemacht. Ein Sohn dieser Stadt wurde als Dichter sehr berühmt. Sein Geburtshaus ist heute ein weltbekanntes Museum. Auch diese Stadt liegt an einem Fluß. Von seinen Brücken hat man eine schöne Aussicht auf den alten Dom und die moderne Stadt. In jedem Jahr findet dort eine internationale Buchmesse statt.

3. Die 3. Stadt ist sehr alt, sie liegt an einem großen Fluß. Es gibt viele Lieder über ihn. Sie ist auch bekannt durch ihren Dom; man hat viele Jahrhunderte daran gebaut. Trotz des alten Doms und der vielen Kirchen aus dem Mittelalter ist sie heute eine ganz moderne Stadt. Nur den Karneval feiert man noch wie früher. Ein besonderes Wasser führt den Namen der Stadt.

4. Die 4. Stadt ist auch ein deutsches Bundesland; sie liegt an der Mündung eines bekannten Flusses in die Nordsee. Ihr Hafen mit seinen vielen Hafenbecken ist 16 Kilometer lang. Sie ist ein sehr bekannter Handelsplatz. Die ausländischen Kaufleute kommen oft dorthin und besuchen ihre Geschäftsfreunde. Schon vom Hafen sieht man den Turm der Michaelskirche, das Wahrzeichen der Stadt.

*Wie heißen die Städte und ihre Flüsse?**

---

die Kultur   + *das* Zentrum   *das* Kulturzentrum (das Zentrum der Kultur)
die Wirtschaft + *das* Zentrum   *das* Wirtschaftszentrum (das Zentrum der W.)
das Buch (⸚er) + *die* Messe   *die* Buchmesse (die Messe für *Bücher*)
er *wird* berühmt – er *wird* Arzt
das Bundesland: Bayern ist ein Bundesland (ein Land in der Bundesrepublik)
das Jahr – das Jahrzehnt – das Jahrhundert – das Jahrtausend

eins:	der (das, die) *erste*	sechs:	der (das, die) sechs*te*
zwei:	zwei*te*	sieb*en*:	sieb*te*
drei:	*dritte*	acht:	acht*e*
vier:	vier*te*	neun:	neun*te*
fünf:	fünf*te*	zehn:	zehn*te*
zwanzig: der (das, die) zwanzig**s**te			
hundert:	hundert**s**te	Wieviel ist 8 und 6?	
tausend:	tausend**s**te	Wieviel Geld hat er?	
erst*ens*, zweit*ens*, dritt*ens*, viert*ens* usw.		Wie viele Leute waren da?	
		Der wieviel*te* ist heute?	

Die Adjektivdeklination

Wer ist *der alte Mann* dort? – *Das neue Haus* gehört mir. – *Die große Stadt* liegt in Süddeutschland.
Dort geht *ein alter Mann* über die Straße. – Er kauft *ein neues Haus*. – Wir fahren heute in *eine große Stadt*. – Der Vater *meines guten Freundes* schreibt *seinem kranken Sohn einen langen Brief*. – Hier ist *das 1. (erste) Bild*. – Auf *dem 3. (dritten) Bild* sehen Sie eine Stadt.

---

* Lösung S. 92

Singular

	maskulin	neutral	feminin
Nom.:	der alt–e Mann	das klein–e Haus	die groß–e Stadt
	ein alt–er Mann	ein klein–es Haus	eine groß–e Stadt
Akk.:	den alt–en Mann	das klein–e Haus	die groß–e Stadt
	einen	ein klein–es Haus	eine groß–e Stadt
Dat.:	dem alt–en Mann	dem klein–en Haus	der groß–en Stadt
	einem	einem	einer
Gen.:	des alt–en Mannes	des klein–en Hauses	der groß–en Stadt
	eines	eines	einer

Plural

Nom.:	die alt–en Männer	die klein–en Häuser	die groß–en Städte
Akk.:	die alt–en Männer	die klein–en Häuser	die groß–en Städte
Dat.:	den alt–en Männern	den klein–en Häusern	den groß–en Städten
Gen.:	der alt–en Männer	der klein–en Häuser	der groß–en Städte

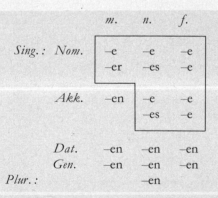

		m.	n.	f.
Sing.:	*Nom.*	–e	–e	–e
		–er	–es	–e
	Akk.	–en	–e	–e
			–es	–e
	Dat.	–en	–en	–en
	Gen.	–en	–en	–en
Plur.:			–en	

I. Singular-Regel

1. nach dem **bestimmten Artikel** und **Demonstrativpronomen**
   im **Nom.** –e
   im **Akk. neutr. u. fem.** –e

2. nach dem **unbestimmten Artikel** und
den Possessivpronomen im **Nom. mask.**   –er
im **Nom. u. Akk. neutr.**   –es
im **Nom. u. Akk. fem.**   –e

Der letzte Konsonant des bestimmten Artikels kommt an das Adjektiv: (de)*r*, (da)*s*.

3. in den übrigen Fällen hat das Adjektiv **die Endung –en.**

II. Plural-Regel

nach dem **bestimmten Artikel,** dem **Demonstrativpronomen,** dem **Possessivpronomen,** nach „keine" und „alle" immer **–en**

Merken Sie sich!

dunk**el**:	die dunk**le** Nacht	ander**s**:	die ander**e** Seite
teu**er**:	der teu**re** Mantel	besonder**s**:	das besonder**e** Wasser
ho**ch**:	der ho**he** Berg	link**s**:	die link**e** Hand
		recht**s**:	das recht**e** Bein

70   **Übung 1:** *Ergänzen Sie die Endungen!*

1. Geben Sie mir den rot_ und den blau_ Bleistift. **2.** Mit einem alt_ Wagen will ich nicht fahren. **3.** Im Garten dieses klein_ Hauses gibt es viele Blumen. **4.** Er ist mit seinem neu_ Wagen nach Hamburg gefahren. **5.** Bin ich hier auf der richtig_ Straße zu dem neu_ Hotel? **6.** Ich fahre am 5. 9. (fünft_ neunt_) nach Berlin. Am wievielt_? Am 5. 9. **7.** Frau Breuer hat einen schön_ neu_ Hut. **8.** Die Autos parken meist auf der recht_ Straßenseite. **9.** Wir leben im 20. Jahrhundert. **10.** Gestern bin ich mit meinen beid_ Freunden durch unseren schön_ Park gegangen. **11.** Hier ist ein gut_ Füller; ich brauche einen gut_ Füller. **12.** Das klein_ Haus gehört einer freundlich_ Frau. **13.** Ich habe eine leer_ Wohnung gemietet. **14.** Mein Freund fand ein möbliert_ Zimmer im 1. Stock eines neu_ Hauses. **15.** Der Briefträger hat ein wichtig_ Telegramm gebracht. **16.** Das neu_ Theater ist heute geschlossen. **17.** Siehst du dort das hoh_ Haus? – Nein, ich sehe kein hoh_ Haus. **18.** Der Mai ist der 5. Monat, der September ist der 9. Monat im Jahr. **19.** Gibt es in Ihrer Stadt auch ein schön_ Theater? **20.** Wann haben Sie Geburtstag?

71   **Übung 2:** *Ergänzen Sie die Endungen!*

Ein reich_ Kaufmann machte einmal eine lang_ Reise. Er stieg in einer klein_ Stadt aus, denn er wollte dort seinen alt_ Freund treffen. In einem gut_ Hotel mietete er ein schön_ Zimmer und ging dann in die Wohnung des Freundes. Die beid_ Freunde saßen in dem gemütlich_ Zimmer lange zusammen und erzählten sich. In der Nacht ging der reich_ Kaufmann in sein Hotel zurück. In den dunkl_ Straßen der klein_ Stadt konnte er den weit_ Weg nur schwer finden. Plötzlich hörte er die schnell_ Schritte eines Menschen. Ein alt_ Mann kam ihm auf der recht_ Straßenseite entgegen und stieß mit ihm zusammen. Der alt_ Mann sagte eine höflich_ Entschuldigung und ging schnell weiter. Der erschrocken_ Kaufmann blieb stehen. Er griff in seine recht_ Rocktasche, denn er wollte auf die Uhr sehen und die genau_ Zeit wissen. Aber er griff in eine leer_ Tasche. „Dieser alt_ Mann hat meine neu_ Uhr gestohlen", dachte der Kaufmann und lief schnell dem verdächtig_ Mann nach. Er faßte ihn an seinem alt_ Mantel und rief: „Die Uhr her!" Der Mann erschrak über die zornig_ Stimme des Kaufmanns. Er nahm aus seiner recht_ Westentasche eine klein_ Uhr und gab sie dem zornig_ Kaufmann

Nach einer halb_ Stunde kam der Kaufmann endlich in seinem klein_ Hotelzimmer an.

Übung 3: *Ergänzen Sie die Endungen!* 72

1. Das Kaufhaus Müller bietet Ihnen an: einen blau_, einen braun_ und einen schwarz_ Wintermantel. – Der blau_ Mantel gefällt mir. Ich will aber einen ganz gefüttert_ Mantel. **2.** Haben Sie auch einen hellgrau_ Regenmantel? Ist das ein gefüttert_ Mantel? **3.** Wir haben hier einen sehr preiswert_ Herrenanzug. – Ist das auch eine gut_ Qualität? **4.** Kommen Sie zu uns und kaufen Sie sich dieses elegant_ Kostüm! **5.** Gefällt Ihnen diese weinrot_ Sportjacke? Das ist wirklich eine elegant_ Jacke! **6.** Sehen Sie unsere billig_ Preise, zum Beispiel für diese schön_ Damen- und Kinderwäsche! **7.** Mein Vater hat heute einen blau_ Mantel, einen grau_ Anzug und seine schwarz_ Schuhe an. **8.** Tragen Sie immer einen blau_ Hut? – Ich trage meist einen schwarz_.

Fragepronomen für Adjektive: „welcher?" und „was für ein?"

1. a) *Welches* Kleid ziehen Sie heute an, das rote oder das blaue? Ich ziehe *das* rote Kleid an. – Mit *welchem* Zug ist er angekommen? Mit *dem* D-Zug um 16.20 Uhr.

   b) Wir fahren mit der Straßenbahn. Mit *welcher* müssen wir fahren? Mit *der* Linie 8.

2. a) *Was für ein* Kleid wünschen Sie? *Ein* leichtes Sommerkleid. – Mit *was für einem* Wagen ist er gefahren? Mit *einem* dunkelgrünen Personenwagen.

b) Ein Herr hat es mir erzählt. *Was für einer?* Ein Kaufmann aus Hamburg. –
c) Ich brauche noch Milch. *Was für welche?* Flaschenmilch. – Haben Sie
auch Hefte? *Was für welche?* Wir brauchen linierte Hefte.

Singular			Plural
maskulin	*neutral*	*feminin*	
1. a) welcher . . .?	welches . . .?	welche . . .?	welche . . .?
b) welcher?	welches?	welche?	welche?
2. a) was für ein . . .?	was für ein . . .?	was für eine . . .?	was für . . .?
b) was für einer?	was für eines?	was für eine?	
c) was für welcher?	was für welches?	was für welche?	was für welche?

1. *Mit „welcher" fragt man nach einer* **bestimmten** *Person oder Sache. Man antwortet mit dem* **bestimmten** *Artikel.* „Welcher" *kann mit oder ohne Nomen stehen; es wird wie der bestimmte Artikel dekliniert.*

2. *Mit „was für ein" fragt man* **allgemein** *nach einer Person oder einer Sache. Man antwortet mit dem* **unbestimmten** *Artikel. Wenn dieses Fragepronomen ohne Nomen steht, fragt man im Singular:* „was für ein*er*, ein*es*, ein*e*?"; *bei Nomen ohne Artikel im Singular fragt man:* „was für welcher, welches, welche"; *im Plural* „was für welche?" (vgl. S. 85)

73 **Übung:** *Fragen Sie nach den kursiv gedruckten Wörtern (mit „welcher?" oder „was für ein?")!*

1. Wir haben eine *schöne* Reise gemacht. 2. Wir sind mit einem *ganz neuen* Autobus gefahren. 3. Das Taschentuch steckt in der Tasche meines *blauen* Anzugs. 4. Den *alten* Anzug trage ich nicht gern. 5. Ich habe die *letzten* Übungen noch nicht gemacht. 6. Ich möchte einen *kleinen* Tisch und *bequeme* Sessel kaufen. 7. Herr Müller sucht ein *kleines, möbliertes* Zimmer. 8. Die Stadt hat ein *schönes* Schloß mit zwei *merkwürdigen* Türmen. 9. Es gibt viele *bekannte* Lieder über den Rhein. 10. Von dieser *alten* Geschichte möchte ich nicht mehr hören. 11. Ich kann meine *braune* Tasche nicht finden. 12. Kölnisch Wasser hat seinen Namen nach der Stadt *Köln*. 13. Die Michaelskirche ist eine *schöne* Kirche 14. Hamburg ist eine *bekannte* Handelsstadt. 15. In Frankfurt findet eine *internationale* Buchmesse statt.

Lösung des „Kleinen Städte-Quiz" (S. 87/88):

1. München an der Isar – 2. Frankfurt am Main – 3. Köln am Rhein – 4. Hamburg an der Elbe

ja – nein – doch

Ist der Weg weit? – *Ja*, er ist weit. (*Nein*, er ist nicht weit.)
Ist Ihr Vater nicht hier? – *Nein*, er ist nicht hier. (*Doch*, er ist hier.)

> Mit **„ja"** antwortet man auf eine positive Frage.
> Mit **„nein"** antwortet man auf eine negative Frage oder verneint die positive Frage.
> Mit **„doch"** verneint man eine negative Frage.

Übung: *Antworten Sie richtig!*   74

1. Sind Sie gestern pünktlich ins Theater gekommen? __, ich bin pünktlich gekommen. **2.** Waren Sie schon in England? __, ich war noch nicht dort. **3.** Fahren Sie nicht mehr nach Berlin? __, ich fahre am Montag. **4.** Haben Sie kein Geld mehr? __, ich habe noch genug. **5.** Gefällt dir der blaue Mantel nicht? __, er gefällt mir sehr gut. **6.** Haben Sie noch nie das Meer gesehen? __, aber die Nordsee habe ich noch nicht gesehen. **7.** Wollten Sie sich nicht einen grünen Mantel kaufen? __, aber leider gab es keinen. **8.** Können Sie mir das Geld nicht geben? __, das kann ich.

Auskunft auf der Straße

Fußgänger: Ach, entschuldigen Sie, Herr Wachtmeister, wie komme ich zur Beethovenstraße? Ich bin fremd in dieser Stadt. Kann ich mit dem Omnibus fahren?

Schutzmann: Zur Beethovenstraße? Das ist ziemlich weit. Sie nehmen die Straßenbahn, Linie 12. Dort drüben an der Ecke ist die Haltestelle. Fahren Sie mit der Bahn bis zum Stadtpark. Das ist die vierte Haltestelle. Dann steigen Sie in die Linie 10 um und fahren bis zum Schillerplatz.

Fußgänger: Muß ich dann noch zu Fuß gehen?

Schutzmann: Ja, aber nicht mehr weit. Sie gehen vom Schillerplatz geradeaus, die dritte Straße links ist dann die Beethovenstraße.

Fußgänger: Danke schön für die freundliche Auskunft! Ich gehe gleich zur Haltestelle. Dort kommt gerade die Bahn an.

Schutzmann: Halt, halt, halt! Warten Sie noch einen Augenblick! Sehen Sie das rote Licht an der Ampel! Wir hatten heute morgen schon einen Unfall.

Fußgänger: Aber jetzt ist das Licht grün, und ich kann gehen.

---

der Schutzmann – die Schutzleute

die Mitte – die Stadtmitte – der Mittag – der Mittwoch

die Stadt – die Vorstadt – die Innenstadt – die Stadtmitte – der Stadtpark

halten – die Haltestelle – *aus*steigen – *um*steigen

die Beethovenstraße   die Straße trägt den Namen des bekannten deutschen Komponisten Ludwig van Beethoven, geboren 1770, gestorben 1827.

der Schillerplatz   der Platz trägt den Namen des bekannten deutschen Dichters Friedrich von Schiller, geboren 1759, gestorben 1805.

Aus der Zeitung

Die olympische Segelregatta 1972

München, 20. März – Das Komitee der XX. Olympischen Spiele beschloß bei seiner Sitzung in München, daß bei den Olympischen Spielen 1972 die Wettkämpfe der Segler auf der Kieler* Förde stattfinden. Bei der Abstimmung hatte Kiel mit 15 : 6 Stimmen klar über seine Nachbarstadt Lübeck gesiegt.

Ein schwerer Verkehrsunfall

Frankfurt, 19. März (dpa**) – Heute morgen hat sich in Neustadt ein schwerer Verkehrsunfall ereignet. Ein Personenwagen stieß an der Kreuzung Gerber- und Marktstr. mit einer voll besetzten Straßenbahn zusammen.

Der Fahrer hatte die Verkehrszeichen nicht beachtet und wollte trotz des roten Lichtes noch rechts abbiegen. Zu spät sah er, daß eine Frau mit einem kleinen Kind die Straße überqueren wollte. Er mußte den beiden Fußgängern ausweichen und stieß mit der Straßenbahn zusammen. Dabei überschlug sich der Wagen, und die Straßenbahn sprang aus den Schienen. Der Fahrer des Personenwagens und seine Begleiterin waren sofort tot, zwei Fahrgäste der Straßenbahn waren schwer verletzt.

Achtung Autodiebstahl!

In der Nacht vom Sonntag zum Montag ist in der Königstraße ein blauer Personenwagen verschwunden. Er gehört einem bekannten Filmschauspieler.

Der Wagen hatte an der rechten Straßenseite geparkt. Fußgänger beobachteten zu dieser Zeit einen jungen Mann. Weil sich dieser Mann etwa eine halbe Stunde in der Nähe des Wagens aufgehalten hat, nimmt man an, daß er den Wagen gestohlen hat.

Der verdächtige junge Mann ist etwa 1,74 m groß, er trug eine Brille mit einem dunklen Rand und hatte eine karierte Jacke und eine dunkle Hose an. Auf dem Kopf trug er einen hellbraunen Hut. Man sagt auch, daß ein Finger seiner linken Hand fehlt.

Der Wagen, ein blauer Mercedes 200, trägt das Kennzeichen M-XL 388. In dem Wagen lagen eine braune Aktentasche und ein grauer Damenhut.

Weil die Polizei die genaue Beschreibung des jungen Mannes hat, hofft sie, daß man den Wagen bald findet. Nachrichten über die verdächtige Person oder über den gestohlenen Wagen nimmt jede Polizeidienststelle entgegen.

---

* Städtenamen erhalten oft die Endung -er, sie stehen dann bei einem Nomen und haben keine Deklinationsendung: Kieler Förde, Hamburger Hafen, das Münchner Bier
** Deutsche Presseagentur

der *Wagen* – der Personen*wagen* (PKW) – der Last*wagen* (LKW) – die Last
der *Verkehr* – der Straßen*verkehr* – der *Verkehr*sunfall – das *Verkehr*szeichen
fahren – der Fahrer, die Fahrerin – der Fahrgast – der Fahrplan – die Fahrt
beachten A – die Achtung – beobachten A

etwa : er ist *etwa* 1,75 m groß (ungefähr, vielleicht 1,74 oder 1,76)
     Das Telegramm braucht *etwa* 2 Stunden bis Hamburg
zu Fuß gehen – der Fußgänger
stehlen – der Dieb – der Diebstahl – der Taschendieb

die Kieler Förde = Meeresarm bei Kiel (Ostsee)

Das Plusquamperfekt

I   II
Er *kann* nicht ins Theater gehen;   sein Vater *hat* ihm kein Geld *geschickt.*
Er *konnte* nicht ins Theater gehen;   sein Vater *hatte* ihm kein Geld *geschickt.*

Ich *gehe* heute abend um 8 Uhr zu Bett, denn ich *bin* schon um 5 Uhr *aufge-standen.*

Ich *ging* gestern abend um 8 Uhr zu Bett, denn ich *war* schon um 5 Uhr *aufgestanden.*

Präteritum von $\begin{matrix} \text{haben} \\ \text{sein} \end{matrix}$ + Partizip Perfekt = Plusquamperfekt

Die Handlung ⟦II⟧ liegt vor der Handlung ⟦I⟧ .

Handlung I steht im **Präsens,** Handlung II steht im **Perfekt.**
Handlung I steht im **Präteritum oder Perfekt,** Handlung II steht
im **Plusquamperfekt.**

75 **Übung:** *Perfekt oder Plusquamperfekt?*

1. Die Mutter findet die Handschuhe. Fritz ___ sie in die Schublade ___ (*legen*).
2. Ich fahre mit meinen Freunden an die See. Sie ___ mich gestern ___ (*einladen*).
3. Mein Freund ist zu spät ins Kino gekommen. Der Film ___ schon ___ (*an-fangen*). **4.** Heute bin ich sehr müde. Gestern ___ wir das Ende des Semesters ___ (*feiern*). **5.** Der Beamte konnte die Adresse nicht lesen. Ich ___ zu undeutlich ___ (*schreiben*). **6.** Ich konnte Frau Meier nicht anrufen. Sie ___ mir ihre Telefon-nummer nicht ___ (*geben*). **7.** Ich konnte leider nicht nach Köln fahren, und ich ___ mich schon so auf die Fahrt ___ (*freuen*). **8.** Gestern kam Herr Braun nach Hamburg. Vorher ___ er seine Mutter in Köln ___ (*besuchen*).

Die Nebensätze

Nebensätze mit „weil"

Herr Breuer nimmt ein Taxi, *weil* sein Freund zu Haus schon *wartet*. – Sie essen immer in diesem Gasthaus, *weil* das Essen dort sehr gut *ist*.
Warum (Weshalb) gehst du zu Fuß? – *Weil* ich kein Fahrrad *habe*.

a) *Hauptsatz*			b) *Nebensatz*			
I	II	III	I	II	III	E
Ich	gehe	jetzt ins Bett,	weil	ich	sehr müde	*bin.*
Er	geht	nicht mit uns,	weil	er	um 9 Uhr ab-	*fährt.*
Ich	habe	kein Geld,	weil	er	es mir nicht geschickt	*hat.*
Ich	lerne	Deutsch,	weil	ich	in Berlin studieren	*will.*
Er	kam	zu spät,	weil	er	zu lange geschlafen	*hatte.*

1. Im **Nebensatz** steht das konjugierte **Verb am Ende!**
   Die trennbaren Teile der Verben stehen wieder zusammen.
   Das Subjekt steht an der 2. Stelle.

2. Zwischen dem Hauptsatz und dem Nebensatz steht immer ein *Komma*.

3. Der Nebensatz mit „weil" sagt einen Grund und antwortet auf die Fragen mit „warum?" oder „weshalb?".

Übung 1: *Antworten Sie mit „weil"!* 76

1. Warum bleibst du heute zu Haus? (*ich will einen Brief an meinen Vater schreiben*) **2.** Weshalb lernen Sie Deutsch? (*ich will in Bremen studieren*) **3.** Warum haben sie kein Geld? (*sie gehen zu oft ins Café*) **4.** Warum kommt er zu spät in die Schule? (*er hat zu lange geschlafen*) **5.** Warum kauft ihr euch dieses Buch? (*wir wollen es lesen*) **6.** Warum haben Sie diesen Herrn nicht gegrüßt? (*ich habe ihn nicht gesehen*) **7.** Warum schreibt sie die Übung nicht? (*sie ist zu schwer*) **8.** Weshalb kaufst du Blumen? (*meine Lehrerin hat Geburtstag*) **9.** Weshalb fährst du nicht nach Haus, sondern gehst zu Fuß? (*ich habe viel Zeit*) **10.** Weshalb freuen Sie sich? (*die Übung ist zu Ende*)

Übung 2: *Verbinden Sie die Sätze mit der Konjunktion „weil"!* 77

1. Der Fahrer ist mit der Straßenbahn zusammengestoßen. Er hatte das Verkehrszeichen nicht beachtet. **2.** Herr Müller hat keine Zeit. Er muß um 8 Uhr im Büro sein. **3**. Ich möchte ein Butterbrot essen. Ich habe Hunger. **4**. Der Kaufmann konnte die Uhr nicht in seiner Tasche finden. Sie lag im Hotel auf dem Nachttisch. **5**. Richard schlief sofort ein. Er war müde. **6**. Inge hat von ihren Freundinnen viele Blumen bekommen. Sie hatte Geburtstag. **7**. Peter kann dieses Zimmer leider nicht mieten. Es ist zu teuer. **8**. Der junge Mann ist verdächtig. Er hat sich in der Nähe des Wagens aufgehalten. **9**. Er erkältet sich nicht. Er zieht sich immer warm an. **10**. Ich muß jetzt gehen. Ich will pünktlich zum Essen kommen.

Nebensätze mit „daß"

1. Ich beende mein Studium bald. *Es* ist wichtig für mich. – Es ist wichtig für mich, *daß* ich mein Studium bald beende.
Der Professor hat ein Buch geschrieben. *Es* ist bekannt. – Es ist bekannt, *daß* der Professor ein Buch geschrieben hat.

2. Mein Freund kommt morgen. Ich weiß *es*. – Ich weiß, *daß* mein Freund morgen kommt.
Die Schüler arbeiten viel. Der Lehrer sieht *es*. – Der Lehrer sieht, *daß* die Schüler viel arbeiten.

3. Sein Vater schreibt ihm einen Brief. Er wartet *darauf*. – Er wartet *darauf*, *daß* sein Vater ihm einen Brief schreibt.
Köln ist eine schöne Stadt. Ich habe *davon* gehört. – Ich habe *davon* gehört, *daß* Köln eine schöne Stadt ist.

> 1. Der Nebensatz mit „daß" steht für einen **Nominativ** (z. B. *es* ist wichtig).
> 2. Der Nebensatz mit „daß" steht für einen **Akkusativ** (z. B. ich weiß *es*).
> 3. Der Nebensatz mit „daß" steht für einen **präpositionalen Ausdruck**. Dieser bleibt oft im Hauptsatz stehen. (Er wartet *darauf*, daß . . .)

78 **Übung:** *Bilden Sie Sätze mit „daß"!*

1. Das Wetter wird morgen schön. Ich glaube es. **2**. Meine Schwester kommt morgen nachmittag. Meine Mutter hat es geschrieben. **3**. Hamburg ist eine wichtige Handelsstadt. Es ist bekannt. **4**. Du gehst am Sonntag ins Theater. Es freut mich. **5**. Die Segelregatta findet in Lübeck statt. Ich habe es gehört. **6**. Ich kann leider nicht mit euch fahren. Es ist schade. **7**. Der Zug kommt um 12.42 Uhr an. Wir haben es im Fahrplan gelesen. **8**. Ein Personenwagen ist mit der Straßenbahn zusammengestoßen. Wir haben es gesehen. **9**. Besuchen Sie mich bald! Ich bitte Sie darum. **10**. Der Besuch hat Schokolade mitgebracht. Die Kinder freuen sich darüber. **11**. Die Wettkämpfe finden am 17. Mai statt.

Das Komitee hat es beschlossen. **12.** Eine Frau wollte die Straße überqueren. Der Fahrer sah es zu spät. **13.** Er muß das Formular sofort zurückschicken. Er denkt nicht daran. **14.** Wir wollen im Urlaub ins Gebirge fahren. Wir freuen uns schon darauf.

Länder- und Städtenamen*

1. Dänemark, Schweden und Norwegen liegen in Nordeuropa. *Das sonnige* Italien liegt in Südeuropa. – Moskau, Paris und London sind große Städte. *Das kleine* Rothenburg ist eine sehr schöne Stadt.

2. *Die* Schweiz, *die* Türkei und *die* Vereinigten Staaten haben ihre besten Sportler geschickt.

1. Die meisten Länder- und Städtenamen sind **neutral.** Sie haben den Artikel nur vor einem Attribut. Sonst stehen sie immer **ohne Artikel.**

2. Einige Ländernamen sind **feminin** (z. B.: die Türkei, die Schweiz) oder Plurale (z. B.: die Niederlande, die Vereinigten Staaten). Sie stehen **immer mit Artikel.**

So kurz wie möglich

Ein Journalist hatte sich geärgert, weil man seine Berichte in der Zeitung so stark gekürzt hatte. „Das passiert mir nicht mehr!" sagte er und schickte seiner Zeitung folgenden Unfallbericht:

„Erich Meier war überzeugt, daß er kein Benzin mehr im Tank seines Autos hatte. Er nahm ein Streichholz und sah nach. Er hatte sich geirrt. Die Beerdigung ist am Dienstag um halb 12 Uhr. Es entstand ein Sachschaden von 6000 Mark."

*

Eines Tages beobachtete ein Wärter, daß ein Elefant hustete. Er nahm eine Flasche Whisky, schüttete sie in einen Eimer Wasser und gab das dem Elefanten.

Am nächsten Tag husteten alle Elefanten.

---

* Verzeichnis der Ländernamen und ihrer Adjektive S. 248

Briefe

Richard Robertson   Köln, den 25. Juni 1967

5 K ö l n 24*

Bergstraße 27

          Herrn
          Karl Bergmeier

          673 N e u s t a d t*

          Friedensstraße 5

Sehr geehrter Herr Bergmeier!

Seit langer Zeit habe ich Ihnen nicht mehr geschrieben. Aber Sie wissen
ja, daß ich wenig Zeit habe. Nur wenn ich wirklich viel arbeite, kann ich
im nächsten Jahr mein Studium beenden.

Im nächsten Monat beginnen nun die Ferien, und ich kann nicht nach
Haus fahren, weil das viel zu weit ist. Ich möchte aber auch nicht hier in

---

* 5 Köln (673 Neustadt): Die Zahl vor dem Ortsnamen ist die „Postleitzahl“.
  Wenn man sie angibt, kann die Post den Ort leicht finden (es gibt z. B. viele
  „Neustadt“), und die Briefe kommen schnell an.

der Großstadt bleiben, und das ist der Grund meines Schreibens. Ich habe neulich zufällig von der Weinstraße gelesen und Bilder von malerischen Häusern und Weinbergen gesehen. Man kann da sicher schöne und nicht zu anstrengende Spaziergänge machen und sich gut erholen. Ich möchte gern einen Teil meiner Ferien dort verbringen. Ich weiß aber nicht, wie ich ein Zimmer finden kann. Vielleicht können Sie mir dabei helfen.

Ich brauche nur ein kleines Zimmer in ruhiger Lage und, wenn es möglich ist, mit fließendem Wasser und voller Pension.

Ich danke Ihnen schon jetzt für Ihre Mühe. Hoffentlich höre ich bald von Ihnen.

Mit freundlichem Gruß

Ihr
Richard Robertson

Karl Bergmeier   Neustadt, den 29. 6. 1967

673 Neustadt

Friedensstraße 5

Lieber Herr Robertson!

Ich habe mich über Ihren Brief vom 25. 6. sehr gefreut, besonders weil Sie schreiben, daß Sie Ihre Ferien in Neustadt verbringen wollen. Natürlich kann ich Ihnen dabei helfen. Preiswerte Zimmer sind hier aber nicht so zahlreich, wie Sie vielleicht denken.

Gestern habe ich gleich die Wohnungsanzeigen in der hiesigen Zeitung gelesen. Ich habe gesehen, daß es einige recht günstige Angebote gibt, und schicke Ihnen die Zeitung mit gleicher Post zu. Ich glaube, daß das Angebot in der Parkstraße gut ist. Lesen Sie die Anzeigen in Ruhe, aber schreiben Sie bald zurück! Wenn Sie jetzt mieten, können Sie sicher für August noch ein Zimmer finden. Im Sommer sind alle guten Zimmer schnell vermietet, weil viele Familien hierherkommen.

Ich bleibe im Sommer in Neustadt und freue mich, wenn ich auf meinen Spaziergängen einen Begleiter habe. Bitte geben Sie mir bald Bescheid!

Mit herzlichen Grüßen

Ihr
Karl Bergmeier

Richard Robertson   Köln, den 4. Juli 1967

5 Köln 24

Bergstraße 27

Lieber Herr Bergmeier!

Herzlichen Dank für Ihren freundlichen Brief. Auch die Zeitungen und die Prospekte habe ich erhalten. Die Bilder zeigen mir, daß die Gegend bei Ihnen so schön ist, wie ich gedacht habe. Ich habe sofort auf einige Inserate geschrieben, vor allem auf das Angebot in der Parkstraße, wie Sie mir geraten haben. Weil ich meine Telefonnummer angegeben hatte, habe ich heute von dort telefonischen Bescheid bekommen, daß ich am 1. August kommen kann. Leider ist dieses Zimmer nicht mit voller, sondern nur mit halber Pension. Aber das macht nichts. Ich bin auch so zufrieden.

Ich danke Ihnen ganz besonders, daß Sie mir so freundlich geholfen haben, und freue mich auf ein baldiges Wiedersehen.

Mit herzlichen Grüßen

Ihr
Richard Robertson

---

bitten	– die Bitte	kommen	– das Kommen
danken	– der Dank	liegen	– die Lage
grüßen	– der Gruß	mieten	– die Miete (der Mieter)
helfen	– die Hilfe	schreiben	die Schrift das Schreiben (der Schreiber)

ruhig   – die Ruhe

nah   – die Nähe

freundlich   – der Freund – die Freundlichkeit

der Friede, des Friedens (s. der *Gedanke* S. 74)

baldig (beim Nomen): Ihre baldige Antwort – bald (beim Verb): ich antworte bald.

hiesig (beim Nomen): meine hiesige Adresse – hier (beim Verb): das Buch liegt hier.

die Anzeige = das Inserat: die Anzeige (das Inserat) in der Zeitung (Zeitschrift)

die Pension = die Verpflegung: Zimmer mit voller Pension (mit voller Verpflegung)

Adjektivdeklination ohne Artikel (Artikeldeklination der Adjektive)

Lieber Herr Bergmeier! – Ich esse gern grünen Salat. – mit herzlichem Dank für Ihre Hilfe. – Trotz starken Regens gingen wir spazieren.

Heute ist schönes Wetter. – Jetzt haben Sie grünes Licht! – Ich suche ein Zimmer mit fließendem Wasser. – Wegen schlechten Wetters konnte er nicht kommen.

Hier ist gute Luft. – Wir brauchen gute Luft. – Ich suche ein Zimmer in ruhiger Lage. – Er arbeitet trotz schwerer Krankheit.

Gute Menschen helfen gern. – Ich sah schöne Bilder von malerischen Häusern. – Das Leben armer Menschen ist nicht leicht.

Ich habe *einige* günstige Angebote. – *Viele* ausländische Kaufleute kommen nach Hamburg.

Singular						**Plural**	
	mask.		*neutr.*		*fem.*		
Nom.	alt–er	Wein	rot–es	Licht	gut–e	Luft	fleißig–e	Kinder
Akk.	alt–en	–	rot–es	–	gut–e	–	fleißig–e	–
Dat.	alt–em	–	rot–em	–	gut–er	–	fleißig–en	–n
Gen.	alt–**en**	–es	rot–**en**	–es	gut–er	–	fleißig–er	–

Singular						Plural	
	mask.		*neutr.*		*fem.*		
Nom.	(der)	–er	(das)	–es	(die)	–e	(die)	–e
Akk.	(den)	–en	(das)	–es	(die)	–e	(die)	–e
Dat.	(dem)	–em	(dem)	–em	(der)	–er	(den)	–en
Gen.	(des)	–en	(des)	–en	(der)	–er	(der)	–er

Die Adjektive haben die **gleiche** Endung wie der bestimmte **Artikel**.

Im **Genitiv Singular** haben die Adjektive bei **maskulinen** und **neutralen** Nomen statt –es die Endung –en.

Adjektive nach **viele** oder **einige** gehören zu dieser Deklinationsform.

Bitte beachten Sie!: **viele** große Häuser   **alle** groß**en** Häuser
einige große Häuser   **keine** groß**en** Häuser

---

79   **Übung 1:** *Ergänzen Sie die Endungen!*

1. Ich schreibe einen Brief an einen Herrn oder an eine Dame. Ich beginne mit: Sehr geehrt_ Herr Müller! Sehr geehrt_ Frau Meier! Sehr geehrt_ Fräulein Berger! **2.** Ich schreibe an zwei Herren und beginne meinen Brief mit: Sehr geehrt_ Herren! **3.** An einen Herrn und eine Dame schreibe ich immer: Sehr geehrt_ Frau Meier! Sehr geehrt_ Herr Meier! **4.** An meine Eltern oder an meine Freunde schreibe ich: Lieb_ Vater! Lieb_ Mutter! Lieb_ Eltern! Lieb_ Freund! Lieb_ Freunde! Lieb_ Hans! Lieb_ Inge! **5.** Meine Mutter schreibt mir: Lieb_ Sohn! Lieb_ Kind! **6.** Ich schließe den Brief: Mit freundlich_ Grüßen. Mit freundlich_ Gruß. **7.** Nur einen Brief an meine Eltern oder an meine Freunde schließe ich: Mit herzlich_ Gruß. Mit herzlich_ Grüßen.

80   **Übung 2:** *Setzen Sie die Adjektive ein! (Wiederholung der Adjektivdeklination)*

1. *Der Anzug ist braun. Die Anzüge sind braun.* Ich kaufe den __ Anzug, die __ Anzüge, __ Anzüge. Sechs Taschen sind in meinem __ Anzug, in allen __ Anzügen, in vielen __ Anzügen.
2. *Die Stadt ist schön. Die Städte sind schön.* Wir fahren in die __ Stadt, in __ Städte, in alle __ Städte, in einige __ Städte. München ist eine __ Stadt. Paris, Rom und Athen sind auch __ Städte. __ Städte sind meistens alt.
3. *Das Auto ist bequem. Die Autos sind bequem.* Wir fahren mit dem __ Auto, mit einem __ Auto, mit __ Autos. Ein __ Auto ist meist teuer, aber dieses __ Auto ist sehr preiswert.
4. *Der Berg ist hoch. Die Berge sind hoch.* Mein Freund geht auf den __ Berg,

auf die ___ Berge, auf ___ Berge, auf alle ___ Berge, auf viele ___ Berge, auf einen ___ Berg. Er liebt ___ Berge, die ___ Berge sehr.

5. *Die Lage des Zimmers ist ruhig.* Ich suche ein Zimmer in einer ___ Lage, in ___ Lage. Die ___ Lage meines Zimmers ist mir wichtig. Achten Sie auf eine ___ Lage, ___ Lage, die ___ Lage!

6. *Das Zimmer ist billig und schön. Die Zimmer sind billig und schön.* Man findet selten ___ Zimmer. Alle ___ Zimmer sind schnell vermietet. Ich habe kein ___ Zimmer gefunden. Die ___ Zimmer sind nicht zahlreich. Ich hoffe, daß ich noch ein ___ Zimmer finde.

7. *Der Wagen ist teuer. Die Wagen sind teuer.* Der ___ Wagen ist sehr schön. Ich kann aber keinen ___ Wagen kaufen. Es gibt hier die ___ Wagen, viele ___ Wagen, einige ___ Wagen. Ich fahre gut auch ohne einen ___ Wagen.

8. *Er grüßt mich herzlich.* Ich sende Dir ___ Grüße, einen ___ Gruß, viele ___ Grüße, meine ___ Grüße. Ich schließe meinen Brief mit ___ Gruß, mit einem ___ Gruß, mit vielen ___ Grüßen, mit meinen ___ Grüßen.

9. *Das Kleid ist schön. Die Kleider sind schön.* Kaufen Sie sich ein ___ Kleid, ___ Kleider, viele ___ Kleider, die ___ Kleider, das ___ Kleid hier, einige ___ Kleider. Der Preis dieses ___ Kleides ist hoch, auch der Preis ___ Kleider, eines ___ Kleides, aller ___ Kleider, vieler ___ Kleider, der ___ Kleider, einiger ___ Kleider.

Nebensätze mit „wenn" und „wie"

1. *Wenn* Sie jetzt *mieten*, können Sie sicher noch ein Zimmer finden. – Nur *wenn* ich viel *arbeite*, kann ich mein Studium bald beenden.

2. a) Billige Zimmer sind nicht so zahlreich, *wie* Sie *meinen*. – Die Gegend ist so schön, *wie* ich mir *gedacht habe*.

   b) Wie komme ich zum Bahnhof? Ich zeige Ihnen, *wie* Sie zum Bahnhof *kommen*. – Ich habe auf das Angebot geschrieben, *wie* Sie mir geraten *haben*.

---

1. *Ein Nebensatz mit* **wenn** *nennt die Bedingung (konditional).**
Diese Nebensätze mit „wenn" stehen **vor** dem Hauptsatz.

┌──────── I ────────┐ ┌ II ┐┌──── III ────┐ ┌ E ┐
Wenn du mir das Buch bringst, kann ich dir bei deiner Arbeit helfen.

---

* Ein Bedingungssatz kann auch ein Hauptsatz sein; dann steht *das konjugierte Verb am Satzanfang:*
Wenn du heute kommst, kann ich dir das Geld geben.
Kommst du heute, *so* kann ich dir das Geld geben.

2. Ein Nebensatz mit **„wie"** bezeichnet:
   a) einen Vergleich
   b) eine indirekte Frage

> *Vergessen Sie nicht!*
> **Im Nebensatz steht das Verb am Ende.**

81 **Übung 1:** *Machen Sie aus den zwei Sätzen einen Hauptsatz mit einem Nebensatz mit „wenn"!*

Beispiel: Sie können noch ein Zimmer bekommen. Sie müssen aber sofort mieten. *Wenn* Sie sofort mieten, können Sie noch ein Zimmer bekommen.

1. Ich gehe allein ins Kino. Inge kommt nicht in fünf Minuten. **2.** Keine Unfälle ereignen sich. Alle Autofahrer beachten die Verkehrsregeln. **3.** Herr Robertson muß in Köln bleiben. Er kann in Neustadt kein Zimmer finden. **4.** Er kann seine Ferien in Neustadt verbringen. Er findet in Neustadt ein Zimmer. **5.** Ich freue mich sehr. Mein Vater schenkt mir einen neuen Füller zum Geburtstag. **6.** Ich werde rechtzeitig fertig. Sie helfen mir dabei. **7.** Rufen Sie mich morgen an? Ich gebe Ihnen meine Telefonnummer. **8.** Kommen Sie zu mir? Sie haben Zeit.

82 **Übung 2:** *Machen Sie aus zwei Sätzen einen Satz mit einem Nebensatz mit „wie"!*

1. Er ist an die See gefahren. Er hat es gesagt. **2.** Der Zug ist pünktlich angekommen. Der Beamte hatte es mir gesagt. **3.** Er ist um 7 Uhr gekommen. Wir hatten es verabredet. **4.** Ich habe ein Zimmer gefunden. Ich hatte es gehofft. **5.** Die Prüfung war nicht so schwer. Ich hatte es geglaubt. **6.** Wie soll ich das machen? Ich weiß es nicht. **7.** Wie komme ich zum Bahnhof? Können Sie es mir sagen? **8.** Wie heißt das Perfekt von „laufen"? Können Sie mir das sagen? **9.** Wie hat sich der Unfall ereignet? Die Leute haben es erzählt. **10.** Wie geht es Ihrer Frau und Ihren Kindern? Bitte sagen Sie es mir!

Zeitungsanzeigen

ZU MIETEN GESUCHT	ZU VERMIETEN
Einzelzimmer mit fließ. warm. u. kalt. Wasser in ruh. Lage sucht jung. Stud. Angebote unt. A 23 216	**Vermiete Doppelzimmer** m. Bad, m. Küchenben. an ruh. Ehepaar ohne Kind. zu günst. Preis zum 1. 9. Bergstr. 10

ZU MIETEN GESUCHT	ZU VERMIETEN
Jung. Kaufmann	**Möbl. Wohnung**
sucht z. 1. 9. möbl. Einzelzimmer m. Bad in gut. Lage m. halb. Pension. Angeb. unt. A 24 266	groß., sonn. Wohnzimmer, Schlafzimm. u. Küche, i. d. Nähe des Bahnhofs zu günst. Preis an ruhig. Mieter zu vermieten. Anfragen unter B 43 455
Akademiker	
sucht sof. möbl. Zimmer m. Zentr.-Hzg., fließ. Wasser u. Tel. im Zentrum. Angeb. unt. C 13 155	**Einbettzimmer**
	m. voll. Verpflegung und Fam.-Anschluß, i. d. Nähe d. Universität an Studentin zu vermieten. Anfr. an C. Werner, Amalienstr. 6
Suche für berufstät. Herrn	
groß., möbliert., sonnig. Zimmer mit Hzg. u. fließ. Wasser, Preis nicht über DM 140,—. Angeb. unt. C 20 318	**1-Zimmer-Wohnung**
	m. eig. Eingang, kl. Bad u. Kochecke, leer, für DM 100,— sofort zu vermieten. Anfrage an den Hausmeister, Talstr. 40
Berufstät. Ehepaar	
m. 5jähr. Kind sucht 2 möbl. Zimmer bei gut. Leuten. Preis bis DM 180,—. Angeb. unter AB 384	**WOHNUNGEN**
	in versch. Größen, ab DM 5,— pro qm; gute möbl. Zimmer zu versch. Preisen, sofort frei. DÖRING, Lange Straße 18
Leeres Zimmer	
m. eig. Eingang u. fließ. Wasser sof. gesucht. Angeb. unter C 385	

Wie schreiben wir einen Brief?

Wir fangen den Brief mit einer Anrede an

und hören mit einer Grußformel auf:

1. Wir sind mit dem Empfänger *verwandt, befreundet* oder *gut bekannt:*

Liebe Tante! Lieber Onkel Karl! Liebe Erika! Lieber Herr Bergmeier! – *besonders herzlich:* Meine liebe Tante! Mein lieber Freund!

Mit herzlichem Gruß – Mit vielen herzlichen Grüßen – Mit freundlichem Gruß – und dann *immer:* Dein Kurt – Ihr Kurt Meier – oder: Herzliche Grüße von Deinem (Ihrem) Kurt (Meier)

2. Wir wollen dem Empfänger *unsere besondere Achtung* ausdrücken:

Sehr verehrter Herr Direktor!
Sehr verehrter Herr Professor!
Sehr verehrte gnädige Frau!
Sehr verehrtes Fräulein Braun!

Mit vorzüglicher Hochachtung –
Mit verbindlichen Empfehlungen –
und dann: Ihr sehr ergebener Kurt
Meier – Ihre ergebene Erika Braun

3. Wir kennen den Empfänger *nicht* oder *nicht sehr gut:*

Sehr geehrte Frau Meier! Sehr
geehrter Herr Dr. Bauer! Sehr geehrter Herr Postrat! (*nicht nur*
„*Herr*" *ohne Namen oder Titel*)

Mit den besten Empfehlungen –
Mit freundlichen Empfehlungen –
Hochachtungsvoll – *und dann nur:*
Mit besten Empfehlungen Kurt
Meier

4. Im *Geschäftsverkehr* schreiben wir:

zuerst den Grund des Briefes, z. B.
betr.: Studienaufenthalt in Deutschland; dann einen Hinweis, z. B.:
bez.: Ihr Schreiben vom 2. 7. oder
Ihre Anzeige in der . . . Zeitung
dann wie unter 3.
Bei mehreren Empfängern: Sehr
geehrte Herren!

Mit den besten Empfehlungen –
Mit freundlichen Empfehlungen –
Hochachtungsvoll – *und dann nur:*
Mit besten Empfehlungen Kurt
Meier

5. An *Behörden* schreiben wir:

wie unter 4, aber *ohne* Anrede

ohne jede Formel, nur die Unterschrift.

Karl ist mein *Freund*. Ich bin *mit* ihm *befreundet*.
Karl ist mein Vetter (Neffe usw.). Ich bin *mit* ihm *verwandt*.
Ich *kenne* Karl gut. Ich bin *mit* ihm gut *bekannt*.
Herr und Frau Meier sind ein *Ehepaar*. Herr Meier ist *mit* Frau Meier *verheiratet*.

einzeln – das *Einzel*zimmer = das Einbettzimmer
Geben Sie mir für das Zweimarkstück zwei *einzelne* Markstücke.

doppelt – das *Doppel*zimmer = Zimmer mit zwei Betten
Ich brauche das Formular *doppelt* (zweimal).

eigen – ein *eig(e)ner* Eingang, eine *eig(e)ne* Wohnung
empfangen – der Empfang – der Empfänger
benutzen – die Benutzung – der Benutzer

betr.: betreffend, (der Brief) betrifft . . .
bez.: bezüglich, (der Brief) bezieht sich auf . . .

Das Wunder

Die Geschichte von den beiden Medizinstudenten, die ihr Geld auf merkwürdige Art verdient haben, hat sich schon vor vielen Jahren ereignet. Heute sind die Menschen nicht mehr so leichtgläubig – so glauben wir wenigstens.

Die beiden Studenten waren in eine kleine Stadt gefahren und dort in einem Gasthaus abgestiegen. Der Wirt fragte sie, wie es üblich ist, nach ihrem Namen, ihrem Beruf und wie lange sie bleiben wollten. „Wir bleiben etwa vier Wochen", sagten die Fremden, „und sind berühmte Ärzte aus Glockstadt. Sagen Sie das aber keinem Menschen, denn wir wollen hier ein Experiment machen, und dazu brauchen wir Ruhe."

„Was ist das denn für ein Experiment?" fragte der neugierige Wirt.

„In Glockstadt ist uns ein Wunder gelungen, wir haben Tote wieder lebendig gemacht. Dieses Experiment, zu dem wir dort drei Wochen gebraucht haben, wollen wir hier unter anderen Bedingungen wiederholen." Dabei zeigten die Fremden dem Wirt ein Zeugnis des Bürgermeisters von Glockstadt, das diese unglaubliche Sache bestätigte.

Es ist klar, daß der Wirt diese merkwürdige Geschichte sofort weitererzählte. Zuerst lachten die Leute darüber, aber die Fremden wurden interessant. Man beobachtete sie und sah, daß sie oft auf den Friedhof gingen und lange vor einigen Gräbern stehen blieben. So standen sie auch besonders lange vor einem Grab, in dem die junge Frau eines reichen Kaufmanns lag. Sie sprachen mit den Leuten und fragten nach dieser Frau und nach anderen Toten, die auf dem Friedhof lagen.

Allmählich geriet das Städtchen in eine seltsame Aufregung. Der Kaufmann war der erste, der wirklich an das Gelingen des Wunder-Experiments glaubte. Er sprach darüber mit den Ärzten des Städtchens, die jetzt auch ernste Gesichter machten. In Glockstadt hatte das Experiment drei Wochen gedauert, diese Zeit war hier nun fast vergangen. Es mußte etwas geschehen.

Am Ende der dritten Woche erhielten die Fremden von dem Kaufmann einen Brief. „Ich hatte eine Frau", schrieb er, „die ein Engel war, aber eine schwere Krankheit hatte. Ich habe sie sehr geliebt, aber gerade deshalb will ich nicht, daß sie in ihren kranken Körper zurückkehrt. Stören Sie ihre Ruhe nicht!" In dem Umschlag lag ein großer Geldschein, der als Honorar bezeichnet war. Nach diesem ersten Brief kamen andere.

Ein Neffe war sehr besorgt um seinen toten Onkel, den er beerbt hatte. Eine Frau, die nach dem Tod ihres Mannes wieder geheiratet hatte, schrieb: „Mein Mann war alt und wollte nicht mehr leben. Er hat seine Ruhe verdient!" Diese und andere Briefe kamen, und immer lag auch ein Geldbetrag im Umschlag.

Die Fremden sagten nichts zu den Briefen und setzten ihre Friedhofsbesuche jetzt auch nachts fort. Da griff der Bürgermeister des Städtchens ein. Er war noch nicht lange Bürgermeister und wollte es noch lange bleiben. Er bot den Fremden einen großen Geldbetrag an. „Unsere Bedingung ist", schrieb er, „daß Sie Ihre Experimente hier nicht fortsetzen und sofort die Stadt verlassen. Wir glauben Ihnen, daß Sie Tote wieder lebendig machen können, und geben Ihnen auch ein Zeugnis darüber. Wunder wollen wir hier nicht."

Die beiden Fremden, denen das Experiment gelungen war, nahmen das Geld und das Zeugnis, packten ihre Koffer und verließen die Stadt.

nach Jeremias Gotthelf

Der Doktor Eisenbarth

Am Ende des 17. Jahrhunderts lebte in Deutschland ein berühmter Wunderarzt, an den ein lustiges Lied erinnert:

> Ich bin der Doktor Eisenbarth,
> kurier' die Leut' auf meine Art,
> kann machen, daß die Lahmen gehn
> und daß die Blinden wieder sehn.
> Und kommt zu mir ein Patient,
> so macht er erst sein Testament!
> Ich schicke keinen aus der Welt,
> wenn er nicht erst sein Haus bestellt.

---

*ab*steigen	–	stieg ... ab	– ist abgestiegen
*ein*greifen	–	griff ... ein	– eingegriffen
gelingen	–	gelang	– ist gelungen
geraten (gerät)	–	geriet	– ist geraten
geschehen (geschieht)	–	geschah	– ist geschehen

lachen über A : die Leute *lachten über* diese Geschichte
glauben an A : die Leute *glauben nicht* mehr *an* Wunder
besorgt sein um A : der Neffe war *um* seinen Onkel *besorgt*
bezeichnen A als A : man *bezeichnet* das Geld *als* Honorar

in Aufregung geraten – sich aufregen
in einem Hotel absteigen – in ein Hotel gehen, weil man dort wohnen will (nicht nur essen)
sein Haus bestellen – alles für die Erben in Ordnung bringen

Relativpronomen – Relativsätze (I)

I.

1. Der Arzt,   *der* heute kommt,   ist berühmt.
   den Sie morgen treffen,
   dem ich den Brief schreibe,

   Das Mädchen,   *das* dort geht,   ist 16 Jahre alt.
   das Sie dort sehen,
   dem ich das Buch gegeben habe,

   Die Frau,   *die* schwer krank war,   ist wieder gesund.
   die ich besucht habe,
   der der Arzt sofort geholfen hat,

   Die Studenten,   *die* Geld verdienen wollten,   kamen aus Glockstadt.
   die ich begrüßt habe,
   denen ich geholfen habe,

2. Der Herr,   *mit dem* ich gesprochen habe, ist mein Onkel.
   Der Wagen,   *in dem* wir sitzen,   fährt zum Bahnhof.
   Die Straße,   *durch die* wir fahren,   ist die Hauptstraße.
   Die Leute,   *von denen* wir sprechen,   wohnen hier.

	Singular			Plural
	maskulin	*neutral*	*feminin*	
Nominativ:	. . ., der . . .	. . ., das . . .	. . ., die . . .	. . ., die . . .
Akkusativ:	. . ., den . . .	. . ., das . . .	. . ., die . . .	. . ., die . . .
Dativ:	. . ., dem . . .	. . ., dem . . .	. . ., der . . .	. . ., denen . . .

Die Relativpronomen und die bestimmten Artikel sind gleich. Im Dativ Plural kommt die Endung **–en** *an das Pronomen: den + en → denen*

II.

(der Arzt kommt heute)
↓
1. Der Arzt,   *der* heute kommt,   ist berühmt.

(Sie treffen den Arzt morgen)

   Der Arzt,   *den* Sie morgen treffen,   ist berühmt.

(ich schreibe dem Arzt einen Brief)

   Der Arzt,   *dem* ich einen Brief schreibe,   ist berühmt.

2.   (wir sitzen in dem Wagen)

Der Wagen, *in dem* wir sitzen,   fährt zum Bahnhof.

         (wir sprechen von den Leuten)

Die Leute, *von denen* wir sprechen,   kommen aus Glockstadt.

Der Relativsatz ergänzt oder erklärt ein **Nomen.** Er steht meist direkt hinter diesem Nomen. Das Nomen im Relativsatz fällt dann weg, das Relativpronomen zeigt aber seine Funktion (Nominativ, Akkusativ, Dativ, präpositionales Objekt).
Präpositionen bleiben **vor** dem Relativpronomen.
Der Relativsatz ist ein Nebensatz. Die Verbform steht am Ende.

Übung: *Bilden Sie Relativsätze!*   83

1. Das Bild zeigt eine schöne Gegend. (*Das Bild* ist in dem Prospekt). **2**. Mein Freund hat mir Zeitungen geschickt. (*Der Freund* wohnt in Neustadt.) **3**. Das Buch ist sehr interessant. (*Das Buch* liegt hier auf dem Tisch.) **4**. Der Mann trug eine Brille. (Fußgänger haben *den Mann* beobachtet.) **5**. Das Kind wollte die Straße überqueren. (Der Fahrer hatte *das Kind* zu spät gesehen.) **6**. Die Stadt Hamburg hat eine günstige Lage. (Sie haben *die Stadt Hamburg* noch nicht besucht.) **7**. Die Zimmerangebote sind sehr günstig. (*Die Zimmerangebote* stehen in der Zeitung.) **8**. Die Fremden haben mit den Leuten gesprochen. (Sie haben *die Leute* im Gasthaus getroffen.) **9**. Die Studenten haben sich gefreut. (Der Professor hat *den Studenten* die Bücher geschenkt.) **10**. Die Leute haben dem Wirt nicht geglaubt. (Die Studenten hatten *dem Wirt* diese merkwürdige Geschichte erzählt.) **11**. Peter hat mit den Gästen viel gesprochen. (Er hat *den Gästen* den Weg gezeigt.) **12**. Da kommen ja meine Freunde. (Wir haben *auf die Freunde* gewartet.) **13**. Heute habe ich einen Brief von Herrn Walter bekommen. (Ich bin *mit Herrn Walter* gut befreundet.) **14**. Mein Zimmer hat ein großes Fenster. (Ich sehe *durch das Fenster* auf die Straße.) **15**. Richard hat mir das Buch gebracht. (Ich habe ihn *um das Buch* gebeten.) **16**. Er hat einen Onkel. (Er ist sehr besorgt *um den Onkel.*) **17**. Die Eltern meines Freundes haben mir einen Brief geschrieben. (Ich fahre *mit den Eltern meines Freundes* an die See.) **18**. Wo ist mein Hut? (Ich gehe nie *ohne meinen Hut* fort.) **19**. Ich schicke Ihnen die Zeitung. (Sie können *in der Zeitung* eine Anzeige aufgeben.) **20**. Kennen Sie Herrn und Frau Meier? (Ich bin *mit ihnen* in Hamburg gewesen.) **21**. Ich habe Verwandte in Österreich. (Ich kann *bei ihnen* meine Ferien verbringen.) **22**. Der Arzt war sehr besorgt um die Kranke. (Ich habe *mit ihm* gesprochen.)

Das Adjektiv als Nomen

Der Fremde kam ins Hotel. – *Ein* Kranker darf keine Zigaretten rauchen. – Die Ärzte helfen *dem* Kranken. – Blinde brauchen unsere Hilfe. – Helfen Sie *den* Blinden! – Kennen Sie *die* Kleine dort? – Sie ist die Tochter *des* Fremden.

aber: Dort kommen zwei Kinder, *ein Junge* und ein Mädchen. – Auf der Straße spielten *viele Jungen*.

Nom.:	der	Fremde	(*Mann*)	die	Kranke	(*Frau*)	die Fremden
Akk.:	den	Fremden		die	Kranke		die Fremden
Dat.:	dem	Fremden		der	Kranken		den Fremden
Gen.:	des	Fremden		der	Kranken		der Fremden
Nom.:	ein	Fremder		eine	Kranke		Fremde
Akk.:	einen	Fremden		eine	Kranke		Fremde
Dat.:	einem	Fremden		einer	Kranken		Fremden
Gen.:	eines	Fremden		einer	Kranken		Fremder

In der Deklination behält das Adjektiv als Nomen die **Adjektivendungen.** (vgl. S. 89 für den bestimmten und unbestimmten Artikel, S. 103 für die Deklination ohne Artikel)

Ebenso dekliniert man: der Beamte   ein Beamter (die/eine/Beamtin)
                      der Verwandte   ein Verwandter (die/eine Verwandte)
                      der Bekannte   ein Bekannter (die/eine/Bekannte)
                      der Deutsche   ein Deutscher (die/eine/Deutsche)

Merken Sie sich besonders:

Nominativ maskulin: der Fremde   ein Fremder
                  der Kranke   ein Kranker

Nom. und Akk. neutral: das Gute – etwas Gutes – viel Gutes – wenig Gutes
                  aber: alles Gute

84   **Übung 1:** *Ergänzen Sie die Endungen!*

1. Der Arzt hat d_ Krank_ (*mask. Sing.*) geholfen. **2.** Dieser Herr ist ein alt_ Bekannt_ von mir. **3.** Die Polizei fand heute nacht auf der Straße ein_ Tot_. **4.** Bei dem Verkehrsunfall gab es gestern viele Verletzt_. **5.** Man kennt nur den Namen eines Verletzt_ noch nicht. **6.** Dort ist der Sohn meines Bekannt_.

7. Dieser Arm_ kann nicht sehen; er ist blind. **8.** Das Leben eines Blind_ ist nicht leicht. **9.** Die Reich_ müssen immer d_ Arm_ helfen. **10.** Der Beamt_ konnte den Verdächtig_ fassen. **11.** Ein Mann aus Deutschland ist ein Deutsch_; eine Frau aus Deutschland ist eine Deutsch_. **12.** Es gibt viele Millionen Deutsch_ in Europa. **13.** Er stahl das Geld einer Bekannt_. **14.** Das Mädchen hat der Alt_ Brot gegeben. **15.** Ein Haus für die Alt_ ist ein Altersheim; ein Haus für die Krank_ ist ein Krankenhaus.

Übung 2: *Ergänzen Sie die Endungen!*   85

1. Sehen Sie die Kinder dort? Der Jung_ ist mein Sohn. **2.** Ein Jung_ von 8 Jahren darf abends noch nicht ins Theater gehen. **3.** Fritz will mit diesen Jung_ nicht spielen. **4.** In dieser Schule sind Jung_ und Mädchen zusammen in einer Klasse. **5.** Der Vater war mit der Arbeit seines Jung_ sehr zufrieden. **6.** Wir wünschen Ihnen alles Gut_ zum Geburtstag. **7.** Ich habe wenig Gut_ über ihn gehört. **8.** Der Gast hat den Kindern etwas Gut_ mitgebracht. **9.** Wir haben auf unserer Reise viel Schön_ und Interessant_ gesehen. **10.** Die Fremd_ wollten etwas Unglaublich_ tun.

Auf dem Einwohnermeldeamt

Ein Ausländer (A) *kommt an einen Schalter und spricht mit einem Beamten* (B).

A: Guten Tag! Kann ich mich hier anmelden?

B: Ja. Haben Sie Ihren Paß mitgebracht?

A: Natürlich, hier ist er.

B: Ich gebe Ihnen hier drei Anmeldeformulare. Füllen Sie sie bitte aus!

A: Danke. – Ach, können Sie mir vielleicht helfen? Ich bin jetzt zum ersten Mal in Deutschland und weiß nicht, wie man das macht. Ich mache sicher etwas falsch, wenn Sie mir nicht helfen.

B: Gern. Geben Sie die Formulare her! – Danke. Wann sind Sie nach Köln gekommen, und wo wohnen Sie jetzt?

A: Ich bin vorgestern angekommen und wohne jetzt in der Mozart-straße 4, 3. Stock rechts, bei Frau Neumann.

B: Wo haben Sie zuletzt gewohnt?

A: Zuletzt habe ich in London gewohnt. Ich habe dort zwei Semester studiert.

B: Ihren Namen, bitte! Vorname und Familienname!

A: Ich heiße Robert Fischer.

B: Sind Sie ledig oder verheiratet?

A: Ledig.

B: Was ist Ihr Beruf?

A: Ich bin Student. Ich studiere jetzt Wirtschaftswissenschaften. Früher bin ich Banklehrling gewesen.

B: Wann und wo sind Sie geboren?

A: Ich bin am 5. Oktober 1946 in Kopenhagen geboren.

B: Dann sind Sie also Däne, nicht wahr?

A: Ja.

B: Wie ist Ihre Konfession?

A: Ich bin evangelisch.

B: Jetzt brauche ich noch die Nummer Ihres Passes. Wer hat ihn ausgestellt und wann? – So, jetzt haben wir Ihre Formulare ausgefüllt. Unterschreiben Sie bitte hier unten! – Danke sehr! Jetzt sind wir fertig. Hier haben Sie Ihren Paß zurück. Den Abschnitt des Formulars bekommen Sie auch.

A: Danke sehr, auf Wiedersehen!

---

schreiben – die Schrift   unterschreiben – die Unterschrift
überschreiben – die Überschrift

geboren (Partizip) – die Geburt – der Geburtstag
vorgestern – gestern – heute – morgen – übermorgen
ledig – verheiratet – verwitwet – geschieden

die Bank, die *Bänke*: Ich sitze auf einer Bank im Garten.
die Bank, die *Banken*: Ich muß auf die Bank gehen und mein Geld abholen.
Er war Banklehrling.

Ein Sportbericht

Hier ist der Westdeutsche Rundfunk mit allen Sendern. Wir übertragen jetzt einen Bericht von den internationalen Sportwettkämpfen in Düsseldorf. Wir schalten um.

Hier ist Düsseldorf. Liebe Sportfreunde! Wir befinden uns hier im Düsseldorfer Stadion. Trotz des trüben Wetters sind viele Zuschauer gekommen, denn jetzt sollen die wichtigsten Kämpfe stattfinden. Schon heute vormittag hat man interessante Leistungen sehen können. Schade, daß das Wetter gestern und heute so schlecht war; deshalb haben die bisherigen Ergebnisse nicht so gut sein können wie sonst.

Jetzt findet gerade der letzte Kampf, der 1500-Meter-Lauf, statt. Es sind die spannendsten Minuten. In diesem Augenblick sind die Läufer in der letzten Runde. An der Spitze läuft der schnelle Schwede Olsson. Ihm folgen Füsli aus der Schweiz und Seebrunner aus Österreich. Der Schweizer ist der schnellere Läufer und hat den Österreicher soeben überholt. Aber den Schweden kann er sicher nicht mehr überrunden. Olsson ist zweifellos der schnellste Läufer des Tages. Die Schweden haben in diesem Jahr ihre besten Sportler geschickt. Es ist schon jetzt klar, daß ihnen der Sieg sicher ist. –

Jetzt beginnt der Endspurt. Alle Läufer strengen sich noch einmal an, denn sie wollen eine möglichst gute Zeit erreichen. Da, der Schweizer kommt dem Schweden immer näher. Jetzt hat er ihn fast erreicht –. Aber der Schwede wird auch schneller. Er fliegt über die Bahn und – jetzt –

läuft er als erster durchs Ziel. Dicht hinter ihm folgt der Schweizer, dann der Österreicher und nach ihm die übrigen Läufer. Die Zuschauer sind aufgesprungen, sie klatschen und jubeln den Siegern zu. Sie warten jetzt gespannt darauf, daß die Kampfrichter die genauen Zeiten bekanntgeben. Der Schweizer hat nur 0,3 Sekunden länger gebraucht als der Schwede. Der Österreicher lief 0,6 Sekunden später durchs Ziel.

Meine lieben Hörerinnen und Hörer! Damit sind die internationalen Wettkämpfe in Düsseldorf beendet. Sie haben sie nur in der Übertragung miterleben können. Das ist schade, denn gerade der letzte Kampf war der beste 1500-Meter-Lauf, den ich seit langem gesehen habe. Ich gebe Ihnen nun die wichtigsten Ergebnisse: Von allen Mannschaften war die schwedische am erfolgreichsten. Sie siegte sowohl im Hundertmeterlauf als auch im 1500-Meter-Lauf. Im Hochsprung jedoch hatten die Amerikaner ein besseres Ergebnis als die Schweden. Der Franzose Petit sprang am weitesten. Im Speerwerfen erreichten die Dänen weitere Entfernungen als die Schweden und kamen auf den besten Platz.

Hiermit verabschiedet sich Ihr Reporter Karl Schmidt. Die angeschlossenen Sender trennen sich wieder von uns. Auf Wiederhören!

Ein Telefongespräch

Inge (I) *ruft ihre Freundin Erika* (E) *an.*

I: Hier Inge Huber. Kann ich bitte Erika sprechen?

E: Ich bin selbst am Apparat. Guten Tag, Inge. Schön, daß du endlich einmal wieder anrufst. Du hast dich lange nicht mehr bei uns sehen lassen.

I: Leider habe ich so lange nicht kommen können. Du weißt ja, daß ich nach Haus gefahren bin, weil meine Mutter krank war. Ich bin erst gestern zurückgekommen.

E: Und wie geht es deiner Mutter jetzt?

I: Danke, viel besser. Der Arzt meint aber, sie soll noch eine Kur machen, und nun fährt sie am nächsten Montag ins Bad. Ich habe nur wegfahren können, weil meine Tante gekommen ist. Die hilft ihr packen und bringt sie nach Bad Mergentheim. Die Kuren dort sollen sehr gut sein. Es ist schon besser, daß meine Tante gekommen ist. Von mir will sich meine Mutter nicht so viel helfen lassen.

E: Ja, ja, so sind halt die Mütter!

I: Lach nur, es ist doch schön, wenn man die Jüngste ist.

E: Und was machst du jetzt? Kannst du nicht bald mal vorbeikommen? Wie ist es mit heute abend?

I: Deshalb habe ich ja angerufen. Ich habe nichts vor und komme gern.

E: Also dann bis gleich! Ich freue mich schon.

---

senden – der Sender – die Sendung

laufen – der Läufer – der Lauf – der Wettlauf

springen – der Springer – der Sprung – *auf*springen

siegen – der Sieger – der Sieg – siegreich

kämpfen – der Kämpfer – der Kampf – der Wettkampf

der Sport – der Sportler – der Sportplatz – das Stadion

tragen: Ich trage den Korb ins Haus.

übertragen: Der Rundfunk überträgt jetzt ein Konzert.

Er begrüßt sein*en* Freund.

Er verabschiedet sich *von* sein*em* Freund.

Ich habe fünf Bücher; Fritz hat sechs Bücher. Er hat *mehr* Bücher als ich.

Ich habe drei oder vier Wörterbücher. Ich habe *mehrere* Wörterbücher.

du hast dich nicht sehen lassen = du bist nicht gekommen

Komparation des Adjektivs

Das Adjektiv beim Nomen

a) Die Donau ist ein langer Fluß. Der Nil ist ein *längerer* Fluß *als* die Donau. Der Amazonas ist ein längerer Fluß als der Nil und die Donau; er ist der *längste* Fluß.

das billige Auto, das billig**ere** Auto, das billig**ste** Auto

Positiv (I)	Komparativ (II)	Superlativ (III)
1. billig	billig–*er*	billig–*st*
weit	weit–*er*	weit–*est*
2. dunkel*	dunk**l**–*er*	dunkel–*st*
teuer	teu**r**_–*er*	teuer–*st*

---

* Siehe Seite 90

3. alt	ält–*er*	ält–*est*
4. groß	größ–*er*	größ–*t*
hoh–(hoch)	höh–*er*	hö**ch**–*st*
nah	näh–*er*	nä**ch**–*st*
gut	**besser**	be*st*
viel	**mehr**	mei*st*

1. Wir bilden den Komparativ mit der Endung **–er,**
   den Superlativ mit der Endung **–st** oder **–est**.

2. Adjektive auf –el und –er verlieren im Komparativ das letzte „e".

3. Die meisten einsilbigen Adjektive haben im Komparativ und Superlativ den Umlaut.

4. Nur wenige Adjektive haben eine unregelmäßige Komparation.

b) Merken Sie sich:

viel	Geld,	*mehr*	Geld,	das *meiste*	Geld
viele	Bücher,	*mehr*	Bücher,	die *meisten*	Bücher
wenig	Geld,	*weniger*	Geld,	das *wenigste*	Geld
wenige	Bücher,	*weniger*	Bücher,	die *wenigsten*	Bücher

c) Die Adjektive beim Nomen folgen im Komparativ und Superlativ natürlich auch der Adjektivdeklination: der länger–e Fluß, ein länger–er (läng–er–er) Fluß, der längst–e Fluß.

86 **Übung:** *Ergänzen Sie die Endungen! Setzen Sie das Adjektiv in die Komparationsform!* (II = *Komparativ;* III = *Superlativ*)

1. Ich bin ein schnell_ Läufer, mein Bruder ist ein schnell_ (II) Läufer als ich, mein Freund ist der schnell_ (III) Läufer von uns allen. **2.** München ist eine groß_ Stadt, Hamburg ist eine __ (II) Stadt als München, Berlin ist die __ (III) Stadt in Deutschland. **3.** Die Alpen sind ein hoh_ Gebirge, der Kaukasus ist ein __ (II) Gebirge, der Himalaya ist das __ (III) Gebirge der Welt. **4.** Karl ist ein gut_ Schüler, Fritz ist ein __ Schüler als Karl, Max ist der __ Schüler der Schule. **5.** Fräulein Müller hat einen teuer_ Hut, ihre Schwester hat einen __ (II) Hut als sie, aber ihre Mutter hat den __ (III) Hut von allen. **6.** Er hat viel Geld, sein Bruder hat __ Geld, sein Vater hat das __ Geld. **7.** Ist es ein weiter Weg zum Bahnhof? Oder können Sie mir einen näher_ (II) Weg sagen? Ich suche den __ (III) Weg. **8.** Lesen Sie eine interessant_ Zeitung als ich? **9.** Wie heißt der __ (hoch) (III) Berg in Europa?

Das Adjektiv beim Verb

Ich bin 20 Jahre alt. Meine Schwester ist 18 Jahre alt. Ich bin *älter als* meine Schwester. Mein Bruder ist 25 Jahre alt; er ist älter als meine Schwester und ich; er ist *am ältesten*.

Wein ist billig; Kaffee ist billig*er;* Wasser ist *am billigsten*. – Das Fahrrad fährt schnell; das Auto fährt schnell*er;* der D-Zug fährt *am* schnell*sten*.
Ich trinke *gern* Milch; ich trinke *lieber* Bier; Wein trinke ich *am liebsten*.
Mein Freund ist auch 20 Jahre alt. Er ist *so* alt *wie* ich.

> Wenn das Adjektiv beim Verb steht, bilden wir den Superlativ mit der Endung **–sten;** vor dem Superlativ steht **am.**
>
> **Merken Sie sich:** Ich bin *älter* **als** meine Schwester.
> Sie ist nicht *so alt* **wie** ich.
>
> Ich bin nicht *älter* **als** mein Freund.
> Ich bin *so (ebenso)* alt **wie** er.

Übung: *Bilden Sie Sätze nach folgendem Beispiel!*   87

> *alt sein: mein Bruder, meine Mutter, meine Großmutter:*
> *Mein Bruder ist alt, meine Mutter ist älter, meine Großmutter ist am ältesten.*

1. *Fleißig arbeiten:* ich, meine Schwester, mein Freund. **2**. *Jung sein:* meine Kusine, dieses Mädchen, das Kind. **3**. *Nah sein:* das Theater, das Kino, die Schule. **4**. *Viel kosten:* die Hose, der Anzug, der Mantel. **5**. *Groß sein:* die Tochter, der Sohn, der Vater. **6**. *Viel lachen:* der Vater, der Onkel, die Kusine. **7**. *Ich, gern trinken:* Wasser, Bier, Wein. **8**. *Teuer sein:* die Reise nach Köln, nach Hamburg, nach Madrid. **9**. *Es, dunkel sein:* um 8 Uhr, um 9 Uhr, um 10 Uhr. **10**. *Weit sein:* der Weg zur Schule, der Weg zur Post, der Weg zum Bahnhof.

Wiederholung und Ergänzung der Modalverben

können: Ich *kann* diesen Brief lesen, weil ich die Sprache verstehe – weil er deutlich geschrieben ist – weil es nicht zu dunkel ist – weil ich Zeit habe.

dürfen: Ich *darf* diesen Brief lesen; mein Bruder hat ihn bekommen, und er erlaubt es mir.
Hier *dürfen* Sie nicht rauchen; es ist verboten.
„*Darf* ich Ihnen eine Tasse Kaffee anbieten?" frage ich höflich.

wollen : Ich *will* diesen Brief lesen, weil er mich sehr interessiert. Ich *möchte* den Brief gern lesen.

müssen : Ich *muß* diesen Brief lesen, weil mein Vater mir eine wichtige Nachricht schickt.

In Deutschland *müssen* die Kinder 8 Jahre in die Schule gehen; es ist ihre Pflicht.

sollen* : Ich *soll* diesen Brief nicht lesen. Meine Schwester hat ihn bekommen, und sie erlaubt es mir nicht.

Ich *soll* nicht mehr rauchen. Der Arzt hat es gesagt, weil das Rauchen meiner Gesundheit schadet.

Die Kur *soll* sehr gut sein. Die Leute sagen es – viele glauben es – ich habe es gehört oder gelesen, aber ich weiß es nicht sicher.

lassen : Ich *lasse* meine Bücher in der Schule. Die Bücher bleiben in der Schule, ich nehme sie nicht mit nach Haus. („lassen" steht *allein*)

Ich *lasse* einen Anzug *machen*. Ich mache ihn nicht selbst, sondern eine andere Person muß ihn für mich machen.

Die Eltern *lassen* ihr Kind ins Kino *gehen*. Die Kinder wollen ins Kino gehen, und die Eltern erlauben es.

88 **Übung 1:** *sollen*

Beispiel 1 : Ich habe gelesen: In den Bergen ist es schön. – In den Bergen *soll* es schön sein.

1. Die Fremden machen Tote wieder lebendig. **2.** Sie verdienen damit viel Geld. **3.** Der Bürgermeister glaubt das. **4.** Die Mutter von Inge ist schwer krank. **5.** Inge ist noch in Frankfurt. **6.** Das Hafenbecken von Hamburg ist 16 km lang.

Beispiel 2 : Der Arzt sagt: Machen Sie eine Kur! –Was sagte er? – *Ich soll* eine Kur machen.

1. Rauchen Sie nicht so viel! **2.** Trinken Sie viel Milch! **3.** Essen Sie auch einmal Fisch! **4.** Gehen Sie viel spazieren! **5.** Gehen Sie früh zu Bett! **6.** Ziehen Sie einen warmen Mantel an! **7.** Kommen Sie morgen wieder! **8.** Bezahlen Sie Ihre Rechnung pünktlich!

Beispiel 3 : Es ist ein moralisches Gesetz: Nicht stehlen! – Du *sollst* nicht stehlen.

1. Vater und Mutter ehren! **2.** Nicht töten! **3.** Die Menschen lieben wie dich selbst! **4.** Nicht lügen!

---

* **sollen** ist ein Modalverb; ich soll, du sollst, er soll, wir sollen usw.

Beispiel 1 : Ich schneide mir die Haare nicht selbst. Ich *lasse* sie mir schneiden.

1. Ich rasiere mich nicht selbst. **2**. Ich mache meine Anzüge nicht selbst.
3. Der Kaufmann bringt mir den Kaffee nicht selbst. **4**. Herr Braun macht
sich den Schrank nicht selbst. **5**. Ein Haus bauen wir uns nicht selbst.

Beispiel 2 : Ich erlaube, daß das Kind im Garten spielt. – Ich *lasse* das Kind
im Garten spielen.

1. Die Eltern erlauben, daß die Kinder ins Theater gehen. **2**. Ich erlaube, daß
die Dame auf meinem Platz sitzt. **3**. Der Arzt erlaubt, daß Peter aufsteht.
4. Die Eltern erlauben, daß ihre Kinder studieren. **5**. Der Lehrer erlaubt,
daß die Schüler früher nach Haus gehen.

Perfekt der Modalverben und der Verben

helfen – hören – sehen – lassen

1. Gestern *habe* ich ins Theater gehen *wollen*. – Ich *habe* heute nachmittag
arbeiten *müssen*.   Ich *habe* heute nicht ins Theater gehen *können*.

Ich *habe* meiner Mutter den Koffer tragen *helfen*. – Ich *habe* den Freund auf der
Straße rufen *hören*. – Ich *habe* meinen Vater im Garten arbeiten *sehen*. – Ich
habe mir einen Anzug machen *lassen*.

2. Das *habe* ich nicht *gewollt*. – Heute *hat* er seine Aufgabe nicht *gekonnt*. – Ich
habe heute meiner Mutter *geholfen*. – Ich *habe* nichts *gehört*. – Kurt *hat* seinen
Freund *gesehen*. – Er *hat* die Bücher in der Schule *gelassen*.

> 1. Modalverben bilden das Perfekt mit **haben** + **Infinitiv** (nicht Partizip).
> Der Infinitiv des Modalverbs steht **nach** dem Infinitiv des Hauptverbs.
> „Helfen, hören, sehen, lassen" stehen oft zusammen mit einem anderen
> Verb. Dann bilden sie das Perfekt wie die Modalverben.
>
> 2. Die Modalverben und die Verben „helfen, hören, sehen, lassen" **können**
> im Satz auch **allein stehen**. Dann sind sie Hauptverben und bilden
> das Perfekt mit **haben** + **Partizip**.

1. Robert will heute seinen Eltern einen Brief schreiben. **2**. Der Kranke muß
drei Tage im Bett liegen. **3**. Ich helfe der alten Frau ihre Koffer tragen.
4. Er kann leider nicht englisch sprechen. **5**. Ich kann aber sehr gut Englisch.

6. Die Kinder sehen ihren Vater im Garten arbeiten. 7. Sie hilft mir immer bei der Arbeit. 8. Mein Bruder läßt dich grüßen. 9. Ich soll Sie von meinem Freund grüßen. 10. Sie will ihrem Vater zum Geburtstag eine Krawatte kaufen. 11. Der Vater hilft seinem Sohn bei den Schularbeiten. 12. Mein Freund darf heute ins Kino gehen, aber ich darf nicht. 13. Die Studenten der Universität wollen im Juli an die See fahren, aber der Professor will es nicht. 14. Wir sehen unseren Freund kommen, aber er sieht uns nicht. 15. Der Reisende kam zu spät zum Bahnhof und sah nur noch den Zug abfahren. 16. Ich wollte dich gestern schon besuchen, konnte aber nicht kommen, denn ich mußte zu Haus noch viel arbeiten.

Schule und Ausbildung in der Bundesrepublik Deutschland

In der Bundesrepublik besteht Schulpflicht. Alle Kinder müssen in die Schule gehen, wenn sie sechs Jahre alt sind. Zuerst gehen sie in die Volksschule. Diese hat heute in den meisten Bundesländern neun Klassen. Jede Klasse dauert ein Jahr. Nach der 9. Klasse verlassen die Kinder die Schule und lernen einen Beruf. Sie sind dann drei Jahre Lehrling. Auch während dieser Zeit müssen sie mehrmals in der Woche eine Berufsschule besuchen. Am Ende ihrer Lehrzeit machen sie die Gesellen- oder die Gehilfenprüfung. Wenn sie einige Jahre als Gesellen gearbeitet haben, können sie noch die Meisterprüfung machen. Sie dürfen dann selbst Lehrlinge ausbilden.

Viele Kinder gehen aber nach vier Jahren Volksschule auf ein Gymnasium. Dort bleiben sie 9 Jahre und machen dann mit etwa 19 Jahren das Abitur, d. i. die Schlußprüfung einer höheren Schule. Wenn sie diese Prüfung bestehen, können sie ein Studium an einer Universität oder an einer Hochschule, z. B. an einer Technischen Hochschule, beginnen. Aber nicht alle diese Jungen und Mädchen studieren. Viele beginnen nach dem Abitur ihre Lehrzeit in verschiedenen Berufen. Diese dauert dann aber keine 3 Jahre, sie ist viel kürzer.

Die Universitäten in der BRD sind in West-Berlin, Bochum, Bonn, Dortmund, Düsseldorf, Erlangen, Frankfurt am Main, Freiburg, Gießen, Göttingen, Hamburg, Heidelberg, Kiel, Köln, Konstanz, Mainz, Marburg, München, Münster, Regensburg, Saarbrücken, Tübingen, Würzburg. – *Technische Hochschulen* gibt es in Aachen, Berlin, Braunschweig, Darmstadt, Hannover, Karlsruhe, München, Stuttgart.

In der DDR sind Universitäten in Berlin, Greifswald, Halle-Wittenberg, Jena, Leipzig, Rostock.

In Österreich sind Universitäten in Graz, Innsbruck, Salzburg und Wien.

In der Schweiz sind Universitäten in Basel, Bern, Fribourg, Genf, Lausanne, Neuchâtel und Zürich.

Berufe:

Handwerker: Bäcker, Schneider, Frisör, Elektriker, Tischler, Maurer, Uhrmacher, Drucker usw.

Akademische Berufe: Lehrer, Arzt, Rechtsanwalt, Richter, Ingenieur, Architekt, Apotheker usw.

Andere Berufe: Kaufmann, Maler, Fotograf, Bildhauer, Schauspieler usw.

Aus der Schule

„Woher kommt es", fragte der besorgte Vater den Lehrer, „daß mein Sohn Hans eine sechs im Rechnen hat?" – „Weil es leider keine schlechteren Noten gibt", war die Antwort des Lehrers.

*

„Ich verstehe nicht, daß du so schlechte Noten hast. Ich war immer der Beste in meiner Klasse", sagte der Vater.

Am nächsten Tag kommt Fritz aus der Schule und fragt seinen Vater: „Ist es richtig, daß der Vater von Kurt Berger mit dir zusammen in die Schule gegangen ist?"

„Ja sicher, er war sogar ein Freund von mir", antwortet der Vater.

„Komisch, Kurt sagt, daß sein Vater auch immer der Beste in der Klasse gewesen ist."

Im Reisebüro

Ein Herr (H) *kommt in ein Reisebüro und spricht mit einer Angestellten* (A).

H: Guten Tag! Ich möchte fragen, ob Sie mir eine Ferienreise empfehlen
können. Im vorigen Jahr sind meine Frau und ich mit Ihrem Reisebüro ins Gebirge gefahren. Wir waren ganz begeistert.

A: Das freut uns aber, daß Sie zufrieden waren. Wohin wollen Sie denn
in diesem Jahr fahren? Wieder ins Gebirge?

H: Nein, meine Frau möchte einmal die See kennenlernen. Die Seeluft
soll ja besonders gut für die Nerven sein.

A: Da können wir Ihnen mehrere Reisen anbieten, hier z. B. eine Reise
vom 15. bis 29. Juni. Sie wird vierzehn Tage dauern. In der ersten
Woche werden wir in Hamburg bleiben. Von dort werden wir einige
Ausflüge machen, nach Bremen, nach Lüneburg und nach Lübeck.
Dann fahren wir mit dem Dampfer nach Helgoland und von dort
hinüber auf eine der Nordfriesischen Inseln. Dort können Sie sich
noch eine Woche erholen. Eine Verlängerung um eine weitere Woche
ist möglich.

H: Das ist eine schöne Reise. Aber ich weiß nicht, ob ich am 15. Juni
schon Urlaub bekommen kann. Machen Sie diese Reise auch zu
einem späteren Termin?

A: Sicher, aber für diese Termine müssen Sie sehr bald buchen, denn sie
liegen in den Schulferien, und wir haben schon viele Anmeldungen.

H: Noch etwas. Das Wetter an der See soll sehr unbeständig sein. Können Sie mir sagen, ob das Wetter im Juli oder im August besser ist?

A: Das kann ich leider nicht. Wir tun alles für unsere Kunden, aber das Wetter können wir leider nicht für sie bestellen. Wir können nur hoffen, daß das Wetter recht schön wird, dann sind auch unsere Kunden zufrieden.

H: Das hoffe ich auch. Bitte geben Sie mir den Prospekt mit! Ich werde feststellen, wann ich in Urlaub gehen kann. Selbstverständlich muß ich auch noch meine Frau fragen, ob sie mit dieser Reise einverstanden ist. Ich werde in den nächsten Tagen einmal vorbeikommen und Ihnen sagen, für welche Reise wir uns entschieden haben. Auf Wiedersehen und vielen Dank für Ihre freundliche Auskunft.

A: Auf Wiedersehen! Denken Sie bitte daran, daß Sie sich für Juli und August bald anmelden müssen.

Warum eine Gesellschaftsreise?

Der Herr (H) *kommt nach Haus; seine Frau* (F) *hat Besuch* (B) *von einer Freundin.*

F: Guten Tag, Walter! Hast du heute zum Reisebüro gehen können?

H: Ja sicher, ich war dort und habe dir einen schönen Prospekt mitgebracht. Diese Reise von Hamburg über Helgoland nach den Nordfriesischen Inseln wird dir sicher gefallen. Sie dauert vierzehn Tage, aber man kann noch um eine Woche verlängern.

F: Das ist genau so, wie ich es mir vorgestellt habe; erst reisen wir eine Woche, dann ruhen wir uns an einem schönen Ort aus.

B: Was, ihr werdet doch keine Gesellschaftsreise machen! Man reist doch viel angenehmer allein.

H: Aber sicher nicht bequemer! Das Reisebüro besorgt die Fahrkarten und vor allem die Zimmer. Es organisiert die Ausflüge und sorgt dafür, daß ein guter Führer die Sehenswürdigkeiten erklärt. Man muß sich um nichts kümmern.

B: Ja, das kann schon sein; aber ich habe sagen hören, daß man auf solchen Reisen immer mit vielen Menschen zusammensein muß. Das ist doch nicht schön.

F: Wenn man an einem Ort länger bleibt, kann man tun, was einem paßt. Auf der Reise und bei den Ausflügen ist man natürlich in einer

Gruppe, aber wir haben im vorigen Jahr viele nette Menschen kennengelernt.

H: Ja, im vorigen Jahr war es wirklich schön, und ich freue mich schon auf unsere Sommerreise.

---

einverstanden sein *mit:* Ich möchte diese Reise machen. Meine Frau ist *mit der Reise* auch *einverstanden.*

sich entscheiden *für:* Fahren wir ans Meer oder ins Gebirge? Wir *entscheiden uns für die Reise* ans Meer.

sich kümmern *um:* Das Reisebüro *kümmert sich um alles, um* die Fahrkarten, die Zimmer, die Ausflüge.

sorgen *für:* Das Reisebüro *sorgt* gut *für seine Kunden.*

begeistert *von:* Wir waren *von dieser Reise* sehr *begeistert.*

zufrieden *mit:* Der Herr war *mit dem Reisebüro* sehr *zufrieden.*

vielen Dank *für:* Vielen *Dank für Ihre* freundliche *Auskunft.*

die Gesellschaftsreise die Reisegesellschaft	Viele Menschen machen zusammen eine Reise; sie machen *eine Gesellschaftsreise; die Reisegesellschaft* besteht aus 80 Personen.

beständig – unbeständig: Das Wetter ist *beständig,* es ist sicher schön; es ist *unbeständig,* es regnet oft, es ist nur manchmal schön.

Der Infinitiv in Verbindung mit einem anderen Verb

Formen des Infinitivs

Gegenwart und Zukunft: (Infinitiv)	sehen kommen anziehen	*Vergangenheit:* (Infinitiv Perfekt)	gesehen haben gekommen sein angezogen haben

werden* mit Infinitiv = Futur

1. Wir *werden* einige Ausflüge *machen.* (Wir machen einige Ausflüge.) – Die Reise *wird* vierzehn Tage *dauern.* (Die Reise dauert vierzehn Tage.)

   Übermorgen habe ich die Arbeit beendet. (Übermorgen *werde* ich die Arbeit *beendet haben.*)

---

* *Vergleichen Sie* „werden" als Hauptverb!: das Wetter *wird* schön. – Peter *wird* Arzt. – Er *ist* mein Freund *geworden.*

2. Wo **ist** Karl? Ich weiß es nicht, er *wird* zu Haus *sein*.
Wo **war** Karl gestern? Er *wird* im Kino *gewesen sein*.

3. Ihr *werdet* doch nicht mit einer Reisegesellschaft *fahren!* – Er *wird* doch morgen *kommen!*

Du *wirst* jetzt sofort zu mir *kommen!* – Nur ruhig, du *wirst* es schon richtig *gemacht haben!*

„werden" mit Infinitiv nennt man Futur.

Futur	*Futur Perfekt*
ich werde . . . kommen	ich werde . . . gekommen sein (gesehen haben)
du wirst . . . kommen	du wirst . . . gekommen sein (gesehen haben)
usw.	usw.

1. Die **Zukunft** drückt man im Deutschen **mit dem Präsens** aus; man kann aber auch **das Futur** verwenden.

   Eine **abgeschlossene Handlung in der Zukunft** drückt man fast immer **mit dem Perfekt** aus; **das Futur Perfekt** ist hier sehr selten.

2. Das Futur drückt sehr oft **eine Vermutung** aus. Man nimmt das Futur Perfekt, wenn sich die Vermutung auf etwas Vergangenes bezieht. Man kann die Vermutung durch „vielleicht, wohl, wahrscheinlich, sicher" deutlicher machen.

3. In Verbindung mit „doch, doch nicht" drückt es **eine Erwartung,** in der 2. Person auch **einen Befehl** oder **eine Beruhigung** aus.

Unterscheiden Sie!

Er **will** mich morgen besuchen. (Es ist seine Absicht.)
Er **wird** mich morgen besuchen. („werden" *betont:* es ist sicher; „werden" *unbetont:* es ist wahrscheinlich.)

Übung 1: *Bilden Sie mit den Übungen 1 und 2 (Seite 28) das Futur!* 91

Übung 2: *Bilden Sie in den folgenden Sätzen die Verbformen mit ,werden'!* 92

1. Wann holst du das Paket von der Post ab? **2.** Der Professor will nicht ohne seine Studenten nach Italien fahren. **3.** Der Zug hat keinen Aufenthalt in Ulm. **4.** Wann treffen wir uns am Sonntag? **5.** Wo finden die nächsten internationalen Sportwettkämpfe statt? **6.** Nehmen Sie in diesem Sommer an einer Gesell-

schaftsreise teil? **7**. Wir fahren nach Helgoland und müssen uns noch Schiffs-
karten besorgen. **8**. Der Ausländer lernt zuerst Deutsch und studiert dann
an einer Technischen Hochschule. **9**. Morgen finden die interessantesten
Wettkämpfe statt. **10**. Kann man in München leicht ein Zimmer finden?
11. Ich schreibe meinen Eltern morgen einen langen Brief, denn heute abend
habe ich keine Zeit mehr. **12**. Fritz kommt morgen nicht mit uns.

93 **Übung 3**: *Bilden Sie in folgenden Sätzen die Verbformen mit „werden"!*

Beispiel: Wo ist Karl? Im Kino? – Er wird wohl (sicher) im Kino sein.

1. Was machst du heute? Mußt du arbeiten? **2**. Wann kommt Erika? Am
Mittwoch? **3**. Ihr fahrt mit einem Reisebüro? Das macht man doch nicht!
4. Ich glaube, ich bestehe die Prüfung nicht. Nur ruhig, du __ __ __ __. **5**. Ist
das Haus zum 1. April fertiggeworden? Ich habe nichts anderes gehört, da __
__ __ **6**. Fährst du jetzt am Sonntag? Bekommst du Urlaub? Ich weiß es
nicht, aber ich glaube nicht, daß __ __ __.

94 **Übung 4**: *Gebrauchen Sie bei den folgenden Sätzen ‚werden' und wenn möglich auch*
das Wort ‚wohl'!

1. Verkehrsunfälle gibt es immer. **2**. Sind Sie mit Ihrem Leben immer zufrieden? **3**. Er will dieses Buch nicht lesen. Es ist zu schwer für ihn. **4**. Ist
Inge heute zu Haus? **5**. Die Polizei verhaftet den Taschendieb. **6**. Wir sehen
uns nicht so schnell wieder. **7**. Ich kann in diesem Sommer keine Ferienreise
machen. **8**. Das Wetter ist am Wochenende schön. **9**. Wir fahren mit dem
Wagen ins Gebirge. **10**. Es regnet heute bestimmt. **11**. Bis zum kommenden
Semesterbeginn habe ich die deutsche Sprache sicher gut gelernt.

Der einfache Infinitiv

Präsens (*Präteritum*) + **Infinitiv**	**Perfekt** + **Infinitiv**
1. Wir *wollen* ins Gebirge fahren.	Wir *haben* ins Gebirge *fahren wollen*.
Sie *hilft* ihr die Koffer *packen*.	Sie *hat* ihr die Koffer *packen helfen*.
Wir *hörten* den Vater *sprechen*.	Wir *haben* den Vater *sprechen hören*.
Ihr *seht* die Männer auf der Straße *arbeiten*.	Ihr *habt* die Männer auf der Straße *arbeiten sehen*.
Er *läßt* die Kinder im Garten *spielen*.	Er *hat* die Kinder im Garten *spielen lassen*.

2. Die Kinder *lernen* in der Schule *lesen.*

Wir *gehen* heute abend *tanzen.*

Der Kranke *blieb* im Bett *liegen.*

Die Kinder *haben* in der Schule *lesen* **ge***lernt.*

Wir *sind* heute abend *tanzen* **ge***gangen.*

Der Kranke *ist* im Bett *liegen* **ge***blieben.*

Der einfache Infinitiv steht:

1. *nach Modalverben und den Verben* **„helfen, hören, sehen, lassen"** (vgl. Seite 123),
2. *nach den Verben* **„lernen, gehen, bleiben"**; diese Verben bilden aber das Perfekt regelmäßig, d. h. mit dem Partizip Perfekt.

Übung: *Bilden Sie das Perfekt!* 95

1. Wir wollen das Land kennen lernen. **2**. Darf er zu uns kommen? **3**. Ich lasse mir den Anzug in München machen. **4**. Er will hier übernachten, aber er kann kein Zimmer bekommen. **5**. Wir können die Reisen nicht machen, denn ich muß hierbleiben. **6**. Wir sehen ein Gewitter kommen. **7**. Der höfliche junge Mann half der Dame den Koffer tragen. **8**. Wir ließen uns ein Hotelzimmer bestellen. **9**. In den Ferien gehen wir jeden Tag baden. **10**. Jeder will in einem Wettlauf siegen, aber nur einer kann siegen. **11**. Die Kinder lernen in der Schule lesen, schreiben und rechnen. **12**. Wir blieben lange im Café sitzen. **13**. Warum müssen Sie so schnell wieder nach Haus fahren? **14**. Wir gehen immer früh schlafen.

Fragewort als Einleitung eines Nebensatzes*

1. Ich weiß nicht, *wo* er wohnt. (Wo wohnt er?) – Sagen Sie mir bitte, *wann* Sie geboren sind. (Wann sind Sie geboren?) – Ich möchte wissen, *wie lange* er noch an dieser Sache arbeitet. (Wie lange arbeitet er noch an dieser Sache?)

2. Ich weiß nicht, *ob* ich genug Geld habe. (Habe ich genug Geld?) – Ich frage **ihn**, *ob* **er** morgen Zeit hat. (Hast **du** morgen Zeit?)

---

1. Aus einem Fragesatz kann man einen Nebensatz bilden. Das Fragewort wird zur Konjunktion.
2. Der Fragesatz ohne Fragewort erhält die Konjunktion **„ob"**.

Achten Sie auf die Veränderung des Personalpronomens!

---

* Vgl. „wie?" S. 105

96 **Übung:** *Machen Sie aus dem Fragesatz einen Nebensatz!*

Beispiel: Wo wohnt er? Ich weiß *es* nicht.
Ich weiß nicht, wo er wohnt.

1. Wer ist dieser Mann? Ich weiß es genau. **2.** Wen hat mein Freund gestern im Kino getroffen? Ich habe es nicht gesehen. **3.** Wessen Uhr haben Sie gestern gefunden? Können Sie es mir sagen? **4.** Woher kommt dieser junge Mann? Ich weiß es nicht. **5.** Warum sind Sie gestern nicht in den Unterricht gekommen? Ich frage Sie. **6.** Wie lange werde ich Urlaub haben? Ich habe den Direktor gefragt. **7.** Wem hat meine Schwester einen Brief geschrieben? Ich kann es mir denken. **8.** Was ist das? Wissen Sie es? **9.** Wieviel kostet dieser schöne neue Wagen? Der Verkäufer sagte es mir. **10.** Wann schließen die Geschäfte am Samstag? Es steht in der Zeitung. **11.** Hast du heute abend Zeit? Ich frage meinen Freund. **12.** Werden Sie in München übernachten? Ich weiß es nicht. **13.** Fährt er morgen nach Berlin? Es ist nicht sicher. **14.** Warum antwortete er mir nicht? Er wird es schon wissen.

Das unbestimmte Personalpronomen

1. *Man* reist viel angenehmer allein. – *Man* kann tun, was *einem* paßt. – *Man* soll *sich* nicht um fremde, sondern nur um *seine* eigenen Dinge kümmern.

2. Hat *jemand* noch eine Frage? – Bitte sprechen Sie mit *niemandem* über diese Sache.

---

1. **„man"** bedeutet: **viele,** sogar **alle Personen** (alle *Leute,* die *Leute*)
   eine unbestimmte Person (jemand)

2. Das Gegenteil **von „jemand" ist „niemand",**
   von „einer" ist „keiner".

Nom.:	man	jemand	niemand
Akk.:	einen	jemand(en)	niemand(en)
Dat.:	einem	jemand(em)	niemand(em)
Gen.:		jemand(e)s	niemand(e)s

Der Genitiv von „jemand" (niemand) steht vor dem Nomen; er ist aber sehr selten, man ersetzt ihn durch den Dativ mit der Präposition „von".

---

97 **Übung:** *Gebrauchen Sie für die kursiv gedruckten Wörter die unbestimmten Personalpronomen!*

1. Am Sonntag arbeitet *kein Mensch* in dieser Fabrik. **2.** Wenn *ein Mann* Bahnbeamter ist, muß er oft am Sonntag arbeiten. **3.** Kennen Sie in dieser Stadt *einen Menschen?* Nein, ich kenne hier *keinen Menschen.* **4.** *Alle Menschen* müssen sich zu helfen wissen. **5.** Er hat *einer Person* einen Brief geschrieben. **6.** Dort kommt *ein. Mann!* **7.** Ich sehe *keinen Mann.* **8.** In Österreich sprechen *alle Leute* deutsch. **9.** Spricht hier *ein Schüler* französisch? **10.** *Die Menschen* müssen arbeiten, wenn *sie* leben wollen. **11.** Wenn *ein Mensch* etwas Schlechtes tut, denken *die Leute* nicht gut über ihn. **12.** In Deutschland fahren *alle Auto-fahrer* rechts.

Aus einem Reiseprospekt
Deutschland und Österreich als Reiseländer

Sie wollen Ihren Urlaub oder Ihre Ferien sicher nicht zu Haus verbringen. Vielleicht wollen Sie in diesem Jahr einmal nach Deutschland oder Österreich fahren! Beide Länder können alle Ihre Reisewünsche erfüllen.

Wenn Sie das Meer lieben, dann fahren Sie an die Ost- oder Nordsee! Dort finden Sie viele moderne Badeorte mit schönem Sandstrand. Wenn Sie aber Bade oder Wassersportmög-lichkeiten im Binnenland suchen, dann fahren Sie an den Bodensee, den größten Binnensee Deutschlands, an die herrlichen oberbayeri-schen Seen oder an die vielen malerischen Seen

Österreichs, die in einer wundervollen Berg-landschaft liegen.

Die hohen Berge Österreichs und Oberbayerns sind ebenso wie die lieblichen Berge der deut-schen Mittelgebirge ein Paradies für Bergstei-ger und Skifahrer. Bergbahnen, Ski- und Sessel-lifte bringen sie mühelos auf die höchsten Gipfel.

Wenn Sie eine Kur machen müssen oder auch nur Erholung für Ihre Nerven suchen, finden Sie unter den zahlreichen Heilbädern und Kur-orten Deutschlands und Österreichs sicher den richtigen Platz. Jeder Arzt wird Sie gern be-raten.

In vielen großen und auch kleinen Städten gibt es schöne alte und moderne Bauwerke. In ihren Museen und Sammlungen kann man die Zeugnisse der Geschichte und berühmte Kunstwerke bewundern. Einige Städte ziehen mit ihren weltberühmten Konzerten, Musikwettbewerben und Festspielen Tausende von Musik- und Theaterliebhabern an.

An romantischen Plätzen können Sie Ihr Zelt auf guten Camping-Plätzen aufschlagen. Ein dichtes Netz guter Straßen und die Autobahnen, die besten Straßen Europas, lassen Sie schnell Ihr Reiseziel erreichen. Die Bundesbahn und die Bundespost beider Länder und viele private Autobuslinien bringen Sie aber auch bequem und sicher an Ihren Ferienort.

Viele Hotels, Pensionen und Gasthäuser warten auf Sie und möchten Ihnen Ihren Ferienaufenthalt so schön wie möglich machen.

Wenn Sie bequem und sorglos reisen wollen, dann gehen Sie zu Ihrem nächsten Reisebüro. Das nimmt Ihnen alle Arbeit ab. Die Reisebüros suchen Ihnen die besten Verkehrsverbindungen, besorgen Ihnen die Fahr- oder

Flugkarte und bestellen Ihnen auch ein Zimmer an Ihrem Ferienort. Sie können dort auch die Adressen guter Hotels und die genauen Preise für Übernachtung, Frühstück und die übrigen Mahlzeiten erfahren.

Wenn Sie besonders preiswert reisen wollen, dann schließen Sie sich einer Reisegesellschaft an. Diese vermittelt Ihnen ebenfalls das Reisebüro.

Und nun eine recht gute Fahrt und herzlich Willkommen in Deutschland und Österreich!

*ab*nehmen, nahm ab, abgenommen:

1. Sie ist krank. Sie hat schon fünf Pfund *abgenommen*.
2. Ich habe sehr viel Arbeit. Können Sie mir etwas von meiner Arbeit *abnehmen* (können Sie mir bei meiner Arbeit helfen)?

*an*ziehen, –o–, –o–:

1. Ich *ziehe* meinen Anzug *an*. – Ich ziehe *mich* jeden Morgen *an*. – Die Mutter *zieht* das Kind *an*.
2. Die Festspiele *ziehen* viele Kunstfreunde *an*; sie sind so interessant, daß viele Kunstfreunde kommen.

*auf*schlagen, –u–, –a–:

1. Die Köchin *schlägt* das Ei *auf*.
2. Das Kind hat sich das Knie *aufgeschlagen*.
3. Wir kamen zum Camping-Platz und *schlugen* unser Zelt *auf*.

preiswert: Das Zimmer kostet 80 Mark; es ist sehr gut möbliert, hell und sonnig; es ist sehr schön und *preiswert*, d. h. man zahlt nicht zuviel.

billig: Das Zimmer kostet nur 50 Mark; es ist ein *billiges* Zimmer, aber es ist sehr klein.

ein Badeort ist ein Ort, an dem man eine Badekur machen oder in einem See oder im Meer baden kann

eine Bergbahn ist eine Bahn, die auf einen Berg fährt

ein Sessellift ist eine sehr steil auf einen Berg führende Bahn; die Sessel hängen an einem Seil; ein zweites Seil zieht sie nach oben

ein Musikwettbewerb ist ein Wettbewerb unter Musikern, z. B. wer sein Instrument am besten spielen kann

die Verkehrsverbindungen sind die Möglichkeiten, wie man von einem Ort zu einem anderen kommen kann

eine Berglandschaft ist eine Gegend mit hohen Bergen

Aus der Zeitung

Autodieb verurteilt

Frankfurt, 16. September (eigener Bericht): In der gestrigen Verhandlung vor dem Amtsgericht wurde der 34jährige Max Klemm wegen schweren Diebstahls zu einer Gefängnisstrafe von zwei Jahren und vier Monaten verurteilt.

Wie wir seinerzeit berichteten, wurde in der Nacht zum 19. März ein blauer Personenwagen, Marke Mercedes 200, gestohlen. Der Dieb war beobachtet worden. Weil eine genaue Beschreibung des Täters vorlag, gelang es der Polizei, ihn wenige Tage später zu verhaften. Der Dieb wurde in das hiesige Gefängnis eingeliefert. Inzwischen ist auch der gestohlene Wagen wiedergefunden und dem Besitzer zurückgegeben worden.

Bei der Gerichtsverhandlung versuchte der Angeklagte zunächst, seine Tat zu leugnen. Dann wurden aber die Zeugen vernommen, die in dem Angeklagten sofort den Dieb erkannten. Die Beweisaufnahme ergab außerdem, daß Fingerabdrücke des Angeklagten im Wagen gefunden worden waren. Jetzt war es dem Angeklagten unmöglich, weiter zu leugnen, und er gestand den Diebstahl. Der Staatsanwalt beantragte drei Jahre Gefängnis. Das Gericht blieb jedoch unter dem Antrag des Staatsanwalts.

Der Angeklagte verzichtete darauf, Berufung einzulegen, und nahm das Urteil an.

Druck auf den Magen

Stuttgart (eigener Bericht): Die Polizei in Baden-Württemberg ist ärgerlich. Das Innenministerium will einen etwa 2 cm breiten schwarzen Schulterriemen einführen, der der Gesundheit seiner Polizisten dienen soll. Wegen der schweren Pistolentaschen werden die Polizeikoppel immer sehr eng geschnallt. Das aber drückt auf den Magen und schadet der Gesundheit.

Polizisten aus Freiburg halten diesen Riemen für „völlig unzweckmäßig", von Kollegen aus Mergentheim wird er ebenfalls völlig abgelehnt.

Weil die Polizisten mit diesem Riemen nicht einverstanden sind, haben sie bei Kollegen in anderen Bundesländern angefragt, wie dort die Pistolen getragen werden. Es stellte sich heraus, daß Schulterriemen nie üblich waren und daß auch die Koppel fast überall verschwunden sind. Man trägt die Pistolen anders, z. B. in der rechten Hosentasche.

Die Polizisten haben nun auf Grund der Mitteilungen ihrer Kollegen aus anderen Bundesländern ihr Ministerium ersucht, diesen Schulterriemen nicht einzuführen. Sie meinen aber auch, daß dieser Riemen sogar gefährlich werden kann. Der Verbrecher braucht den Polizisten nur noch am Riemen zu packen, wenn er ihn zu Fall bringen will. Und das kann doch nicht das Interesse des Ministeriums sein!

hier   – hiesig: Ich lebe hier in München. Ist das eine hiesige Zeitung?

gestern – gestrig: Die Verhandlung war gestern. In der gestrigen Verhandlung wurde der Dieb verurteilt.

heute   – heutig: Heute ist Donnerstag. Der heutige Tag ist für mich wichtig.

beschreiben	–	die Beschreibung	beweisen	–	der Beweis
fortsetzen	–	die Fortsetzung	drücken	–	der Druck
untersuchen	–	die Untersuchung	fliegen	–	der Flug
verhandeln	–	die Verhandlung	schießen	–	der Schuß
*ein*führen	–	die Einführung	kaufen	–	der Kauf
urteilen	–	das Urteil	verzichten	–	der Verzicht

„werden" mit Partizip Perfekt = Passiv

1. Max Klemm *wird* zu 2 Jahren Gefängnis *verurteilt*. – Ein Personenwagen *wurde gestohlen*. – Der Dieb *wurde* in das hiesige Gefängnis *eingeliefert*.

   Der gestohlene Wagen *ist wiedergefunden worden*. – Im Wagen *waren* die Fingerabdrücke des Angeklagten *festgestellt worden*.

2. Die Polizei gibt *den Wagen* zurück.   – *Der Wagen* wird zurückgegeben.
   Man trägt *die Pistolen* anders.   – *Die Pistolen* werden anders getragen.

3. Fritz antwortet *mir*.   – Es wird *mir* geantwortet.
   Mir wird geantwortet.

4. *Die Polizei* gibt den Wagen zurück. – Der Wagen wird von *der Polizei* zurückgegeben.

5. Die Polizei *konnte* den Dieb *verhaften*. – Der Dieb *konnte verhaftet werden*.

	Aktiv	*Passiv*
Präsens:	Die Polizei verhaftet den Dieb.	Der Dieb *wird verhaftet.*
Präter.:	Die Polizei verhaftete den Dieb.	Der Dieb *wurde verhaftet.*
Perfekt:	Sie hat den Dieb verhaftet.	Der Dieb *ist verhaftet worden.*
Futur:	Sie wird den Dieb verhaften.	Der Dieb *wird verhaftet werden.*

1. **Verben bilden das Passiv mit dem Hilfsverb „werden" und dem Partizip Perfekt.**

   Im Perfekt und Plusquamperfekt heißt das Partizip des Hilfsverbs **„worden"** (nicht: geworden).

2. Im Passiv wird **eine Handlung,** an der das Subjekt beteiligt ist (Die Polizei, die den Wagen zurückgibt, tut etwas!), **als Vorgang ausgedrückt** (Der Wagen, der zurückgegeben wird, tut nichts!). Das Akkusativobjekt des Aktivsatzes wird Subjekt des Passivsatzes.

Die Polizei gibt *den Wagen* zurück.

Der Wagen wird von der Polizei zurückgegeben.

3. Hat der Aktivsatz kein Akkusativobjekt, so hat der **Passivsatz kein Subjekt** oder nur „es" vor dem 1. Verbteil.

4. **Modalverben haben kein Passiv.** Hier steht dann das Hauptverb im Infinitiv Passiv:

Infinitiv Aktiv: fahren   *Passiv:* gefahren werden

Aktiv: Der Polizist   kann den Verbrecher   verhaften.
Passiv: Der Verbrecher kann von dem Polizisten verhaftet werden.

Aktiv: Der Polizist   hat   den Verbrecher   verhaften   können.
Passiv: Der Verbrecher hat   von dem Polizisten verhaftet werden können.

Aktiv: Der Polizist   wird den Verbrecher   verhaften   können.
Passiv: Der Verbrecher wird von dem Polizisten verhaftet werden können.

98 **Übung 1:** *Machen Sie aus den Sätzen der Übung auf S. 11 oben Passivsätze! Nennen Sie den Täter!*

99 **Übung 2:** *Beispiel:* Er schreibt einen Brief. (Was geschieht mit dem Brief?) Der Brief wird geschrieben.

1. Peter kauft einen Anzug. **2.** Der Briefträger bringt einen Brief. **3.** Die Angestellte des Reisebüros bot dem Herrn mehrere Reisen an. **4.** Das Reisebüro hat die Fahrkarten bestellt. **5.** Es hat auch die Ausflüge organisiert. **6.** Fritz hat das Zimmer bezahlt. **7.** Man hat den Dieb beobachtet. **8.** Man hat mir meinen Wagen gestohlen. **9.** Man hat mir nicht geantwortet. **10.** Niemand hat mir geholfen. **11.** Heute tanzen wir hier bis 12 Uhr. **12.** Wir lachten herzlich über diese Geschichte. **13.** Man begrüßte uns freundlich. **14.** Die Polizei konnte den Wagen zurückgeben. **15.** Der Gast muß seine Rechnung bezahlen. **16.** Ihr müßt ihm sofort antworten. **17.** Hier dürfen Sie nicht rauchen. **18.** Vor morgen abend können wir Ihnen den Mantel nicht schicken. **19.** Wir haben das Geld leider nicht zahlen können. **20.** Die Polizei hat den Dieb sofort verhaften können.

Übung 3: *Bilden Sie mit den folgenden Sätzen das Passiv! Achten Sie auf die Zeiten (Präsens, Präteritum, Perfekt, Futur)! Nennen Sie den Täter!*

1. Der Vater beobachtet die Kinder. Die Kinder . . .
2. Der Polizeibeamte sah den Dieb. Der Dieb . . .
3. Der Beamte hat mir die Fahrkarte gegeben. Die Fahrkarte . . .
4. Der Hotelgast bezahlt seine Zimmerrechnung morgen. Morgen . . .
5. Der Kellner hat uns das Frühstück aufs Zimmer gebracht. Das Frühstück . . .
6. Ein freundlicher Junge bringt uns die Zeitung ins Büro. Die Zeitung . . .
7. Ein junger Mann hat unseren neuen Wagen gestohlen. Unser . . .
8. Meine Mutter hat mir gestern warme Kleider geschickt. Gestern . . .
9. Ein Krankenwagen bringt den Verletzten ins Krankenhaus. Der Verletzte . . .
10. Mein Freund hat mir einen Fotoapparat zum Geburtstag geschenkt. Ein . . .
11. Der Beamte hat das Formular ausgefüllt. Das Formular . . .
12. Das Reisebüro wird die Zimmer rechtzeitig bestellen. Die Zimmer . . .
13. Wir werden bald den 80. Geburtstag meines Vaters feiern. Der . . .
14. Die meisten Schüler werden diese Übung nicht ohne Fehler geschrieben haben. Diese Übung . . .

Übung 4: *Bilden Sie das Passiv wie bei der vorigen Übung!*

1. Der Arbeiter bat mich um eine Zigarette. 2. Der Lehrer fragte ihn nach seiner neuen Adresse. 3. Der Vater brachte sie zum Bahnhof. 4. Sie haben mich nicht gesehen. 5. Er hatte euch zum Abendessen eingeladen. 6. Ihr werdet mich sicher nach Haus bringen. 7. Der Vater kann den Kindern den Besuch dieses Filmes nicht erlauben. 8. Der Freund mußte ihm die teure Fahrkarte nach Berlin bezahlen. 9. Ich werde das Buch leider nicht gebrauchen können. 10. Du hast sie ihm vorstellen sollen. 11. Dürfen wir diesen Kuchen essen? 12. Ihr sollt sie in Ruhe lassen.

Der Infinitiv mit „zu" als Objekt oder Subjekt des Satzes

1. Der Angeklagte versuchte, *seine Tat zu leugnen.* (**Was** versuchte der Angeklagte?) – Wir freuen uns darauf, *bald zu verreisen.* (**Worauf** freuen wir uns?) – Ich habe **ihn** gebeten, Inge nach Haus *zu fahren.* (**Wer** fährt Inge nach Haus?)

2. *Es* ist schön *zu tanzen.* (**Was** ist schön?) – *Es* war ihm unmöglich, seine Rechnung *zu zahlen.* – *Es* ist gut, alles rechtzeitig *gepackt zu haben.*

3. Wir wünschen jetzt **zu** essen und **zu** trinken. – Es ist nicht leicht, mit dieser Arbeit an**zu**fangen.

1. **Der Infinitiv mit „zu" steht als Objekt* im Satz.** Dieses Objekt beschreibt ein Geschehen, **nennt aber das Subjekt dieses Geschehens nicht.**

   Der Angeklagte versuchte zu leugnen. – **Der Angeklagte** leugnete.
   Hans bittet **Peter,** Erika nach Haus zu fahren. – **Peter** fährt.

2. **Der Infinitiv mit „zu" ist das Subjekt des Satzes.** Er steht am Ende des Satzes. Das unpersönliche Pronomen **„es"** steht als grammatisches Subjekt beim Verb.

3. Wenn ein Satz mehrere Infinitive hat, **steht „zu" vor jedem Infinitiv.**
   Bei trennbaren Verben *steht „zu" zwischen der Vorsilbe und dem Verb.*
   (wie beim Partizip: an**ge**fangen – an**zu**fangen)

Formen des Infinitivs mit „zu"

	Infinitiv Aktiv	*Infinitiv Passiv*
Gegenwart und Zukunft:	zu sehen	gesehen zu werden
Vergangenheit:	gesehen zu haben	gesehen worden zu sein
	gekommen zu sein	
Infinitiv mit Modalverb:	kommen zu können	

102 **Übung:** *Beispiel:* Er leugnet seine Tat. Er versucht es wenigstens. – Er versucht, seine Tat zu leugnen.

1. Ich schlafe gut. Ich wünsche es wenigstens. **2.** Die Fremden sprachen über die Frau des Kaufmanns. Sie begannen immer wieder. **3.** Ich sehe Sie bald wieder. Ich wünsche es wenigstens. **4.** Peter spricht mit dem Direktor. Ich habe es Peter geraten. **5.** Der Dieb wird streng bestraft. Er verdient es sicher. **6.** Du arbeitest zu viel. Wann hörst du auf? **7.** Ich habe Erika gestern gesehen. Ich freue mich. **8.** Er bezahlt die Rechnung nicht. Es ist ihm wirklich unmöglich. **9.** Ich habe Peter getroffen und mich mit ihm unterhalten. Es freut mich wirklich. **10.** Er kommt morgen um 9 Uhr an. Er hofft es wenigstens. **11.** Er steigt in Mainz aus. Er vergißt es doch nicht? **12.** Ich kann Brot kaufen und auch Salat mitbringen. Ich hoffe es wenigstens. **13.** Die Kinder dürfen im Garten spielen. Sie haben darum gebeten. **14.** Ich kann um 6 Uhr bei euch sein. Ich habe davon gesprochen.

---

* Akkusativobjekt oder Objekt mit Präposition; s. auch Attribut S. 53

Der Satz (I)

Die Teile des Satzes

1. Der Zug   fährt.   Das Wetter ist   schön.
   Der Zug   fährt ab.   Das Wetter wird schön.
   Der Mann fährt Auto.

   Der Zug   ist   gefahren.   Das Wetter ist   schön gewesen.
   Der Mann ist   Auto gefahren.   Das Wetter muß schön werden.
   Der Zug   muß   ab-gefahren sein.

2. Ich sehe   ?   Es gefällt ? Wir wohnen   ?
   Ich sehe   einen Wagen. Es gefällt mir. Wir wohnen in München.

   Ich gebe   ?   Ich bitte ?
   Ich gebe dem Kind   ?   Ich bitte ihn   ?
   Ich gebe   dem Kind ein Buch.   Ich bitte ihn um ein Buch.

3. Wir gehen   spazieren.
   Wir gehen jetzt   spazieren. (wann?)
   Wir gehen im Park   spazieren. (wo?)
   Wir gehen langsam   spazieren. (wie?)
   Wir gehen wegen des schönen Wetters spazieren. (warum?)

1. **Das Prädikat** (P) begrenzt das Satzfeld.
2. **Das Subjekt** (S) bestimmt die Form des Verbs im Prädikat (**ich** seh*e*, **es** gefäll*t*).
   Die Objekte (O) sind **notwendige** Satzglieder. Das Verb im Prädikat bestimmt die Zahl der Objekte. (*Der Zug fährt.* – *Ich sehe* **einen Wagen.** – *Ich gebe* **dem Kind ein Buch.** – *Ich bitte* **ihn um ein Buch.**)
3. **Die Angaben** (A) sind **zusätzliche** Satzglieder. Sie nennen z. B. die Zeit, den Ort, die Art oder den Grund.

Vorfeld	P₁	S	A	O	O	P₂
	Hat	er gestern seinem Freund das Geld				gegeben?
Er	hat		gestern seinem Freund das Geld			gegeben.
Gestern	hat	er		seinem Freund das Geld		gegeben.
Seinem Freund	hat	er gestern			das Geld	gegeben.
Das Geld	hat	er gestern seinem Freund				gegeben.

Zwei Gerichtsfälle

1. Strafprozeß

Einem Mann ist Geld gestohlen worden. Er geht zur Polizei und zeigt den Diebstahl an. Es gelingt der Polizei, den Dieb zu finden und zu verhaften. Der Dieb wird in das Untersuchungsgefängnis eingeliefert und dort zuerst vom Untersuchungsrichter vernommen. Dieser übergibt das Vernehmungsprotokoll dem Staatsanwalt, der Anklage wegen Diebstahls erhebt.

Zu einem bestimmten Termin lädt das Gericht den Angeklagten und die Zeugen zur Gerichtsverhandlung. Diese ist öffentlich, jeder kann zuhören.

Die Zeugen werden einzeln aufgerufen. Der Vorsitzende ermahnt sie, die Wahrheit zu sagen, nichts zu verschweigen und nichts hinzuzufügen, denn sie müssen später ihre Aussagen beeiden. Dann müssen die Zeugen den Gerichtssaal wieder verlassen und draußen auf dem Gang warten. Jetzt wird der Angeklagte nach seinen Personalien gefragt und über seine Tat vernommen.

Nach seiner Vernehmung werden die Zeugen einzeln hereingerufen und müssen ihre Aussagen machen. Sie bringen damit die Beweise für die Schuld (oder Unschuld) des Angeklagten. Wenn der Angeklagte seine Tat gestanden hat oder vom Gericht überführt worden ist, ist die

Beweisaufnahme abgeschlossen. Jetzt hat der Staatsanwalt das Wort. Er schildert dem Gericht in seinem Plädoyer noch einmal die Persönlichkeit des Angeklagten, und wie die Tat geschehen ist. Dann stellt er den Strafantrag.

Nach dem Plädoyer des Staatsanwalts nimmt der Verteidiger das Wort und versucht das Gericht zu überzeugen, daß der Angeklagte eine milde Strafe verdient. Der Angeklagte hat dann das „letzte Wort". Meist bereut er seine Tat und bittet um ein mildes Urteil.

Nun zieht sich das Gericht zur Beratung zurück. Nach kurzer Zeit erscheint es wieder im Gerichtssaal, und der Vorsitzende verkündet das Urteil. Danach begründet er, warum das Gericht zu diesem Urteil gekommen ist. Zum Schluß fragt der Vorsitzende den Staatsanwalt und den Angeklagten, ob sie dem Urteil zustimmen oder ob sie Berufung einlegen wollen. Dann ist die Gerichtsverhandlung beendet, und der Vorsitzende schließt die Sitzung.

2. Zivilprozeß

Ein Mann hatte einen Fernsehapparat auf Abzahlung gekauft, denn er konnte den ganzen Betrag nicht auf einmal bezahlen. Er machte eine Anzahlung und bezahlte auch die ersten Raten pünktlich. Dann konnte er den Zahlungstermin nicht mehr pünktlich einhalten, und schließlich bezahlte er gar nichts mehr.

Der Geschäftsmann hatte beim Verkauf mit dem Kunden einen Vertrag abgeschlossen. Danach kann der Verkäufer verlangen, daß die gesamte Restschuld bezahlt oder der Apparat ohne Entschädigung zurückgegeben wird, wenn der Käufer die vereinbarten Zahlungstermine nicht einhält.

Nun kann der Rechtsanwalt des Geschäftsmannes den Käufer auf Herausgabe des Geräts verklagen. Bei der Gerichtsverhandlung kommt es dann meist zu einem Vergleich. Der Beklagte zahlt die inzwischen fälligen Raten und verspricht, weiterhin pünktlich zu zahlen; der Kläger verzichtet auf die Herausgabe des Geräts. Die Gerichtskosten gehen zu Lasten des Angeklagten.

Geheim

Wenn die Minister einer neuen Regierung zum erstenmal nach einer Wahl zusammenkommen, so ist das ein aufregendes Ereignis. Vor allem die Presse interessiert sich für die Politik des neuen Kabinetts. Alle großen Zeitungen schicken ihre Berichterstatter in die Hauptstadt, weil sie erfahren wollen, wie sich die neue Regierung die Zukunft des Landes vorstellt. Die Minister haben es dann nicht leicht, auf die neugierigen Fragen der Reporter zu antworten.

In der Wahl vor zwei Wochen hatte die bisherige Oppositionspartei gesiegt. Man fragte sich, ob sich nun die Politik des Landes vollständig ändern sollte.

Als gestern die Minister zu ihrer ersten Sitzung zusammentraten, wurden sie schon vor dem Sitzungssaal von vielen Berichterstattern empfangen. Diese versuchten, von den Ministern etwas über die kommende Sitzung zu erfahren, sie erhielten aber keine Antwort. Die Sitzung war geheim, und die Reporter mußten im Vorraum warten. Sie standen in kleinen Gruppen zusammen und sprachen über die gegenwärtige politische Lage, über die vergangene Regierung und über die zukünftige Politik. Jeder äußerte seine Meinung, aber keiner konnte etwas Genaues sagen.

Nach drei Stunden war die Sitzung immer noch nicht zu Ende. Die wartenden Journalisten wurden allmählich nervös. Jedesmal wenn jemand aus dem Sitzungssaal kam, liefen sie zu ihm hin und versuchten, ihn auszufragen. Aber keiner sagte ihnen, was besprochen worden war. – Endlich, nach vier Stunden, wurde die Tür zum Sitzungssaal geöffnet, und die Minister kamen heraus. Die lange Sitzung war zu Ende.

Die Bildreporter rissen sofort ihre Fotoapparate hoch, blitzten und fotografierten. Die anderen umringten die Minister und fragten und fragten. Diese gaben aber keine Auskunft. Als der letzte, ein kleiner, dicker Herr, aus dem Saal kam, erkannten zwei junge Reporter den Ministerpräsidenten und eilten zu ihm hin. „Herr Ministerpräsident! Sie können uns doch bestimmt etwas erzählen. Warum hat denn die Sitzung so lange gedauert? Man hat doch sicher etwas Wichtiges beschlossen, nicht wahr?" fragten sie eifrig. Als der Ministerpräsident diese Fragen hörte, schien er zuerst ein wenig erstaunt, erwiderte dann aber lächelnd: „Das Ergebnis ist sicher für uns alle von großer Bedeutung. Aber können Sie schweigen, meine Herren?" – „Aber selbstverständlich, Herr Ministerpräsident!" versicherten die beiden schnell. – „Ich auch, meine Herren!" sagte darauf der Ministerpräsident, grüßte höflich und ging zu seinem Wagen.

---

denken (dachte, gedacht) *an:* Ich denke *an* meinen Freund, *an* meine Mutter, *an* die schöne Zeit in Italien, *an* die kommenden Ferien.

über: Was denken Sie *über* die moderne Musik, die gegenwärtige Politik, *über* die heutige Mode, *über* Georg Meier? (= wie ist Ihre Meinung?)

erfahren von … über: Ich möchte *von* dem Beamten etwas *über* seine Arbeit erfahren. – Ich erfuhr *von* meinem Freund nichts *über* seine Pläne für die Ferien.

fragen nach: Ich frage ihn *nach* seiner Familie. (z. B.: wie geht es?)

ausfragen über: Ich frage ihn *über* seine Familie aus. (Ich will alles genau wissen.)

Ich gebe ihm *etwas*.	Ich gebe ihm *etwas* Schönes.
Ich sage ihm *nichts*.	Ich sage ihm *nichts* Wichtiges.
die Vergangenheit –	die Gegenwart – die Zukunft
vergangen –	gegenwärtig – zukünftig

Der Infinitiv mit „zu" beim Nomen

Wir hatten nur den Wunsch *zu schlafen*. – Die Reporter hatten die Hoffnung, viel von den Ministern *zu erfahren*.

Der Infinitiv mit „zu" kann auch Ergänzung eines Nomens sein.

Der Infinitivsatz

1. Wir fangen an *zu arbeiten.*   Wir fangen *zu arbeiten* an.
   Wir haben *ange*fangen *zu arbeiten.*   Wir haben *zu arbeiten* angefangen.

2. Er hatte gehofft, *Sie bald wiederzusehen.* – Der Reporter hat den Minister gebeten, *ihm etwas über die Sitzung zu erzählen.*

3. a) *Mein Freund* hofft, daß *er* bald zu mir kommt.   Mein Freund hofft, bald zu mir *zu kommen.*

   b) Ich bitte *dich*, daß *du* mich morgen besuchst.   Ich bitte dich, mich morgen *zu besuchen.*
      Ich habe *meinen Freund* gebeten, daß *er* mir sein Buch gibt.   Ich habe meinen Freund gebeten, mir sein Buch *zu geben.*

   c) *Es* ist nicht erlaubt, daß *man* im Theater raucht.   Es ist nicht erlaubt, im Theater *zu rauchen.*

   d) Ich weiß, daß ich um 12 Uhr zu Haus sein muß.

1. Wenn der Infinitiv mit „zu" allein steht, kann er **vor** oder **hinter** *der trennbaren Vorsilbe,* dem *Partizip Perfekt* oder dem *Infinitiv des Hauptverbs* stehen.

2. Wenn der Infinitiv mit „zu" Ergänzungen hat, so steht er mit allen seinen Ergänzungen **hinter dem Hauptsatz.**
   Der Infinitiv mit „zu" und die Ergänzungen werden vom Hauptsatz durch ein **Komma** getrennt.

3. Man kann aus **„daß"-Sätzen Infinitivsätze** bilden, wenn
   a) das Subjekt des Hauptsatzes und das Subjekt des Nebensatzes gleich sind,
   b) das personale Objekt des Hauptsatzes und das Subjekt des Nebensatzes gleich sind,
   c) Hauptsatz und Nebensatz ein unbestimmtes Subjekt (**es, man**) haben.
   d) Nach einigen Verben, z. B. **„wissen, sagen, hören, sehen",** kann man keinen Infinitivsatz bilden.

103 **Übung 1:** *Bilden Sie Infinitivsätze!*

1. Er glaubt, daß er die Übung ohne Fehler geschrieben hat. **2.** Es tut mir leid, daß ich dich gestern nicht getroffen habe. **3.** Es ist für meinen Vater unmöglich, daß er heute abend wieder zurückkommt. **4.** Wir hoffen, daß wir am Freitag einen Brief bekommen. **5.** Mein Freund wünscht, daß er mich bald wiedersehen kann. **6.** Der Arzt hat dem Kranken verboten, daß er weiter so viel raucht. **7.** Ich glaube, daß ich ihm helfen kann. **8.** Mein Kollege hat mich gebeten, daß ich ihm bei der schweren Arbeit helfe. **9.** Er wartet darauf, daß er die Prüfung bald machen kann. **10.** Sie freut sich darüber, daß sie ein so schönes Geschenk bekommen hat. **11.** Er hat den Wunsch, daß er möglichst bald Deutsch lernen kann. **12.** Die Tochter bittet ihre Mutter, daß sie ihre Freundin einladen darf. **13.** Der Kranke hofft, daß er bald wieder gesund wird. **14.** Sein Freund hat davon gesprochen, daß er mich in den nächsten Tagen in meiner Wohnung besucht. **15.** Für die Autofahrer ist es wichtig, daß sie die Verkehrszeichen genau beachten. **16.** Es ist nicht möglich, daß man mit so wenig Geld leben kann. **17.** Wenn er mir hilft, daß ich diese Arbeit schnell beende, werde ich mich sehr freuen. **18.** Er hofft, daß er von seinem Freund bald besucht wird. **19.** Es tut mir leid, daß ich von dir nicht gesehen worden bin. **20.** Der Student freut sich, daß er von seinem Professor eingeladen worden ist. **21.** Wir haben darauf gewartet, daß wir dir eine Freude machen. **22.** Es ist nicht immer leicht, daß man alles richtig macht. **23.** Ist es nicht traurig, daß man sterben muß? **24.** Aber es ist schön, daß man noch lange Zeit leben kann.

Übung 2: *Infinitivsatz oder daß-Satz? Verbinden Sie die Sätze!* 104

1. Die Kinder freuen sich – der Besuch hat Schokolade mitgebracht. **2.** Die Kinder freuen sich – sie dürfen ins Kino gehen. **3.** Er denkt sicher nicht daran – er muß das Formular zurückschicken. **4.** Er denkt sicher nicht daran – sein Freund will heute das Buch bringen. **5.** Das Komitee hat es beschlossen – die Wettkämpfe finden am nächsten Sonntag statt. **6.** Das Komitee hat es beschlossen – es trifft sich in der nächsten Woche noch einmal. **7.** Der Fahrer sah es zu spät – eine Frau ging über die Straße. **8.** Der Fahrer sah es zu spät – er war bei rotem Licht über die Kreuzung gefahren. **9.** Ich weiß es sicher – ich bekomme heute Geld. **10.** Ich weiß es sicher – Goethe ist in Frankfurt geboren.

brauchen mit Infinitiv mit „zu"

Wir *brauchen* sonntags **nicht** *zu* arbeiten.

Er *braucht* seinem Vater **nur** *zu* schreiben, wenn er Geld haben will.

Wir *haben* sonntags **nicht** *zu* arbeiten brauchen.

Er *hat* seinem Vater **nur** *zu* schreiben brauchen, wenn er Geld haben wollte.

In der Verneinung und in der Verbindung mit „nur" steht nach *brauchen* der Infinitiv mit „zu"; **das Perfekt** wird aber – wie bei den Modalverben – **mit dem Infinitiv** (nicht mit dem Partizip Perfekt) gebildet. Vor dem Infinitivsatz nach „brauchen" steht kein Komma.

105 **Übung:** *Bilden Sie Sätze!*

Beispiel: Ich habe einen Brief geschrieben. (*nicht brauchen*) – Ich habe keinen Brief zu schreiben brauchen.

1. Der Lehrer hat Herrn Braun geholfen. (*nicht brauchen*) **2.** Peter hat allein gearbeitet. (*müssen*) **3.** Er hat gestern die Arbeit gemacht. (*nicht brauchen*) **4.** Sie sind gestern nicht gekommen. (*müssen*) **5.** Wir sind gestern nicht in die Schule gegangen. (*brauchen*) **6.** Der Verbrecher packt den Polizisten nur noch am Riemen, wenn er ihn umwerfen will. (*brauchen*) **7.** Peter hat nur geschrieben (*brauchen*), und sein Vater hat ihm Geld geschickt. **8.** Wir nehmen heute keinen Schirm mit (*brauchen*), denn das Wetter ist schön.

Temporale Nebensätze

1. *Immer wenn* wir nach Salzburg *fahren*, regnet es.
   Immer wenn wir nach Salzburg *fuhren*, regnete es.

   Wenn ich zum Einkaufen *gehe*, bringe ich den Kindern Schokolade mit.
   Wenn ich die Arbeit *gemacht habe*, fahre ich nach Haus.

2. *Als* ich am letzten Sonntag nach Salzburg *fuhr*, war das Wetter schön.
   Als ich meine Arbeit *gemacht hatte*, fuhr ich nach Haus.

1. Der Temporale Nebensatz mit „wenn" bezeichnet ein **mehrmaliges** Ereignis; er bezeichnet auch ein **einmaliges Ereignis in der Gegenwart oder in der Zukunft**. In diesem Fall steht das Verb *im Präsens* oder *im Perfekt.**

2. Der temporale Nebensatz mit „als" bezeichnet **ein einmaliges Ereignis in der Vergangenheit.** Das Verb steht meist *im Präteritum* oder *im Plusquamperfekt.*

das Ereignis ist	*Vergangenheit*	*Gegenwart*	*Zukunft*
mehrmalig	wenn	wenn	wenn
einmalig	**als**	wenn	wenn

* Vgl. S. 105

Unterscheiden Sie: „wenn" und „wann?"

„wann" ist immer Fragepronomen*. Die Antwort beginnt mit „wenn" oder „als".

Wann kommst du? *Wenn* ich Zeit habe.
Wann kam er? *Als* er mit der Arbeit fertig war.

Übung: *Bilden Sie mit den kursiv gedruckten Sätzen Nebensätze mit „wenn" oder* 106
„als"!

1. *Das Wetter ist schön.* Ich gehe spazieren. **2.** *Das Wetter war immer schön.* Ich ging spazieren. **3.** *Endlich war das Wetter schön.* Ich ging spazieren. **4.** Ich habe mich sehr gefreut. *Mein Freund besuchte mich gestern.* **5.** *Mein Vater schickt mir Geld.* Ich kann dann nach Berlin fahren. **6.** *Mein Vater schickte mir Geld.* Ich habe nach Berlin fahren können. **7.** *Vor unserem Haus ereignete sich ein Unfall.* Mein Bruder schaute gerade aus dem Fenster. **8.** *Ich hatte Zeit.* Ich ging immer ins Theater. **9.** Das *Experiment war gelungen.* Die Fremden fuhren weiter. **10.** Was haben Sie gemacht? *Sie waren im letzten Monat in Köln.* **11.** Sind Sie zum Arzt gegangen? *Sie waren krank.* **12.** Willst du mit uns an die See fahren? *Du hast im August Ferien.* **13.** Viele Leute interessieren sich besonders für die Politik des Landes. *Eine neue Regierung wird gebildet.* **14.** *Der Minister kam aus dem Saal.* Die Reporter umringten ihn. **15.** Lesen Sie dieses Buch! *Sie interessieren sich für Politik.* **16.** *Mein Freund ist fortgegangen.* Ich kann weiterarbeiten. **17.** Die Polizei lieferte den Dieb ins Gefängnis ein. *Sie fand ihn.* **18.** Der Dieb leugnete nicht mehr. *Die Zeugen hatten erzählt, was sie gesehen hatten.* **19.** Der Filmschauspieler geht ins Amtsgericht. *Die Verhandlung gegen den Dieb seines Wagens findet statt.*

Nebensätze des Vergleichs

Das Buch ist *so* interessant, *wie* mein Freund gesagt hat.
Die Fahrt war *nicht so* lang, *wie* ich gedacht hatte.
Die Sitzung dauerte *länger*, *als* die Reporter gedacht hatten.
In diesem Jahr war das Wetter auch *nicht besser*, *als* es im vergangenen Jahr war.

„Wie" und „als" können auch einen Nebensatz (Vergleichssatz) einleiten. (Vergleichen Sie S. 105 und S. 121!)

---

* Vgl. S. 21, 131

107 **Übung:** *Ergänzen Sie bei den Nebensätzen „wie" oder „als"!*

1. Der Film war so interessant, __ er gesagt hatte. **2.** Die Arbeit ist schwerer, __ ich gedacht habe. **3.** Das Hotel war billiger, __ mein Vater geglaubt hatte. **4.** Italien ist so schön, __ man immer sagt. **5.** Mein Freund ist so krank, __ ich geglaubt habe. **6.** Das Fest wird schöner, __ du denkst. **7.** Das Buch gefällt mir besser, __ es dir gefallen hat. **8.** Die Zeit vergeht schneller, __ man glaubt. **9.** Mein Vater ist genau so alt, __ du gesagt hast. **10.** Die Nebensätze sind leichter, __ die Schüler gedacht haben. **11.** Die Sitzung dauerte länger, __ die Reporter geglaubt hatten. **12.** Die Autobahnen sind so gute Straßen, __ man mir gesagt hatte. **13.** Der Weg war so weit, __ man uns gesagt hatte. Der Weg war weiter, __ man uns gesagt hatte. **14.** Hans lernt so viel, __ der Lehrer sagt; aber Fritz lernt mehr, __ der Lehrer sagt.

Das Partizip Präsens

1. Der Minister antwortete *lächelnd*. – Peter stand *schweigend* neben seinem Freund.

2. Der Mann sprang aus der *fahrenden* Straßenbahn. – Der soeben *einfahrende* Schnellzug kommt aus Köln.

3. Die *Wartenden* wurden allmählich nervös. – Der *Reisende* hatte zwei schwere Koffer.

Man bildet das Partizip Präsens mit dem **Infinitiv + d**

lächeln	– *lächeln***d**	fahren	– *fahren***d**
schweigen	– *schweigen***d**	einfahren	– *einfahren***d**

Man gebraucht es

1. *Zusammen mit einem Verb* bei **gleichzeitigen** *Handlungen:*
   Der Minister antwortet *und lächelt dabei.* – Der Minister antwortet *lächelnd.*

2. *Bei einem Nomen* **wie ein Adjektiv:**
   Die Straßenbahn fuhr; der Mann sprang heraus. – Der Mann sprang aus der *fahrenden* Straßenbahn.

3. *Als* **Nomen:** (vergleichen Sie S. 114!)
   der wartende Herr – der Wartende ⎫
   die wartende Dame – die Wartende ⎭ Plural: die Wartenden

Übung: *Setzen Sie das Partizip Präsens ein!*

1. Die Kinder spielen auf der Straße (*und schreien dabei*). **2**. Herr Braun begrüßt seinen Gast (*und lächelt dabei*). **3**. Die Reporter standen im Vorraum (*sie warteten*). **4**. Die Fremden saßen am Tisch (*und schwiegen*). **5**. __ (*die Dame, die wartete*) wurde ungeduldig. **6**. Ich habe mit einem __ (*der Herr, der reist*) gesprochen. **7**. Ein Wagen, der hält, ist ein __ Wagen. **8**. Ein Vogel, der sprechen kann, ist ein __ Vogel. **9**. Ein Buch, das auf dem Tisch liegt, ist ein auf dem Tisch __ Buch. **10**. Wasser, das fließt, ist __ Wasser.

Die Bundesrepublik Deutschland

Die Bundesrepublik Deutschland wurde am 7. September 1949 aus den Zonen Deutschlands gebildet, die seit 1945 von den Amerikanern, den Briten und den Franzosen besetzt waren. Sie hat eine Fläche von 248 000 qkm und 61,6 Millionen Einwohner. Wie ihr Name sagt, ist sie kein zentralistischer Staat, sondern ein Bund, dessen Glieder, die Länder, an der Gesetzgebung beteiligt sind. Über den Bundesrat haben die Regierungen der Länder Einfluß auf die Gesetzgebung und die Verwaltung der Bundesrepublik.

Das „Grundgesetz", das im Mai 1949 in Kraft trat, ist die provisorische Verfassung des Staates. An der Spitze steht der *Bundespräsident*. Er wird vom Bundestag – dem Parlament des Bundes – und den Delegierten der Landtage – den Parlamenten der Länder – auf fünf Jahre gewählt und vertritt die Bundesrepublik nach außen. Die Verantwortung für die Regierung trägt der *Bundeskanzler*, der vom Bundestag auf vier Jahre gewählt wird. Er bestimmt die Minister, die mit ihm zusammen die *Bundesregierung* bilden. Die Gesetze werden vom *Bundestag* beschlossen, müssen aber dann dem *Bundesrat*, der Vertretung der Länder, vorgelegt werden. Der Bundesrat kann Gesetze ablehnen, wenn sie gegen die Interessen der Länder gerichtet sind. Eine Änderung des „Grundgesetzes" kann ohne seine Zustimmung nicht erfolgen.

Jeder Deutsche wird mit 18 Jahren wahlberechtigt und kann vom 21. Lebensjahr an zum Abgeordneten gewählt werden. Das Wahlgesetz kennt keinen Unterschied zwischen Männern und Frauen.

Die Bundesländer

Die zehn deutschen Bundesländer und Westberlin besitzen ihre eigene Volksvertretung und ihre eigenen Regierungen.

Bundesland	Einwohner	Fläche	Hauptstadt
Nordrhein-Westfalen	17,2 Millionen	34 000 qkm	Düsseldorf
Bayern	10,7 Millionen	70 500 qkm	München
Baden-Württemberg	9,0 Millionen	35 800 qkm	Stuttgart
Niedersachsen	7,1 Millionen	47 400 qkm	Hannover
Hessen	5,5 Millionen	21 100 qkm	Wiesbaden
Rheinland-Pfalz	3,7 Millionen	19 800 qkm	Mainz
Schleswig-Holstein	2,6 Millionen	15 700 qkm	Kiel
Hamburg	1,8 Millionen	700 qkm	Hamburg
Saarland	1,1 Millionen	2 600 qkm	Saarbrücken
Bremen	0,8 Millionen	400 qkm	Bremen
Westberlin	2,1 Millionen	500 qkm	Berlin

Staatsorgane der Bundesrepublik Deutschland

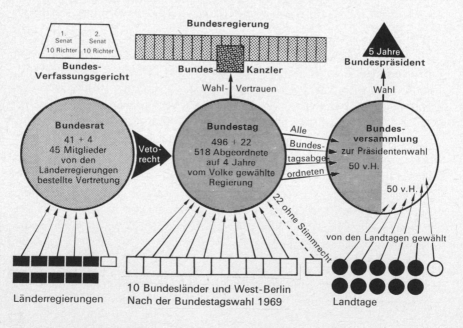

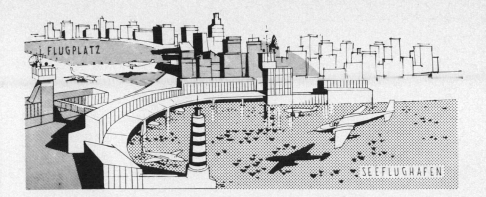

Der zerstreute General

Die schwere Düsenmaschine stieg steil in die Luft und flog mit direktem Kurs in Richtung Küste. Im Flugzeug saß General Thomson, dessen größte Freude das Fliegen war und der deshalb die Maschine auch selbst flog. Er befand sich auf dem Weg zu einem Seeflughafen, dessen Kommandeur ihn eingeladen hatte, den Flughafen zu besichtigen. Gleichzeitig sollte er dort auch einen neuen Flugzeugtyp kennenlernen.

Nach einstündigem Flug sah der General die große Hafenstadt vor sich, an deren Rand sich der Flugplatz befand. Wenige Minuten später war er über dem Flugplatz, auf dem er landen wollte. Sofort traf er alle Vorbereitungen zur Landung und setzte seine Maschine sicher auf das Rollfeld auf. Als er aus seiner Maschine ausstieg, wartete schon der Wagen, mit dem er zum Seeflughafen gebracht werden sollte.

In schneller Fahrt erreichte der General den Seeflughafen, wo ihn der Kommandeur herzlich begrüßte. Danach machten die beiden Offiziere einen Rundgang durch alle Anlagen, wobei der Kommandeur dem General alles zeigte und ihm alle Einzelheiten genau erklärte.
Schließlich kamen sie zu einem Wasserflugzeug, das schon startbereit war. Der General bat den Kommandeur, diese Maschine einmal selbst fliegen zu dürfen. Dieser war einverstanden und die Offiziere stiegen ein. Thomson setzte sich ans Steuer und startete. Alles ging gut. Nach mehreren Rundflügen über der Stadt flog der General tiefer und bereitete die

Maschine zur Landung vor. Als der Kommandeur sah, daß der General mit dem Wasserflugzeug auf dem Rollfeld des Flugplatzes landen wollte, sagte er schnell: „Verzeihung, Herr General! Es ist wohl besser, wenn wir auf dem Wasser niedergehen!" – „Aber natürlich, Herr Oberst", erwiderte der General erschrocken, „ich habe ganz vergessen, daß ich in einem Wasserflugzeug sitze." Dann riß er die Maschine noch einmal hoch, flog zum Seeflughafen hinüber und machte auf dem Wasser eine tadellose Landung. Zum Schluß gab er dem Kommandeur die Hand und sagte: „Ich danke Ihnen sehr, daß Sie mich rechtzeitig gewarnt haben. Sie haben ein großes Unglück verhütet!" Mit diesen Worten öffnete er die Tür und stieg aus – ins Wasser.

–bereit: Das Flugzeug ist start*bereit* (*bereit zum Start*).
Der Fotoapparat ist aufnahme*bereit*.
Der Wagen ist fahr*bereit*.

–los: Das war eine tadel*lose* Landung (*ohne Tadel*).
Sie haben zweifel*los* recht.
Der Mann war sprach*los* vor Staunen.

–zeitig: Er hat mich recht*zeitig* vor der Gefahr gewarnt (*zur rechten Zeit*).
Wir haben gleich*zeitig* an ihn geschrieben.
Man muß früh*zeitig* anfangen zu lernen.

erschrecken, –te, –t: *erschrecken (i), erschrak, ist erschrocken*
Der Hund erschreckt *das* Kind.   Das Kind erschrickt *vor dem* Hund.
Der Hund hat *das* Kind *erschreckt*.   Das Kind ist *vor ihm* erschrocken.

niedergehen: Das Flugzeug geht langsam *nieder*.
Ein starker Regen ging *nieder*.
aber: Wir gehen den Berg *hinunter*.

Fertig zur Abfahrt

Vater (V), *Mutter* (M) *und Fritz* (F) *haben die Koffer gepackt und sind fertig zur Abfahrt. Haben sie auch nichts vergessen?*

F: So, jetzt sind wir aber wirklich fertig. Können wir abfahren? Es ist schon 8 Uhr durch.

V: Ja, den Wagen habe ich schon vor die Tür gefahren, wir können einladen.

M: Haben wir auch nichts vergessen? Hast du dein Waschzeug eingepackt?

F: Ja, das Waschzeug ist eingepackt, im Bad liegt nichts mehr.

M: Haben wir auch alle Fenster zugemacht und das Wasser abgestellt?

V: Fritz, schau doch nach, ob die Fenster im Schlafzimmer zugemacht
sind; das Wasser ist abgestellt, das weiß ich ganz sicher.

F: Natürlich waren die Fenster zu. Und jetzt trage ich die Koffer zum
Wagen, und dann fahren wir ab!

M: Halt, warte noch! Sind sie auch abgeschlossen?

F: Nein, abgeschlossen habe ich sie nicht, wir stellen sie doch in den
Kofferraum!

V: Also, nun Schluß! Hauptsache, wir haben die Pässe, die Wagenpapiere
und das Geld, dann kann nichts schief gehen.

F: Und etwas zum Essen, denn wenn wir ein Stück gefahren sind, dann
bekomme ich sicher Hunger!

Perfekt und Plusquamperfekt mit „haben" oder „sein"
*Wiederholung und Ergänzung**

1. Er *hat* die Tür *geöffnet*. – Ich *habe* mich sehr auf die Reise *gefreut*. – Es *hat*
zwei Stunden *geregnet*. – Hast du auch nach Berlin fahren können? Nein,
ich *habe* es leider nicht *gekonnt*.

2. Wir *sind* gestern spät nach Haus *gekommen*. – Ich *bin* bald *eingeschlafen*. – Er
ist sehr krank *gewesen*. – Fritz *ist* Arzt *geworden*. – Der Dieb *ist* verhaftet
worden. – Wie lange *sind* Sie in Frankfurt *geblieben*?

3. Ich *habe* den Wagen vor die Tür *gefahren*. – Ich *bin* mit einem schnellen
Wagen *gefahren*.

4. Der Vater *hat* den Koffer *abgeschlossen*. Jetzt *ist* er *abgeschlossen*. – Die Mutter
hat das Essen *gekocht*. Es *ist* jetzt *gekocht*.

> 1. Die meisten Verben bilden Perfekt und Plusquamperfekt **mit „haben"**.
> Das sind vor allem: alle Verben mit **Akkusativ**objekt
> alle Verben mit **Reflexiv**pronomen
> viele **unpersönliche** Verben
> alle **Modal**verben (*mit Infinitiv statt mit Partizip*).

---

* vergleichen Sie S. 66 und 96

2. Mit **„sein"** werden Perfekt und Plusquamperfekt folgender Verben gebildet:

Verben der **Fortbewegung** (zu einem Ziel), wenn sie kein Akkusativobjekt haben;

Verben, die die **Veränderung eines Zustands** bezeichnen*:
sein, werden (Hilfsverb und Hauptverb), **bleiben**

3. Wenn die Verben der Fortbewegung ein Akkusativobjekt haben, bilden sie die zusammengesetzten Zeiten mit **„haben"**.

4. Das Partizip Perfekt der Verben mit Akkusativobjekt drückt, zusammen mit dem Hilfsverb **„sein"**, oft **einen Zustand** aus, in dem sich das Subjekt befindet. Das Partizip Perfekt wird dann wie ein Adjektiv gebraucht.

der Mann *ist krank*. (Adjektiv)	der *kranke* Mann
der Mann *ist verletzt*. (Partizip)	der *verletzte* Mann
der Koffer *ist schwer*. (Adjektiv)	der *schwere* Koffer
der Koffer *ist abgeschlossen*. (Partizip)	der *abgeschlossene* Koffer

109 **Übung 1:** *Bilden Sie mit folgenden Sätzen das Perfekt!*

1. Haben Sie Zeit? Ihr Bekannter besucht Sie nachmittags. **2.** Die Kinder dürfen auf der Straße spielen. **3.** Im letzten Jahr regnete es in Deutschland sehr viel. **4.** Wenn ich am Tag viel arbeite, schlafe ich abends immer sofort ein. **5.** Gestern konnte ich nur sehr schlecht einschlafen. **6.** Wie lange bleibt Ihr Freund in Deutschland? **7.** Kann er auch einige Wochen in Österreich bleiben? **8.** Wenn (!) der Onkel seinen kleinen Neffen besucht, freut er sich immer sehr. **9.** Fliegen Sie mit einer viermotorigen Maschine nach Berlin? **10.** Mein Freund fährt mit dem Auto nach Hamburg und nimmt mich mit. **11.** Wann startet das Flugzeug heute nachmittag? **12.** Der Flugzeugführer landete seine Maschine sicher auf dem Rollfeld. **13.** Um wieviel Uhr landet die Maschine aus Paris? **14.** Das Flugzeug kann wegen des Regens nur sehr schlecht landen. **15.** Als die beiden Autos an der Straßenecke zusammenstießen, wurden vier Personen verletzt. **16.** Sein Großvater starb im November

---

* *erster Zustand*	*Veränderung*	*neuer Zustand*
ich bin wach	ich schlafe ein	ich schlafe
er schläft	er wacht auf	er ist wach
er lebt	er stirbt	er ist tot

letzten Jahres. **17**. Er bleibt zu Haus und schreibt einen Brief. **18**. Wo sind Sie heute abend? Gehen Sie ins Kino oder besuchen Sie Ihren Freund? **19**. Mein Sohn wird Lehrer an einem Gymnasium. **20**. Das Buch ist sehr gut; es wird viel gekauft.

Übung 2: *Bilden Sie Sätze, die einen Zustand ausdrücken!* 110

Beispiel: Radfahrer, verletzen. *Der Radfahrer ist verletzt.*

1. Dieses Kleid, leider, schon verkaufen. (*Präs., Präter.*) **2**. Das Zimmer, immer, aufräumen. (*Präs.*) **3**. Im Winter, unsere Schulzimmer, immer, gut heizen. (*Präs., Präter.*) **4**. Deine Haare, nicht kämmen. (*Präs., Präter.*) **5**. Leider kam ich zu spät; der ganze Kuchen, schon essen, und, der Kaffee, schon trinken. (*Präter.*) **6**. Morgen wird mein Vater eine Reise machen; seine Koffer, schon gepackt. (*Präs.*) **7**. Der fremde Mann wollte uns eine Uhr verkaufen; aber, die Uhr, stehlen. (*Präter.*) **8**. Das Auto dort drüben, stark beschädigen. (*Präs.*) **9**. Der Radioapparat, leider, noch nicht bezahlen; aber, schon, kaputt. (*Präs., Präter.*) **10**. Diese Wohnung, seit einigen Tagen, vermieten. (*Präs.*)

Der Relativsatz (II)
Wiederholung und Ergänzung*

1. *Der Junge, dessen* Eltern verreist sind,   ist krank geworden.
   Das Kind, dessen Vater ich kenne,   ist sechs Jahre alt.
   Die Frau, deren Handtasche ich gefunden habe, hat sich sehr gefreut.

   Die Kinder, deren Lehrer krank ist,   brauchen nicht in die Schule zu gehen.

2. Hier ist die Gartenstraße, *in der* ich seit einem Jahr wohne.
            wo ich seit einem Jahr wohne.

   Das ist ein Bild von Nürnberg, *wo* ich lange gelebt habe.

3. Mein Freund zeigte mir die Stadt, *was* mich sehr freute.
            wobei er mir alles erklärte.

> 1. **Das Relativpronomen im Genitiv** bezieht sich auf ein Genitivattribut oder ein Possessivpronomen. Es steht vor dem Nomen, zu dem das Genitivattribut gehört. **Das Nomen verliert** – wie vor dem Fragepronomen *wessen?* – **den Artikel.**

---

* Vgl. S. 112

die Eltern des Jungen sind verreist

Der Junge, dessen Eltern verreist sind,   ist krank geworden.

seine Eltern sind verreist

(die Eltern des Jungen)

Der Junge, dessen Eltern verreist sind,   ist krank geworden.

ich habe mit dem Vater des Jungen gesprochen

Der Junge, mit dessen Vater ich gesprochen   ist krank geworden.
habe,

2. In der Umgangssprache kann **„wo"** als Relativpronomen gebraucht werden, wenn es sich auf **eine Ortsbezeichnung** bezieht. „Wo" („wohin', ,woher') muß gebraucht werden, wenn es sich auf Orts- oder Ländernamen bezieht.

3. **„was"** und **„wo + Präposition"** können auch Relativpronomen sein. Sie beziehen sich aber nicht auf ein Nomen, sondern **auf einen ganzen Satz.***

111   **Übung 1:** *Bilden Sie Relativsätze!*

1. Wann startet das Flugzeug? (Der General sitzt *in dem Flugzeug.*) **2.** Der Minister geht in den Saal. (Die Türen *des Saales* werden sofort geschlossen.) **3.** Der Präsident antwortete dem Reporter freundlich. (Er kannte den Vater *des Reporters.*) **4.** Ich gebe Ihnen die Adresse eines Hotels. (Die Zimmer *des Hotels* sind nicht teuer.) **5.** Können Sie mir eine Liste der Hotels geben? (Die Preise *der Hotels* sind nicht hoch.) **6.** Meine Mutter will an die Nordsee fahren. (Es ist schon lange der Wunsch *meiner Mutter*, das Meer kennen zu lernen.) **7.** Wir sind nach Hamburg gefahren. (Von dem Hafen *Hamburgs* waren wir begeistert.) **8.** Wann kommt Fritz wieder? (Ich habe *sein* Buch noch.) **9.** Kennen Sie die beiden Leute? (*Ihre* Koffer stehen hier.) **10.** Wissen Sie, wohin der Herr gegangen ist? (*Sein* Mantel hängt noch in der Garderobe.) **11.** Wie alt wird der Professor? (Wir feiern morgen *seinen* Geburtstag.) **12.** Das Auto ist

---

* Beachten Sie! Mein Vater schenkte mir eine Uhr, *die* mich sehr freute.
(die Uhr)
Mein Vater schenkte mir eine Uhr, *was* mich sehr freute.
(daß er mir etwas schenkte)

in der Talstraße gestohlen worden. (*Seine Tür* war nicht verschlossen.) **13**. Ich habe gestern meinen Freund besucht. (*Seine* Frau ist krank.) **14**. Kennen Sie Frau Müller? (*Ihr* Mann arbeitet in unserer Firma.) **15**. Der Professor sprach mit einem Studenten. (Er war *mit seinen* Arbeiten sehr zufrieden.) **16**. Ich habe gestern einen Herrn getroffen. (Ich habe *mit seinem* Bruder in München studiert.)

Übung 2: *Bilden Sie Relativsätze!* 112

1. Wir fahren heute nach München. (Wir haben drei Jahre *in München* gewohnt.) **2**. Ich bin drei Jahre in Amerika gewesen. (Mein Vater wohnt *dort*.) **3**. Ich bin zum Bahnhof gegangen. (Ich habe *dort* meinen Freund abgeholt.) **4**. Waren Sie schon in Spanien? (*Dort* soll immer die Sonne scheinen.) **5**. Kennen Sie ein Land? (Die Leute brauchen *dort* nichts zu arbeiten.) **6**. Fahren Sie auch nach Garmisch? (Ich fahre in diesem Sommer *dorthin*.) **7**. Der Oberst zeigte dem General den Flugplatz. (*Beim Zeigen des Flugplatzes* erklärte er alles.) **8**. Ich habe meinen Freund besuchen wollen. (Ich habe mich *auf den Besuch* gefreut.) **9**. Ich habe meinen Freund besuchen wollen. (Ich habe lange nichts mehr von *ihm* gehört.) **10**. Wir haben gestern das Ende des Semesters gefeiert. (Mein Vater hatte mir *für diese Feier* 50 Mark geschenkt.) **11**. Wir sind ans Meer gefahren. (Ich war *von dem Meer* begeistert.) **12**. Wir sind ans Meer gefahren. (Ich war *von der Fahrt* begeistert.)

Übung 3: *Bilden Sie Relativsätze! (Wiederholung)* 113

1. Herr Müller wohnt jetzt in Hamburg. Wir kennen *ihn* schon drei Jahre. **2**. Die Kinder spielen jetzt im Garten. Die freundliche Dame hat *ihnen* Schokolade geschenkt. **3**. Die Arbeiter freuen sich auf den Urlaub. Sie bekommen *ihn* im Sommer. **4**. Die Herren waren sehr freundlich. Ich wurde *ihnen* vorgestellt. **5**. Der Bleistift gehört mir nicht. Ich habe *ihn* gefunden. **6**. Das Buch war sehr interessant. Ich habe *dafür* gar nicht viel bezahlt. **7**. Das Haus hat meiner Schwester gut gefallen. Sie hat drei Jahre *darin* gewohnt. **8**. Er begrüßt die Gäste. *Ihre* Koffer werden gerade gebracht. **9**. Die Stadt ist alt. Ich habe die Museen *der Stadt* besucht. **10**. Meine Kollegin wohnte früher in der Gartenstraße. Ich möchte dich *nach ihrer* neuen Adresse fragen. **11**. Er geht heute abend zu seinen Großeltern. Er hat *für sie* eine Flasche Wein gekauft. **12**. Ich fahre in diesem Jahr in die Alpen. Ich bin schon *über ihre* höchsten Gipfel geflogen. **13**. Der General sah die große Hafenstadt. An *ihrem* Rand lag der Flughafen. **14**. Das war ein interessantes Ereignis. Wir denken noch lange *daran*. **15**. Haben Sie von dem schweren Unfall gehört? Die Zeitung berichtete *davon*.

„hin" und „her" *

Der General flog zum Seeflughafen *hin*über. – Wir gehen die Treppe *hin*unter. Wo*hin* gehen Sie? – Dort steht der Bus. Laufen wir schnell *hin*!

Ich klopfe an die Tür. Jemand ruft: „*Her*ein!" – Wo*her* kommen Sie?

Das Auto fuhr neben dem Zug *her*. – Sie schob den Wagen vor sich *her*.

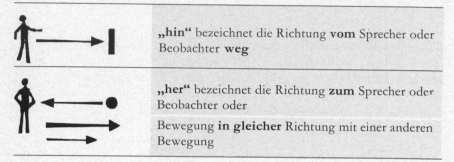

„hin" bezeichnet die Richtung **vom** Sprecher oder Beobachter **weg**

„her" bezeichnet die Richtung **zum** Sprecher oder Beobachter oder

Bewegung **in gleicher** Richtung mit einer anderen Bewegung

114 **Übung:** *Ergänzen Sie „hin" oder „her"!*

Klaus steht mit seinem Fahrrad vor dem Haus seines Freundes Kurt. Dieser schaut zum Fenster _aus und ruft: „Ich komme gleich _unter. Ich muß nur noch mein Rad aus dem Keller _aufholen." Die beiden Freunde fahren zum See _unter, denn sie wollen baden.

Sie ziehen sich schnell aus. Klaus springt zuerst ins Wasser _ein und ruft: „Komm schnell _ein, Kurt! Das Wasser ist nicht kalt." Bald gehen die Freunde wieder aus dem Wasser _aus, ziehen sich an und fahren zu einem kleinen Wald _über. Dort setzen sie sich __, und Kurt holt Butterbrote und Äpfel aus seiner Tasche _aus. Klaus sagt: „Gib __, ich habe großen Hunger!" Am Abend fahren die beiden hintereinander __ in die Stadt zurück.

Sie sehen einen Freund, der aus einem Geschäft _aus kommt. Sie rufen über die Straße _über: „Karl! Karl! Komm _über!" Karl geht _über und spricht mit seinem Freund. Dann verabschieden sich alle. Klaus fährt die Straße _unter. Kurt bringt sein Rad in den Keller _unter und geht dann in die Wohnung seiner Eltern _auf. Er klingelt. Da ruft seine Mutter: „Komm nur _ein, die Tür ist offen!"

---

* In der gesprochenen Sprache wird *herauf, herein, herunter, herüber* meist zu *rauf, rein, runter, rüber.* Es gibt für *hinauf* usw. auch die entsprechenden Formen *nauf, nein, nunter, nüber*, doch werden die Formen *rauf* usw. auch für *hinauf* usw. verwendet.

Der Satz (II)

Attribute – Erweiterung von Satzgliedern

Das	Haus		
das	alte Haus	–	das verkaufte Haus
dieses	Haus dort rechts	–	in der Gartenstraße
das	Haus meines Vaters		
sein	Haus		
ein	Haus zum Wohnen	–	die Lust zu leben
ein	Haus für mich	–	auf Rädern
ein	Haus, das mir gefällt	–	dessen Besitzer ich kenne

Die verschiedenen Formen der Attribute **bestimmen** ein Nomen genauer. Das Nomen mit seinen Attributen ist **ein** Satzglied.

Die Wörterbücher

Wenn Sie einen Text in Ihrer Muttersprache oder in einer Fremdsprache lesen, finden Sie manchmal Wörter, die Sie nicht verstehen oder deren Bedeutung Ihnen nicht ganz klar ist. In diesem Fall schlagen Sie das Wort in einem Wörterbuch nach.

Ein Wörterbuch ist ein Verzeichnis, in dem man den Wortschatz einer Sprache in alphabetischer Ordnung findet. Die Wörter werden darin entweder in eine andere Sprache übersetzt, dann ist es ein zweisprachiges Wörterbuch, oder sie werden durch andere Wörter der gleichen Sprache erklärt, dann ist es ein einsprachiges Wörterbuch.

Ein zweisprachiges Wörterbuch zu benutzen, macht keine großen Schwierigkeiten, denn Sie finden die Übersetzung des Wortes, dessen Bedeutung Sie suchen, neben dem Stichwort. Diese Wörterbücher sind aber nicht immer sehr zuverlässig. Das ist jedoch kein Fehler der Verfasser. Der Grund liegt vielmehr darin, daß zwei verschiedene Sprachen für einen Gegenstand oder Begriff häufig mehrere Wörter benutzen, deren Bedeutung nicht genau gleich ist. Diese verschiedenen Wörter für einen Gegenstand oder Begriff nennt man Synonyme. Wenn Sie einmal bei einem Stichwort nachschlagen, werden Sie überrascht sein, hinter dem Stichwort Übersetzungen in Ihrer Sprache zu finden, die verschiedene

Bedeutungen haben. Jetzt ist es schwierig, die richtige Übersetzung zu finden. Dazu brauchen Sie nicht nur gute Kenntnisse in der Fremdsprache, sondern auch in Ihrer Muttersprache.

Schwieriger ist die Benutzung eines einsprachigen Wörterbuchs. Hier müssen Sie die Sprache schon gut beherrschen, wenn Sie die feinen Unterschiede der gleichartigen Wörter verstehen wollen, mit denen ein Stichwort erklärt ist. Am besten ist es, wenn Sie noch die Bedeutungen der Wörter nachprüfen, mit denen das Stichwort erklärt wird.

---

die Bedeutung	= der Sinn, den ein Wort hat
die Fremdsprache	= die Sprache, die ein anderes Volk spricht
die Muttersprache	= die Sprache, die man von der Mutter zuerst gelernt hat
das Stichwort	= das Wort, das erklärt wird
	das Wort, das in einer Unterhaltung besonders wichtig ist
das Synonym	= ein Wort, das eine gleiche oder ähnliche Bedeutung wie ein anderes Wort hat
der Verfasser	= die Person, die ein Buch (einen Aufsatz) geschrieben hat

---

Aus einem Wörterbuch

bedeut|en V (–ete, –et) mit Akk., versinnbildlichen, darstellen; andeuten (das bedeutet etwas!), gelten (viel, wenig ~); zu verstehen geben; erklären; b|*end*, Part. = gewichtig (~es Buch); wesentlich (~es Gesetz), vielsagend (~er Vortrag), groß (~es Bauwerk); B|*ung* f (~en) Sinn (~ eines Wortes); Gehalt (~ eines Kunstwerks); Wert, Rang (ein Mann von ~); B|*ungsfeld* n (~(e)s; ~er) alle sinnverwandten Wörter; b|*ungslos*, Adj. unwichtig

fremd Adj. nicht einheimisch, ausländisch (~e Sitten, ~e Länder); unbekannt (etw. mutet mich ~ an); ungewohnt, zurückhaltend (~ tun); einem andern angehörend (ein ~es Unternehmen); in ~e Hände kommen; unter ~em Namen reisen; f|*artig* Adj., ungewohnt; F|*e*[1] m (~n; ~n) Auswärtiger, Ausländer; F|*e*[2] f (~n) unbekanntes Land, Ausland; F|*enbuch*, n (~(e)s; –bücher) Gästebuch; F|*sprache*, f (~en) nicht die Muttersprache; f|*sprachig* Adj. eine Fremdsprache redend; f|*sprachlich*, Adj. auf Fremdsprachen bezüglich (~er Unterricht)

Macht es den Dieben doch nicht so leicht!

Niemand käme auf den Gedanken, eine Brieftasche mit mehreren tausend Mark einfach auf die Straße zu legen. Das täte kein Mensch, und wenn er noch soviel Vertrauen in die Ehrlichkeit der Menschen hätte. Und doch sind viele Autofahrer so leichtsinnig, ihren Wagen offen auf der Straße stehen zu lassen. Würden Sie glauben, daß bei einer Kontrolle von 500 Wagen 300 nicht verschlossen waren? Bei über 50 steckte der Zündschlüssel, und bei vielen lagen die Autopapiere im Handschuhfach.

Viele Autofahrer verhalten sich auch so, als ob ein verschlossenes Auto ein Panzerschrank wäre. Sie lassen Fotoapparate, Radios und Gepäck sorglos auf den Sitzen liegen. Eine Autofahrerin mußte feststellen, daß ihr kleines Köfferchen mit Schmuck im Wert von über 10 000 Mark nicht mehr auf dem Sitz lag, als sie nach stundenlanger Abwesenheit zu ihrem Wagen zurückkam. Wenn sie es wenigstens in den Kofferraum eingeschlossen hätte! Dann wäre es niemandem aufgefallen.

Immer wieder hört man, daß Reisenden am Bahnhof das Gepäck gestohlen wurde. Hätte das denn passieren können, wenn sie selbst darauf aufgepaßt hätten? Vielleicht haben sie auch fremde Leute gebeten aufzupassen, weil sie noch etwas besorgen wollten. Wozu gibt es denn in allen Bahnhöfen Schließfächer oder die Gepäckaufbewahrung, wo man seine Koffer sicher abstellen kann?

Es müßte eigentlich selbstverständlich sein, daß man Türen und Fenster schließt, wenn man das Haus verläßt, vor allem wenn man im Erdgeschoß wohnt. Die Kontrollbeamten einer Schweizer Versicherungsgesellschaft fanden eine fast unglaublich große Zahl von Haus- und Wohnungstüren, die während der Abwesenheit der Wohnungsinhaber nicht verschlossen waren, und zahllose offene Fenster, die direkt zum Einsteigen einluden.

Wir haben eben Vertrauen zu den Menschen, und uns ist noch nie etwas passiert, so sagen dann viele und überlegen gar nicht, wie leichtsinnig sie gewesen sind. Wären sie nicht sorglos gewesen, dann hätten sie den Dieben keine Gelegenheit gegeben, solche Situationen auszunützen, und vielleicht wäre dann mancher Diebstahl nicht geschehen.

Was würden Sie tun, wenn Sie das neue Jahr regieren könnten?

Ich würde vor Aufregung wahrscheinlich
die ersten Nächte schlaflos verbringen
und darauf tagelang ängstlich und kleinlich
ganz dumme, selbstsüchtige Pläne schwingen.

Dann (hoffentlich) aber laut lachen
und endlich den Lieben Gott abends leise
bitten, doch wieder nach seiner Weise
das neue Jahr göttlich selber zu machen.

Joachim Ringelnatz

Pläne *schwingen* = Pläne machen
jemand *kommt auf den Gedanken,* etwas zu tun = er hat zufällig den Gedanken

das Fach :   das Handschuh*fach* im Auto, das Schließ*fach* im Bahnhof

das Gepäck – die Gepäckstücke – ein Gepäckstück
der Schmuck – die Schmuckstücke – ein Schmuckstück

aufpassen :   Bitte *passen Sie auf* meinen Koffer *auf!* (daß er nicht gestohlen wird)
               Bitte, *passen Sie auf* das Kind *auf!* (daß es nichts Dummes macht)
               Bitte, *passen Sie auf!* (Seien Sie aufmerksam, hören Sie zu!)

–lang :   Nach *stundenlanger* Abwesenheit kam sie zurück.
               Er macht *tagelang* Pläne.
               In *jahrelanger* Arbeit hat er das gemacht.

die Angst – ängstlich   Gott – göttlich   klein – kleinlich

Die Bildung des Konjunktivs

Konjunktiv I		Konjunktiv II		Endungen
schwach	*stark*	*schwach*	*stark*	
(*wir sag–en*)	(*wir fahr–en*)	(*wir sagt–en*)	(*wir fuhr–en*)	
ich sag–e	fahr–e	ich sagt–e	fü̈hr–e	–e
du sag–est	fahr–est	du sagt–est	fü̈hr–est	–est
er sag–e	fahr–e	er sagt–e	fü̈hr–e	–e
wir sag–en	fahr–en	wir sagt–en	fü̈hr–en	–en
ihr sag–et	fahr–et	ihr sagt–et	fü̈hr–et	–et
sie sag–en	fahr–en	sie sagt–en	fü̈hr–en	–en

1. Beim Konjunktiv unterscheidet man zwei Formen, **Konjunktiv I und Konjunktiv II**. Die **Endungen** sind bei beiden Formen **gleich**.

2. Der **Konjunktiv I** wird **vom Präsens** (1. Person Plural) abgeleitet; die starken Verben ändern also den Vokal nicht: er fährt – er fahre,
Der Konjunktiv von **„sein"**: ich sei, du seist, er sei – wir seien, ihr seiet sie seien.

3. Der **Konjunktiv II** wird **vom Präteritum** abgeleitet. Die starken Verben **mit den Vokalen a, o und u** haben Umlaut: wir gaben – gäben; wir flogen – flögen; wir wurden – würden.*

4. Nur die konjugierten Verbformen bilden den Konjunktiv.

Hilfsverb + Partizip Perfekt:
Konj. I: er *habe* ... geschrieben (Vgl. Perfekt: er hat ... geschrieben)
          er *sei* ... gekommen (Vgl. Perfekt: er ist ... gekommen)
Konj. II: er *hätte* ... geschrieben (Vgl. Plusquamperfekt: er hatte ... geschrieben)
        er *wäre* ... gekommen (Vgl. Plusquamperfekt: er war ... gekommen)

Hilfsverb + Infinitiv:
Konj. I: er *werde* ... kommen (Vgl. Futur: er wird ... kommen)
Konj. II: er *würde* ... kommen

Manche Konjunktivformen unterscheiden sich nicht vom Präsens bzw.**
Präteritum:
Konjunktiv I: im Singular die 1. Person: ich sage
        im Plural die 1. und 3. Person: wir sagen, sie sagen
Konjunktiv II: Bei schwachen Verben ist Präteritum und Konjunktiv II gleich. Bei starken Verben, die keinen Umlaut haben, sind die 1. und 3. Person Plural wie die Präteritumform: wir blieben, sie blieben.

---

* Einige Verben bilden den Konjunktiv II unregelmäßig; diese Formen sind auch in der Schriftsprache selten: der Konjunktiv II wird hier meist mit „würde" + Infinitiv gebildet:

Imperf.	*– Konj. II*	*Imperf.*	*– Konj. II*
wir kannten	– kennten	wir starben	– stürben
wir nannten	– nennten	wir halfen	– hülfen
wir sandten	– sendeten	wir warfen	– würfen
		wir standen	– stünden

** bzw. = beziehungsweise

Der Gebrauch des Konjunktivs (1. Teil)
Der Konjunktiv als Ausdruck der Nicht-Wirklichkeit (Irrealität)

Wirklichkeit	*Nichtwirklichkeit*
1. Aussagesatz:	
Er *bleibt* lange hier.	Ich *bliebe* nicht so lange hier.
Er *blieb* lange hier.	Ich *wäre* nicht so lange hier *geblieben*.
Er *kauft* diesen Anzug.	Ich *würde* diesen Anzug nicht *kaufen*.
Er *kaufte* diesen Anzug.	Ich *hätte* diesen Anzug nicht *gekauft*.
2. Wunschsatz:	
Er *kommt* heute nicht (ich wünsche es aber).	Wenn er *doch* heute *käme*!
	Käme er *doch* heute!
Er *kam* nicht rechtzeitig (ich hatte es aber gewünscht).	*Wäre* er *nur* rechtzeitig *gekommen*!
3. Bedingungssätze:	
Wenn ich nach München *komme*, *besuche* ich Sie. (Ich komme aber nicht.)	*Wenn* ich nach München *käme*, *besuchte* ich Sie.
Ich *besuche* Sie, wenn ich nach München *komme*.	Ich würde Sie *besuchen*, wenn ich nach München *käme*.
Wenn ich Sie *besuche*, *bringe* ich das Buch *mit*. (Ich besuche Sie aber nicht.)	Wenn ich Sie *besuchte*, *brächte* ich das Buch *mit*.
Als ich Sie *besuchte*, *brachte* ich das Buch *mit*.	*Wenn* ich Sie *besucht hätte*, *hätte* ich das Buch *mitgebracht*.
	Hätte ich Sie *besucht*, (so) *hätte* ich das Buch *mitgebracht*.
4. Vergleichssatz:	
Er spricht Deutsch *wie ein Deutscher*.	Er spricht Deutsch, *als ob* (*als wenn*) er ein Deutscher *wäre*.
	Er spricht Deutsch, *als wäre* er ein Deutscher.

Gegenwart:	**Hauptverb oder Modalverb im Konjunktiv II** (er käme; er müßte ...... kommen; er würde ...... kaufen)
Vergangenheit:	**Hilfsverb im Konjunktiv II (+ Part. Perf. oder Infinitiv des Modalverbs)** (er wäre ...... gekommen; er hätte ...... kommen müssen)

Zukunft :	**Hauptverb oder Modalverb im Konjunktiv II**
	(er käme morgen; er müßte morgen kommen)
	Hilfsverb im Konjunktiv II (+ **Infinitiv**)
	(er würde ...... kaufen)

a) **Der Konjunktiv muß erkennbar sein.** Formen, die mit dem Präteritum gleich lauten (vgl. Seite 165), können mit „würde" umschrieben werden (z. B. wenn es sich um das 1. Verb im Satz handelt; s. 3).

b) **Der irreale Wunsch-, Bedingungs- und Vergleichssatz kann auch ohne „wenn" gebildet werden;** das Verb tritt dann an den Satzanfang.*

c) **Im irrealen Wunschsatz wird „doch" oder „nur" eingeschoben. Der irreale Vergleichssatz wird mit „als ob" oder „als wenn" eingeleitet.**

d) Die **Vergangenheit** wird mit den Hilfsverben „haben" oder „sein" und dem Partizip Perfekt gebildet.

Übung 1:

Beispiel 1 : Peter geht langsam. — Peter geht langsam.
        Ich ginge nicht so langsam. — *Ich ginge schneller.*

1. Herr Braun geht früh zu Bett. **2.** Der Beamte kommt pünktlich. **3.** Er gibt seinem Sohn viel Geld. **4.** Er schläft morgens sehr lange. **5.** Er weiß das genau. **6.** Gisela bleibt nicht lange im Café. **7.** Peter tut das gern. **8.** Herr Schmidt ist sehr ungeduldig. **9.** Er hat viel Zeit. **10.** Er bringt seiner Frau teure Blumen mit. **11.** Er bittet sie, ihm zu helfen. **12.** Es scheint ihm sicher, daß er das Geld bekommt.

Beispiel 2 : Herr Meier kauft sich diesen Anzug.
        Ich würde mir diesen Anzug nicht kaufen. (. . . *auch kaufen.*)

        Herr Meier kauft sich diesen Anzug nicht.
        Ich würde mir diesen Anzug kaufen. (. . . *auch nicht kaufen.*)

1. Wer legt eine Brieftasche mit tausend Mark auf die Straße? **2.** Seine Autopapiere liegen immer im Handschuhfach. **3.** Die Haustür meines Freundes steht auch nachts offen. **4.** Peter lädt Gisela ins Kino ein. **5.** Fritz trinkt helles Bier. **6.** Er ißt immer in diesem teuren Gasthaus. **7.** Der Autofahrer beachtet das rote Licht nicht und biegt rechts ab. **8.** Fritz braucht nur ein kleines Zimmer. **9.** Die Einwohner von Glockstadt glauben an das Wunder. **10.** Sie schreiben den Fremden Briefe und schicken ihnen Geld. **11.** Meine Freunde fahren an die See. **12.** Sie machen in jedem Sommer die gleiche Reise.

---

* Vgl. S. 105

Beispiel 3: Peter ging langsam.   Peter ist langsam gegangen.
        Ich wäre nicht so langsam gegangen.

1. Frau Meier ging oft ins Theater. **2.** Der Lehrer kam spät in den Unterricht.
3. Der Schutzmann gab dem Fremden geduldig Auskunft. **4.** Er schlief beim
Fernsehen ein. **5.** Er wußte Namen und Adresse des Arztes genau. **6.** Gisela
blieb lange vor dem Geschäft stehen. **7.** Mein Freund fand die Gartenstraße
sofort. **8.** Der Wirt dachte bei der Zeichnung an einen Regenschirm. **9.** Der
Dieb leugnete lange seine Tat. **10.** Die Polizei fand den Dieb sehr schnell.
11. Die Polizei konnte den Dieb sehr schnell finden. **12.** Erika mußte die Aufgabe dreimal machen. **13.** Der Franzose sprang sehr weit und kam auf den
ersten Platz. **14.** Der Mann rannte eilig um die Ecke und stieß mit dem Kaufmann zusammen. **15.** Die Mutter ging mit Erika in die Stadt und kaufte ihr ein
Kleid. **16.** Herr Bergmeier hat Richard die Zeitung sofort geschickt. **17.** Die
Dame hat den Koffer auf dem Sitz liegen lassen. **18.** Sie hat ihren Wagen stun-
denlang auf dieser dunklen Straße stehen lassen. **19.** Der Student hat nicht
auf sein Gepäck aufgepaßt. **20.** Sein Gepäck ist gestohlen worden.

116 **Übung 2:** *Bilden Sie Wunschsätze!*

Beispiel: Er kommt nicht. – *Wenn er doch käme!*
                    Käme er doch!

1. Mein Vater ist nicht gesund. **2.** Wir haben keine Zeit. **3.** Ich habe mein
Buch vergessen. **4.** Er wartet nicht auf mich. **5.** Es ist schon sehr spät. **6.** Du
warst gestern nicht bei uns. **7.** Sie hat mich nicht gefragt. **8.** Er hat kein
Geld und kann die Reise nicht machen. **9.** Der Kellner bringt das Essen nicht.
10. Die Zeit vergeht zu langsam. **11.** Der Weg ist sehr weit. **12.** Das Wetter
war immer sehr schlecht. **13.** Ich habe wenig Geld. **14.** Ich habe das vorher
nicht gewußt. **15.** Ich habe die Verkehrszeichen nicht beachtet.

117 **Übung 3:** *Bilden Sie Sätze nach folgendem Beispiel!*
            Heute regnet es. Er bleibt zu Haus.
            Wenn es heute nicht regnete, bliebe er nicht zu Haus.

1. Ich habe das Geld nicht. Ich kann es dir nicht geben. **2.** Karl ist zu Haus.
Seine Wohnungstür ist offen. **3.** Das Wetter ist schön. Wir gehen spazieren.
4. Der Fußgänger ist nicht vorsichtig gewesen. Er ist überfahren worden. **5.** Ich
bin nicht reich. Ich mache keine Weltreise. **6.** Das Auto war teuer. Herr
Müller hat es nicht gekauft. **7.** Ich habe deinen Onkel nicht gekannt. Ich
habe ihn nicht besucht. **8.** Sie lesen keine Zeitungen. Sie sind über die Politik nicht informiert. **9.** Ich habe meinen Schlüssel vergessen. Wir können

nicht ins Haus gehen. **10**. Ich habe den Direktor nicht erkannt. Ich habe ihn nicht gegrüßt. **11**. Ich habe nicht auf meinen Koffer aufgepaßt. Er ist mir gestohlen worden. **12**. Peter hat sein Fenster offen gelassen. Der Dieb ist eingestiegen.

Übung 4: *Bilden Sie Vergleichssätze mit „als ob", „als wenn" und „als"!* 118

1. Der Student spricht wie ein Professor. **2**. Er redet zu mir wie zu einem Freund. **3**. Das Brot ist steinhart. **4**. Der Ring sieht aus wie Gold. **5**. Der Arbeiter arbeitete wie eine Maschine. **6**. Heute ist ein Wetter wie im Sommer. **7**. Frau Braun kümmert sich um mich wie eine Mutter. **8**. Ich bin hier so zufrieden wie zu Haus. **9**. Ich schlafe auf der Couch wie in einem Bett. **10**. Meine Freunde spielen so gut Theater wie richtige Schauspieler.

Übung 5: *Sagen Sie, was Sie tun würden!* 119

1. Wenn Sie viel Geld hätten? **2**. Wenn Sie sich etwas wünschen dürften? **3**. Wenn das Wetter heute schön wäre? **4**. Wenn es kein Fernsehen gäbe? **5**. Wenn Sie Ihr Geld verloren hätten? **6**. Wenn Sie morgen abreisen müßten? **7**. Wenn Sie ein Auto kaufen wollten? **8**. Wenn Sie Besuch bekämen?

Der Konjunktiv als Ausdruck der Möglichkeit

1. Das Buch *könnte* im Bücherschrank stehen. – Es *müßte* selbstverständlich sein, daß man sein Auto abschließt. – Er *dürfte* 18 Jahre alt sein.

2. *Dürfte* ich Sie bitten, das Fenster zu schließen?

1. Der Konjunktiv II (besonders mit Modalverben) drückt aus, daß etwas **sein** oder **erwartet werden kann**.

2. Der Konjunktiv der Modalverben kann auch für eine **besonders höfliche Frage** gebraucht werden.

Übung: *Drücken Sie die Möglichkeit durch den Konjunktiv des Modalverbs aus!* 120

1. Der Zug kommt um 1 Uhr an; dann ist Fritz vielleicht schon um halb 2 Uhr bei uns. (*können*) **2**. Haben Sie das Buch vielleicht in die Mappe gesteckt? (*sollen*) **3**. Ist es möglich, daß Sie die Arbeit bis morgen machen? (*können*) **4**. Der Mann mit dem grauen Mantel ist wahrscheinlich der Autodieb gewesen. (*können*) **5**. Darf ich vielleicht Ihren Mantel an den Kleiderhaken hängen? **6**. Der alte Herr will doch sicher neben dem Ofen sitzen. (*mögen*) **7**. Vielleicht kann uns die Polizei Auskunft geben. **8**. Die Frauen werden sich wahrscheinlich in einigen Jahren doch mehr für die Politik interessieren. (*dürfen*) **9**. Es ist doch sicher bekannt, daß man in Deutschland rechts fahren muß. (*sollen*) **10**. Es ist vielleicht gut, wenn man in jeder Nacht acht Stunden schläft. (*sollen*) **11**. Es ist möglich, daß man in kurzer Zeit eine fremde Sprache lernen kann. (*sollen*)

Zur Wortbildung (I)

Adjektive

un-	Was nicht möglich ist, ist *un*möglich. – Kennen Sie die Formen des bestimmten und des *un*bestimmten Artikels? (*Verneinung*)*
–ig	Er arbeitet sehr fleiß*ig* (= *mit großem Fleiß*); die hiesi*ge* Zeitung
–lich	Der Herr sprach sehr freund*lich* (= *wie ein Freund*).
–en, –ern	eine Uhr aus *Gold* = eine gold*ene* Uhr; ein Kleid aus *Seide* = ein seid*enes* Kleid; ein Stuhl aus Holz = ein hölzer*ner* Stuhl; ein Ofen aus Eisen = ein eiser*ner* Ofen
–los	eine *tadellose* Landung (*ohne Tadel*) – ein *sorgloses* Kind – ein *hoffnungsloser* Fall
–bar	Alles, was man trinken kann, ist trink*bar*.

121 **Übung 1:** *Bilden Sie das Gegenteil folgender Adjektive mit der Vorsilbe „un–"!*

möglich, dankbar, verständlich, ehrlich, klug, frei, freundlich, gemütlich, höflich, zufrieden, natürlich, pünktlich, richtig, wirklich, sicher, ordentlich

122 **Übung 2:** *Bilden Sie Adjektive auf „–ig"!*

Berg, Ecke, Eile, Fleisch, Salz, Schmutz, Schuld, Zeit, G*un*st, Luft, N*ot*, Ruhe, Spaß, Zorn, Geduld, Vorsicht

Bilden Sie Adjektive auf „–los"!

die Sorge, der Tadel, die Hoffnung, der Zweifel, die Sprache, die Schuld

Bilden Sie Adjektive auf „–bar"!

erkennen, essen, trinken, lesen, sich vorstellen

---

* Mit der Vorsilbe „un–" werden auch Nomen gebildet: das Glück, das *Un*glück

Bilden Sie Adjektive auf „–lich"!

Herz, Schmerz, Freund, Ehre, Kind, Mann, Tag, Herr, Sache, Mensch, Staat, Haus, Kunst, Punkt, Heim, Wort, Nacht, Natur, Amt, Polizei, Ort, Herbst, Winter, Sommer, Angst, Land, Schrift, Mund, Gott

krank, lang, rund, schwach, süß, reich, alt, grün, weiß, rot, klein

Auf der Bank

Wenn Sie viel Geld haben, dann sollten Sie es nicht zu Hause im Schrank verstecken, sondern auf die Bank tragen. Vielleicht müßten Sie dann ein Gespräch mit dem Bankbeamten führen, das so ähnlich wäre wie das folgende:

Ein Kunde (K) *spricht mit einem Beamten* (B) *am Schalter.*

K: Kann ich bei Ihnen ein Konto eröffnen?

B: Gern. Was für ein Konto wünschen Sie, ein Sparkonto oder ein Girokonto?

K: Was für ein Unterschied ist zwischen einem Sparkonto und einem Girokonto? Ich verstehe nicht viel von diesen Dingen.

B: Wenn Sie ein Sparkonto eröffnen, dann erhalten Sie von uns ein Sparbuch, in das wir Ihre Einzahlungen bei uns und unsere Auszahlungen an Sie eintragen.

K: Kann ich von dem Sparkonto auch jederzeit wieder Geld abheben?

B: Natürlich, allerdings können Sie monatlich nicht mehr als tausend Mark abheben. Wenn Sie mehr Geld haben wollen, müssen Sie den Geldbetrag ein Vierteljahr vorher kündigen. Das ist auch der Fall, wenn Sie später einmal Ihr Konto bei uns wieder auflösen wollen.

K: Und das Girokonto?

B: Wenn Sie ein Girokonto eröffnen, können Sie jederzeit Geld einzahlen oder auf Ihr Konto überweisen lassen; Sie können auch über Ihr gesamtes Guthaben ohne Kündigung verfügen. Sie können ebenfalls Geld von Ihrem Konto auf ein anderes Konto überweisen lassen. Sie bekommen von uns auch ein Scheckbuch und können bargeldlos mit Schecks bezahlen.

K: Ich glaube, daß man bei einem Girokonto mehr Vorteile hat.

B: Das kann man nicht sagen. Es kommt darauf an, zu welchem Zweck Sie das Konto eröffnen wollen. Wenn Sie Geld sparen wollen, dann rate ich Ihnen zu einem Sparkonto. Auf Sparguthaben bekommen Sie 4% Zinsen. Wenn Sie aber oft Geldüberweisungen empfangen und Zahlungsaufträge geben, dann ist ein Girokonto günstiger. Allerdings geben wir dann weniger Zinsen.

K: Vielen Dank für Ihre freundliche Auskunft. Ich möchte lieber ein Girokonto eröffnen.

B: Gut, bitte füllen Sie diese Formulare aus! Dann bekommen Sie Ihre Kontonummer, und die Angelegenheit ist erledigt.

Meyer & Co.
Privatbank   **Tagesauszug**

Letzter Kontostand			Konto-Nr.	Wir haben heute auf Ihr Konto gebucht			Heutiger Kontostand		
Soll	DM	Haben		Datum Text	Belastung	Gutschrift	Soll	DM	Haben
		12 427,75	12743	14. 4. Auftrag	951,20				
				14. 4. bar		500,00			11 976,55

Eine Quiz-Frage

Bei einer Quiz-Veranstaltung fragte der Spielleiter einen Mann: „Was täten Sie, wenn Sie in einem Zirkus säßen und die beiden Löwen, die soeben ihre Dressurnummer beendet haben, aus dem Käfig ausgebrochen wären?"

Ohne Zögern antwortete der Mann: „Ich würde so vorsichtig wie möglich versuchen, in den Käfig zu gelangen und die Tür hinter mir zu schließen."

Die kluge Ehefrau

Als Herr Hofmann das Haus verlassen wollte, um den Frühzug zu erreichen, brachte ihm seine Frau einen Brief. „Vergiß nicht, diesen Brief einzuwerfen, bevor du ins Büro gehst, damit Tante Ida ihn morgen noch bekommt! Dieser Brief ist sehr wichtig!"

Aber Herr Hofmann vergaß den Brief doch. Als er in der Stadt aus dem Zug stieg und sich beeilte, um pünktlich ins Büro zu kommen, hatte er den Brief noch in der Tasche. Er wollte gerade den Bahnhof verlassen, da klopfte ihm ein Herr auf die Schulter. „Denken Sie an den Brief!" sagte der Unbekannte. Während Herr Hofmann zum nächsten Briefkasten ging, um den Brief einzuwerfen, rief schon wieder ein Fremder hinter ihm her: „Vergessen Sie nicht, Ihren Brief einzuwerfen!" Nachdem er den Brief eingeworfen hatte, verließ er rasch den Bahnhof. „Haben Sie schon an Ihren Brief gedacht?" rief ihm nach einigen Minuten eine freundliche Dame lächelnd nach. Herr Hofmann wunderte sich darüber, daß ihn alle Leute an den Brief erinnerten, und fragte die Dame: „Mein Gott, woher wissen denn alle Leute, daß ich einen Brief einwerfen soll? Ich habe ihn doch schon längst eingeworfen." Da lachte die Dame und sagte: „Dann kann ich Ihnen ja auch den Zettel abmachen, der an Ihrem Mantel steckt." – Auf dem Zettel war geschrieben: „Bitte sagen Sie meinem Mann, daß er einen Brief einwerfen soll!"

Fristlos entlassen!

Der Chef der großen Firma ging durch die Büroräume. An einem Tisch saß ein junger Mann und las die Zeitung.

Der Chef, der so etwas in seinem Betrieb nicht leiden konnte, ging auf den jungen Mann zu und sagte wütend: „Wie groß ist eigentlich Ihr Monatsgehalt?" Der junge Mann blickte etwas erstaunt von seiner Zeitung auf, sagte aber ganz ruhig: „Fünfhundertfünfzig Mark."

„Was, fünfhundertfünfzig Mark!" antwortete der Chef empört. „Obwohl das eine Menge Geld ist, gebe ich Ihnen ein Monatsgehalt, aber verschwinden Sie sofort und lassen sich in unserer Firma nicht wieder sehen!"

Der junge Mann machte ein noch erstaunteres Gesicht, nahm aber das Geld, bedankte sich und verschwand eilig.

„Wie können wir denn solche Leute beschäftigen", sagte der Chef böse zu seinem Buchhalter. „Wir haben jetzt Hochbetrieb, und trotzdem sitzt der Mann seelenruhig hier und liest die Zeitung! Nicht einmal wenn der Chef kommt, läßt er sich stören und geht an seine Arbeit!"

„Aber Herr Direktor!" sagte der Buchhalter, der erst jetzt zu Wort kam. „Dieser junge Mann ist doch gar nicht bei uns angestellt. Er hatte eine Rechnung bezahlt und wartete gerade auf die Quittung."

Nun mußte sich der Direktor auch noch bei der Firma des Boten entschuldigen.

-zeitig : Man soll nicht *vorzeitig* über eine Sache sprechen, d. i.: man soll nicht über eine Sache sprechen, bevor man genau über sie nachgedacht hat, also viel zu früh. – Er war *frühzeitig* am Bahnhof; der Zug fuhr um 8 Uhr, und er war schon um halb 8 am Bahnhof. – Er kam *rechtzeitig*. Er war um 7 Uhr eingeladen und kam kurz vorher. – Wir haben das Wort *gleichzeitig* gesagt; wir haben es zur gleichen Zeit gesagt. (Vgl. S. 154)

doch : Ich habe ihn gebeten, mir zu schreiben, und er hat es *doch* nicht getan. Frau Hofmann bittet ihn, den Brief einzuwerfen, aber er vergißt es *doch*. (Gegensatz) – Ihr geht *doch* mit ins Kino? Glauben Sie *doch* nicht, daß das wahr ist (höfliche Bitte).

sich wundern über etwas : Herr Hofmann *wunderte sich darüber*, daß alle Leute von dem Brief wußten.

---

damit – um . . . zu (Finalsätze)

1. **Ich** fahre mit dem Auto, *damit* **ich** pünktlich am Bahnhof *bin*. Ich fahre mit dem Auto, *um* pünktlich am Bahnhof *zu sein*.

2. **Die Mutter** schickt ihren Sohn in die Schule, damit **er** dort lernt.

3. Die Kinder gehen in die Schule; sie **wollen** lesen lernen.
   Die Kinder gehen in die Schule, damit sie lesen lernen.
                            , um lesen zu lernen.

> Der Nebensatz mit „damit" und „um + Infinitivsatz" bezeichnet einen **Zweck** oder eine **Absicht**.
> Man fragt danach mit „warum?", „weshalb?" oder „wozu?"
>
> 1. Wenn das **Subjekt im Hauptsatz und im Nebensatz gleich** ist, gebraucht man den **Infinitivsatz** mit „um".
>
> 2. Wenn die **Subjekte im Haupt- und im Nebensatz nicht gleich** sind, gebraucht man immer den **Nebensatz** mit „damit".
>
> 3. **Modalverben,** die einen Zweck oder eine Absicht ausdrücken (wollen, sollen, mögen), **fallen** im Nebensatz mit „damit" und im Infinitivsatz mit „um" **weg**.

Übung 1: *Bilden Sie Infinitivsätze mit „um . . . zu"!*   **123**

1. Ich bin nach Deutschland gekommen. Ich will Deutsch lernen. **2.** Der Kellner ging in die Küche. Er wollte mein Essen holen. **3.** Richard geht zu Herrn Müller. Er will ihm zum Geburtstag gratulieren. **4.** Herr Hofmann geht zum Briefkasten. Er will einen Brief einwerfen. **5.** Der junge Mann kommt in die Firma. Er will eine Rechnung bezahlen. **6.** Peter hat sich mit Inge verabredet. Er will mit ihr ins Kino gehen. **7.** Wir schalten den Fernsehapparat ein. Wir wollen das Fußballspiel sehen. **8.** Ich gehe morgen in die Stadt. Ich will mir Schuhe kaufen.

Übung 2: *Bilden Sie Sätze mit „um . . . zu" oder „damit"!*   **124**

1. Ich habe an meinen Vater geschrieben. Ich wollte ihn nach der Adresse eines Freundes fragen. **2.** Ich habe meinem Vater geschrieben. Er soll mich nächste Woche besuchen. **3.** Ich stelle Sie morgen Herrn Müller vor. Er soll Sie einmal kennenlernen. **4.** Herr Robertson schreibt an Herrn Bergmeier. Er soll ihm ein Zimmer in Neustadt besorgen. **5.** Der Student geht auf das Einwohnermeldeamt. Er will sich dort anmelden. **6.** Der Kommandeur hat den General eingeladen. Der General soll den neuen Flugplatz besichtigen.

7. Der Wirt schickt seine Frau in die Küche. Sie soll für den Gast Kaffee holen.
8. Zieh deinen Mantel an! Du sollst dich nicht erkälten. **9.** Herr Hofmann beeilte sich. Er wollte pünktlich ins Büro kommen. **10.** Frau Hofmann gab ihrem Mann einen Brief. Er sollte ihn einwerfen, bevor er ins Büro ging.

125 **Übung 3:** *Antworten Sie auf folgende Fragen!*

Beispiel: Warum schreibst Du an deinen Vater? (*Er soll dir Geld schicken*): damit er mir Geld schickt.
(*Du gratulierst ihm zum Geburtstag*): um ihm zum Geburtstag zu gratulieren.

1. Warum fährt er so schnell? (*Er will pünktlich im Büro sein.*) **2.** Warum zieht er heute einen Mantel an? (*Er will sich nicht erkälten.*) **3.** Warum geht sie jetzt zu Gisela? (*Sie will ihr ein Buch zurückgeben.*) **4.** Warum schicken die Eltern ihre Kinder in die Schule? (*Sie sollen lesen und schreiben lernen.*) **5.** Warum geht er in das Geschäft? (*Er will sich einen neuen Anzug kaufen.*) **6.** Warum arbeitet dieser Mann Tag und Nacht? (*Seine Familie soll genug zum Essen haben.*) **7.** Weshalb schickst du deinen Eltern Geld? (*Die Eltern sollen keine Sorgen haben.*) **8.** Warum heizen wir das Zimmer? (*Es soll warm werden.*) **9.** Warum trägst du das Geld auf die Bank? (*Es soll Zinsen bringen.*)

bevor – während – nachdem (**Temporalsätze**)

Vor der Reise kaufe ich eine Fahrkarte.	*Bevor ich eine Reise mache*, kaufe ich eine Fahrkarte.
Während der Fahrt lese ich ein Buch.	*Während ich im Zug fahre*, lese ich ein Buch.
Nach meiner Ankunft gehe ich ins Hotel.	*Nachdem ich angekommen bin*, gehe ich ins Hotel.

1. Die Handlung im Nebensatz mit „**bevor**" liegt zeitlich **nach** der Handlung im Hauptsatz (vgl. die Präposition **vor**).
   Zuerst (vorher) kaufe ich eine Fahrkarte. **Dann** mache ich die Reise.

2. Die Handlung im Nebensatz mit „**während**" liegt **in der gleichen Zeit** wie die Handlung im Hauptsatz (vgl. die Präposition **während**).

3. Die Handlung im Nebensatz mit „**nachdem**" liegt zeitlich **vor** der Handlung im Hauptsatz (vgl. die Präposition **nach**).
   Zuerst komme ich an. **Dann (nachher, danach)** gehe ich ins Hotel.

Beachten Sie die **Zeitformen** nach der Konjunktion „nachdem":

Nebensatz	*Hauptsatz*
Perfekt	*Präsens oder Futur*
Nachdem er *angekommen ist,*	*geht* er ins Hotel.
Plusquamperfekt	*Perfekt oder Präteritum*
Nachdem er *angekommen war,*	*ging* er ins Hotel.
	ist er ins Hotel *gegangen.*

Übung: *Bilden Sie Nebensätze mit „bevor", „während" oder „nachdem"!*   126

1. Ich schreibe einen Brief. Dann bringe ich ihn zur Post. **2.** Man überquert eine Straße. Vorher muß man zuerst nach links, dann nach rechts schauen. **3.** Frau Berger arbeitet in der Küche, und Herr Berger liest die Zeitung. **4.** Das Orchester spielt. Die Zuhörer schweigen. **5.** Ich kam in München an. Dann besuchte ich meine Freunde. **6.** Der Ausländer studiert an einer deutschen Universität. Vorher lernt er gut Deutsch. **7.** Der kranke Vater schläft. Die Kinder müssen ruhig sein. **8.** Ich war auf einer Reise. Aus meiner Wohnung wurde Geld gestohlen. **9.** Der Zug hält. Vorher darf die Wagentür nicht geöffnet werden. **10.** Du machst deine Arbeit. Danach gehen wir ins Kino. **11.** Ich kann eine Reise machen. Vorher muß ich meine Koffer packen. **12.** Die Freunde saßen bei einem Glas Wein und sprachen von ihrer Schulzeit.

obwohl – trotzdem (**Konzessivsätze**)

1. Der junge Mann verdient gut. (man denkt, er arbeitet auch gut.) aber:
   Trotz des guten Verdienstes arbeitet der junge Mann wenig.
   Der junge Mann arbeitet wenig, *obwohl er gut verdient.*
   Der junge Mann verdient gut; *trotzdem arbeitet er wenig.*

2. *Obwohl wir sehr müde waren,* mußten wir die Arbeit noch fertig machen.
   Es geht uns nicht schlecht, *obwohl wir wenig Geld haben.*

3. Wir waren sehr müde. *Trotzdem wollten wir die Arbeit noch fertig machen.*
   Wir haben wenig Geld. *Trotzdem geht es uns nicht schlecht.*

1. Sätze mit „obwohl" oder „trotzdem" sagen etwas, was man eigentlich **nicht erwartet** hat.

2. Nach **„obwohl"** steht immer ein **Nebensatz.** Er kann *vor* oder *nach* dem Hauptsatz stehen.

3. Nach **„trotzdem"** steht ein **Hauptsatz.** Der Hauptsatz mit „trotzdem" steht immer an 2. Stelle.

127 **Übung 1:** *Bilden Sie Nebensätze mit „obwohl"!*

1. Dieser Mann ist sehr reich; trotzdem ist er nicht glücklich. **2**. Ich habe nur wenig Geld, aber ich bin doch zufrieden. **3**. Der Schüler hat viel gearbeitet; trotzdem konnte er die Prüfung nicht bestehen. **4**. Du hast mir versprochen, pünktlich zu sein, aber du bist doch zu spät gekommen. **5**. Er wußte, daß das Auto nicht viel wert war; trotzdem hat er es gekauft. **6**. Mein Bruder hat sich warm angezogen, und er hat sich doch erkältet. **7**. Die Reporter haben vier Stunden auf den Minister gewartet, trotzdem haben sie nichts von ihm erfahren. **8**. Die Aufgabe war sehr leicht; trotzdem wurden viele Fehler gemacht.

128 **Übung 2:** *Bilden Sie Sätze mit „trotzdem"!*

1. Obwohl mein Freund wenig Geld hat, kauft er viele Bücher. **2**. Obwohl der junge Mann 550 Mark verdient, sitzt er hier und liest die Zeitung. **3**. Herr Breuer raucht jeden Tag 25 Zigaretten, obwohl der Arzt ihm das Rauchen verboten hat. **4**. Obwohl das Wetter schlecht war, kam das Flugzeug pünktlich an. **5**. Obwohl ich meinen Onkel dringend gebeten habe, mir zu helfen, hat er auf meinen Brief nicht geantwortet. **6**. Obwohl die Polizei eine genaue Beschreibung des Diebes hatte, konnte sie ihn doch lange nicht finden. **7**. Das Zimmer ist recht teuer, obwohl es sehr klein ist. **8**. Mein Brief ist schnell angekommen, obwohl ich die Hausnummer von Fritz nicht geschrieben hatte. **9**. Die Leute regten sich auf, obwohl sie an das Wunderexperiment der Fremden nicht glaubten. **10**. Wir fahren in diesem Sommer an die See, obwohl das Wetter dort nicht immer gut sein soll.

Zur Wortbildung (II)

Vor- und Nachsilben der Nomen

Ge–	Alles, was man trinken kann, ist ein *Ge*tränk. Viele Berge, die in einem Gebiet liegen, sind ein *Ge*birge. (*kollektiv*, **fast immer neutral**): trinken – *das Ge*tränk, der Berg – *das Ge*birge
–er, –ler	Hier arbeiten viele Arbeit*er*, Herr Meier ist Lehr*er*. – Wer Sport treibt, ist ein Sport*ler*. (*Berufsbezeichnung*, **immer maskulin**): arbeiten – *der* Arbeit*er*, der Sport – *der* Sport*ler* Ich nehme den Telefonhör*er* und spreche.
	hören – der Hör*er* — halten – der Halt*er*
	kochen – der Koch*er* — stehen – der Ständ*er*

–in	Erika ist die Freund*in* meiner Tochter. Sie ist Lehrer*in* (Plural: *–innen*, **immer feminin**):
	der Freund – *die* Freund*in* der Lehrer – *die* Lehrer*in*
	der Kunde – *die* Kund*in* der Kellner – *die* Kellner*in*
–e	Die Wärm*e* ist mir lieber als die Kält*e* (*abstrakt, kein Plural*, **immer feminin**):
	warm – *die* Wärm*e* lieben – *die* Lieb*e*
–ei	Der Schneider arbeitet in der Schneider*ei*, der Bäcker in der Bäcker*ei* (*Ort, wo der Beruf ausgeübt wird, Plural: –eien*, **immer feminin**):
	der Schneider – *die* Schneider*ei* der Bäcker – *die* Bäcker*ei*
–ung	Er rechnete die Rechn*ung* richtig und bestand die Prüf*ung* (*Plural: –ungen*, **immer feminin**): rechnen – *die* Rechn*ung*
–heit, –keit	Er starb nach langer Krank*heit*. – Ich danke Ihnen für ihre Freundlich*keit* (*Plural: –en*, **immer feminin**); *–keit* steht nach *–bar, –lich, –ig*: krank – *die* Krank*heit* freundlich – *die* Freundlich*keit*
–chen, –lein	Das Kind*chen* ist noch klein. Ein junges Hünd*lein* (Diminutiv, Umlaut, **immer neutral**): – *der* Wald – *das* Wäld*chen* – *die* Bank – *das* Bänk*lein*

Übung 1: *Bilden Sie Personenbezeichnungen auf –er (–ler) und –erin (–lerin) von folgenden Wörtern!*   129

Fleisch, Fisch, Kunst, Tisch, besuchen, arbeiten, denken, fliegen, fahren, heizen, kaufen, laufen, lesen, packen, schreiben, spielen, tragen, schlafen, trinken, verkaufen, anfangen, absenden, besitzen, empfangen, finden, hören, sprechen, mieten, rauchen, vermieten, sparen, springen, richten

Übung 2: *Bilden Sie Nomen auf –e von folgenden Adjektiven!*

lang, hoch (!), warm, kalt, tief, gut, weit, dick, fern, fremd, groß, kurz, leer,   130
nah, naß, rot

Übung 3: *Bilden Sie mit folgenden Adjektiven Nomen auf –heit (–keit)!*   131

dankbar, ehrlich, krank, gesund, schön, klug, falsch, faul, fein, fremd, frei, freundlich, gemütlich, gründlich, herzlich, höflich, schwach, zufrieden, ein, viel, natürlich, pünktlich, richtig, wirklich, sicher, dunkel

Bilden Sie mit den folgenden Adjektiven Nomen auf –igkeit!

fest, genau, hell, leicht, schlecht, schnell, süß

132 **Übung 4:** *Wo arbeiten folgende Handwerker?*

Bäcker, Schneider, Tischler, Metzger, Fleischer, Schuhmacher

133 **Übung 5:** *Wie heißen die Verben, aus denen die folgenden Nomen gebildet wurden?*

Achtung, Erzählung, Rechnung, Heilung, Übung, Erkältung, Regierung, Landung, Begrüßung, Vorlesung, Einladung, Wanderung, Übernachtung, Verbindung, Bewegung, Benutzung, Empfehlung, Entschuldigung, Erklärung, Kreuzung, Öffnung, Anweisung, Sitzung, Unterbrechung, Änderung, Verbesserung, Verletzung, Heizung, Wiederholung, Entfernung, Sendung, Ausbildung, Entscheidung, Erholung, Vorbereitung

---

Die Wirtschaft in der Bundesrepublik

Der Wohlstand eines Landes hängt hauptsächlich von seiner Wirtschaft und von seinem Handel ab. Wenn ein Land eine gesunde Volkswirtschaft hat, hebt sich der Lebensstandard des Volkes.

Deutschland ist als Industrieland auf den Handel angewiesen, denn die Industrie braucht Rohstoffe, die eingeführt werden müssen, und einen Absatzmarkt für ihre Erzeugnisse, um wieder neue Rohstoffe einkaufen zu können.

Von den wichtigen Rohstoffen kommen Kohle und Eisen in Deutschland selbst vor. Im Ruhrgebiet befinden sich viele Bergwerke und Kohlengruben. Die Bergleute holen die Kohle und das Eisenerz aus der Erde, und Tausende von Arbeitern verarbeiten diese Rohstoffe in riesigen Industrieanlagen. Stahl wird produziert, und aus der Kohle werden neue Grundstoffe für die chemische Industrie gewonnen.

Die chemische Industrie erzeugt vor allem Medikamente, Anilinfarben, Kunststoffe und Kunstfasern. Die Maschinenfabriken stellen Maschinen aller Art her, von der kleinsten Rechenmaschine bis zum größten Computer. Sie bauen landwirtschaftliche Maschinen, Druckerpressen, Textilmaschinen und vieles andere. Die Stadt Solingen im Ruhrgebiet ist durch ihre Stahlwaren und Werkzeuge berühmt geworden. Nicht zuletzt sind in der Welt auch die vielen optischen Instrumente bekannt, die in der Bundesrepublik Deutschland hergestellt werden, besonders Fotoapparate, Ferngläser und Mikroskope. Die Glasindustrie liefert Glaswaren für den Haushalt und für wissenschaftliche Laboratorien.

Weitere wichtige Industrien sind die Porzellanindustrie, die Leder-
warenindustrie, die Textilindustrie und vor allem auch die Spielwaren-
industrie. Diese unterscheidet sich von den übrigen Industriezweigen
vor allem dadurch, daß ihre Erzeugnisse nicht in großen Fabriken, sondern meist in Heimarbeit hergestellt werden; d. h. die Arbeiter arbeiten
in ihren kleinen Werkstätten zu Haus.

Die Bundesrepublik führt ihre Erzeugnisse in alle Welt aus und kann
von den Ländern, die diese Erzeugnisse kaufen, wieder neue Rohstoffe
einkaufen. So sorgt ein dauernder Kreislauf der Waren dafür, daß freund-
schaftliche Handelsbeziehungen mit dem Ausland bestehenbleiben.

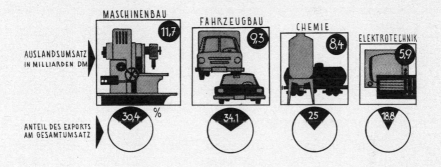

Der betrogene Betrüger

„Aus dem Gerichtssaal" heißt eine Spalte in der Provinzpresse oder im lokalen Teil größerer Tageszeitungen. Hier wird nicht von großen Prozessen berichtet, sondern von kleineren Streitfällen, von Konflikten, wie sie im täglichen Leben vorkommen.

In dieser Spalte konnte man vor einigen Jahren von dem Prozeß gegen eine alte Bäuerin lesen, die wegen Betrugs vor dem Richter stand. Wie aus der Anklageschrift hervorging, war sie von einem Bäckermeister angezeigt worden, dem sie angeblich längere Zeit hindurch täglich statt der bezahlten zwei Pfund Butter nur eindreiviertel Pfund geliefert hatte. Die alte Frau machte einen guten Eindruck, ihr schon etwas faltiges Gesicht war klar und freundlich. Der Richter hielt ihr die Anklage vor und fragte sie, was sie dazu zu sagen habe.

Ohne Verlegenheit erwiderte die Bäuerin, sie sei völlig unschuldig, denn sie habe die Butter, die sie dem Bäckermeister verkauft habe, immer genau abgewogen. Sie habe eine sehr schöne, fast ganz neue Waage.

„Haben Sie auch vorschriftsmäßige Gewichte?"

Die habe sie auch, sagte sie. Aber ihr jüngster Enkel habe sie beim Spielen verlegt oder vielleicht im Garten verloren. Jedenfalls habe sie sie nicht mehr wiederfinden können.

„Trotzdem behaupten Sie, die Butter immer sorgfältig abgewogen zu haben?"

„Ja, ganz sorgfältig, Herr Vorsitzender."

„Das müssen Sie dem Gericht aber einmal genau erklären. Wie haben Sie das gemacht?"

Ja, das sei so gewesen: sie habe ihr Brot schon seit langen Jahren vom Bäckermeister Weber gekauft . . .

„Bleiben Sie bei der Sache! Wir sprechen hier über Butter und nicht über Brot", sagte der Richter etwas ungeduldig.

„Aber verstehen Sie doch, Herr Vorsitzender", erwiderte die Bäuerin und ließ sich nicht aus der Ruhe bringen. Und sie erzählte, daß sie jeden Tag bei dem Bäcker, der ihr die Butter abnehme, zwei Pfund Schwarzbrot kaufe. Sie habe immer das zwei Pfund schwere Brot in die andere Waagschale gelegt. So habe das Gewicht der Butter ganz genau stimmen müssen, oder das Brot sei zu leicht gewesen.

Mit diesen Worten zog die Angeklagte als Beweis einen Laib Brot aus der Handtasche und gab ihn dem Richter. Schnell wurde eine Waage herbeigeholt und das Brot gewogen. Jetzt sahen alle Leute, daß das Brot 125 Gramm zu leicht war. Alle lachten, weil sich der Bäcker selbst betrogen hatte. Die Bäuerin wurde freigesprochen.

Sprichwörter

Wer nicht hören will, muß fühlen.
Wer zuerst kommt, mahlt zuerst.
Wer zuletzt lacht, lacht am besten.
Wer anderen ein Grube gräbt, fällt selbst hinein.
Wer nicht kommt* zur rechten Zeit, der muß nehmen, was übrigbleibt.
Es ist nicht alles Gold, was glänzt.
Was ich nicht weiß, macht mich nicht heiß.
Iß, was gar ist, trink, was klar ist, sprich, was wahr ist!
Wem nicht zu raten ist, dem ist nicht zu helfen.
Was dich nicht brennt, das blase nicht.
Was du heute kannst* besorgen, das verschiebe nicht auf morgen!

---

*Die Wortstellung im Nebensatz ist wegen des Reims verändert.

der Eindruck, ⸚e : das äußere Bild, das man von einer Person oder Sache hat;
  er macht einen guten Eindruck auf mich
faltig : mit Falten (*die Falte, ⸚n*)
eindreiviertel Pfund : 1¾ Pfund
wiegen, ⸚o ⸚o : das Gewicht messen; *abwiegen :* von einer größeren Menge einen
  Teil wiegen
vorschriftsmäßig : wie es *die Vorschrift* bestimmt
verlegen : eine Sache an einen Platz legen, den man später nicht mehr weiß
sorgfältig : mit Sorgfalt (*die Sorgfalt*) – *der Vorsitzende :* der Präsident
bei der Sache bleiben : nicht das Thema wechseln
sich nicht aus der Ruhe bringen lassen : ruhig bleiben
abnehmen : von jemandem etwas kaufen, abkaufen
stimmen : richtig sein – *das Wort, ⸚er :* das einzelne Wort – *das Wort, ⸚e :* der
  Ausspruch
mahlen : man mahlt Kaffee, der Müller mahlt Korn (*mahlen, mahlte, gemahlen*)
die Grube, ⸚n : tiefes Loch
es macht mich nicht heiß : es regt mich nicht auf, geht mich nichts an
gar : fertig gekocht
etwas besorgen : etwas tun

Der Gebrauch des Konjunktivs (2. Teil)

Die indirekte Rede

	Karl erzählt (erzählte) Hans:	Hans berichtet über dieses Gespräch:
1.	„Fritz *ist* heute nicht zu Haus.	Karl hat mir gesagt, daß Fritz heute nicht zu Haus *sei;* Fritz *sei* heute nicht zu Haus.
2.	Er *fährt* zu seinen Eltern, denn er *muß* mit seinem Vater sprechen.	Er *fahre* zu seinen Eltern, denn er *müsse* mit seinem Vater sprechen.
3.	Fritz *hatte* gestern noch Besuch und *ist* heute früh *abgefahren*, nachdem er seinen Eltern ein Telegramm *geschickt hatte*.	Fritz *habe* gestern noch Besuch *gehabt* und *sei* heute früh *abgefahren*, nachdem er seinen Eltern ein Telegramm *geschickt habe*.
	Wir *konnten* gestern nicht mehr zu *dir* kommen, denn Fritz *hat* seinen Kof-	Karl und Fritz *hätten* gestern nicht mehr zu *mir* kommen *können*, denn

fer noch zum Bahnhof bringen *wollen*.

Fritz *habe* seinen Koffer noch zum Bahnhof bringen *wollen*.

4. Nächste Woche *kommt* Fritz wieder; er *wird mir* sicher etwas Schönes mitbringen.
Er *muß mir* dann viel von den Eltern erzählen.

Nächste Woche *komme* Fritz wieder; er *werde ihm* (Karl) sicher etwas Schönes mitbringen.
Er (Fritz) *müsse ihm* (Karl) dann viel von den Eltern erzählen.

5. *Komm* doch unbedingt am nächsten Freitag zu *uns! Ruf* aber vorher *an*, wann *wir dich* erwarten *können!*"

Ich müsse unbedingt am nächsten Freitag zu *ihnen kommen. Ich solle* aber *anrufen*, wann *sie mich* erwarten *könnten.*

Jemand berichtet über eine Tatsache oder ein Geschehen, die er nicht selbst gesehen oder erlebt hat.

a) Er ist sicher, daß der Bericht richtig ist und gibt ihn weiter, als ob es **sein eigener Bericht** wäre. Das geschieht häufig bei der mündlichen Weitergabe von Berichten. Dann gebraucht man **nicht die Konjunktivformen.** Auch feststehende Tatsachen innerhalb des Berichts (z. B. *Karl ist der Bruder von Fritz. – Die Zugspitze ist der höchste Berg Deutschlands.*) stehen nicht im Konjunktiv.

b) Er gibt ihn **als fremden Bericht** weiter; er will ausdrücken, daß er den Bericht weder für unbedingt richtig noch für falsch hält. **Nur in diesem Fall gelten die folgenden Regeln.** Sie sind z. B. für Pressemeldungen besonders wichtig.

Die indirekte Rede steht im **Konjunktiv I.** Nur wenn Präsens und Konjunktiv I gleich sind, gebraucht man den Konjunktiv II.

Präsens		*Konjunktiv I*		*Konjunktiv II*	
ich komme	ich bin	ich komme	ich **sei**	ich **käme**	ich **wäre**
du kommst	du bist	du komm**est**	du **seiest**	du **kämst**	du **wärst**
er kommt	er ist	er **komme**	er **sei**	er **käme**	er **wäre**
wir kommen	wir sind	wir kommen	wir **seien**	wir **kämen**	wir **wären**
ihr kommt	ihr seid	ihr komm**et**	ihr **seiet**	ihr **kämt**	ihr **wäret**
sie kommen	sie sind	sie kommen	sie **seien**	sie **kämen**	sie **wären**

1. Die indirekte Rede kann **ein Hauptsatz oder ein Nebensatz** sein.		
2. Handlung in der	*Direkte Rede* Hauptverb oder Modalverb steht im	*Indirekte Rede* Im Konjunktiv I (oder II) stehen
a) *Gegenwart*	Präsens	Hauptverb oder Modalverb
b) *Vergangenheit*	Präteritum Perfekt Plusquamperfekt	Hilfsverb (+ Partizip Perfekt oder Infinitiv des Modalverbs)
c) *Zukunft*	Präsens Futur	Hauptverb oder Modalverb Hilfsverb (+ Infinitiv)
d)	*Imperativ*	sollen, müssen, mögen (+ Infinitiv)

3. Die *Pronomen* richten sich nach der Person, die berichtet:

Fritz sagt:	Hans berichtet:
„Er bringt *mir* etwas mit."	Er bringe *ihm* etwas mit.
„*Du* kommst zu *uns*."	*Ich* käme zu *ihnen*.
„Wann können *wir dich* erwarten?"	Wann *sie mich* erwarten könnten.

134 **Übung 1:** *Setzen Sie den folgenden Brief in die indirekte Rede mit und ohne „daß"!*

Robert Berger schrieb seinen Eltern: „Jetzt bin ich zwei Wochen in München. Ich habe mit meinem Freund Hans ein Zimmer bei Familie Krüger. Morgens kann ich mit dem Fahrrad zur Universität fahren. Der Weg, der durch einen Park führt, ist sehr schön. Hans kommt immer zu Fuß in die Universität. Die Vorlesungen sind sehr interessant, und ich kann fast alles verstehen, was die Professoren sagen. Nach den Vorlesungen gehen Hans und ich zusammen zum Essen in ein Gasthaus, das ganz in der Nähe liegt. Dort gibt es gutes und nicht zu teures Essen. Danach machen wir meistens einen kleinen Spaziergang. Aber leider ist die Mittagspause sehr kurz; denn die Vorlesungen fangen schon um 2 Uhr wieder an. Gestern abend war ich zu Haus, manchmal gehen wir aber auch ins Kino. Es gibt hier (!) auch billige Theatervorstellungen für Studenten. Einmal war ich schon in der Oper; es hat mir sehr gut gefallen. Besucht mich doch bitte einmal!"

135 **Übung 2:** *Setzen Sie die Zeitungsmeldungen der Abschnitte 14 und 19 in die indirekte Rede! Beginnen Sie mit den Worten:* Ein Reporter berichtet, . . .

Ergänzung zu den Relativsätzen (III)

1. *Wer* den ganzen Tag arbeitet, (*der*) ist abends sehr müde. – *Wen* wir lieben, *den* möchten wir nicht gern verlieren. – Billig kauft, *wer* bar bezahlt.

2. Er gab mir *alles, was* er hatte. – Ich vergesse *nichts, was* er mir gesagt hat. – Ich glaube nur *das, was* ich sehe. – *Was* ich gehört habe, freut mich sehr.

> In Relativsätzen können statt der Relativpronomen* die Pronomen „wer" (wen, wem, wessen) oder „was" gebraucht werden, wenn sich der Relativsatz **nicht auf eine bestimmte** Person oder Sache bezieht.
>
> 1. **„wer"** steht z. B. für „jeder, der", „alle, die", „ein Mensch, der" usw. Wenn der Relativsatz dem Hauptsatz folgt, steht kein Demonstrativpronomen („der", „die").
> *Wer bar zahlt*, (der) kauft billig. – Billig kauft, *wer bar zahlt*.
>
> 2. **„was"** bezieht sich auf unbestimmte Ausdrücke wie „alles, nichts, viel, etwas, wenig, eine Sache, die usw." oder auf das Demonstrativpronomen „das".

Übung 1: *Bilden Sie Relativsätze mit „wer" oder „was"!*   136

1. Eine Sache, die gut ist, ist nicht immer billig. **2.** Alle, die an einer Auslandsreise teilnehmen wollen, müssen einen Paß haben. **3.** Die Schüler, die ihre Arbeit gemacht haben, können nach Haus gehen. **4.** Ein Mensch, der über 21 Jahre alt ist, ist volljährig. Ein Mensch, der jünger ist, ist minderjährig. **5.** Eine Sache, die ich nicht genau weiß, darf ich nicht weitererzählen. **6.** Eine Sache, die schön ist, gefällt allen Leuten. **7.** Alle Dinge, die er sagt, sind immer richtig. **8.** Ich kann nicht alle Dinge glauben, die du mir erzählst. **9.** Jemand, der krank ist, muß im Bett bleiben. **10.** Alle, die in der Stadt wohnen, fahren in den Ferien gern aufs Land. **11.** Alle, die auf dem Land wohnen, kommen sonntags gern in die Stadt.

12. __ schwarz ist, ist nicht weiß.   **13.** __ nicht groß ist, __ ist klein.
__ kalt ist, ist nicht heiß.   __ nicht ja sagt, __ sagt nein.
__ klug ist, ist nicht dumm.   __ nicht langsam geht, geht schnell.
__ spricht, ist nicht stumm.   __ nicht dunkel ist, ist hell.

„sein" und „haben" mit dem Infinitiv mit „zu"

1. Die Schüler *haben* viel *zu lernen*. Ich *habe* in dieser Sache nichts mehr *zu sagen*.
2. Das Gesicht dieses Mannes *ist* nicht *zu vergessen*. Dieser Füller *ist* nicht *zu gebrauchen*.

---

* Vgl. S. 112 und 157.

haben ⎫ **mit dem Infinitiv** + „**zu**" drücken aus, daß etwas getan werden
sein ⎭ muß, kann oder soll.

1. „**haben**" hat hier **aktive** Bedeutung.
Die Schüler *müssen* viel lernen – Die Schüler *haben* viel *zu lernen*.

2. „**sein**" hat hier **passive** Bedeutung.
Man kann den Füller nicht gebrauchen.
Der Füller *kann* nicht *gebraucht werden*. Der Füller *ist* nicht *zu gebrauchen*.

137 Übung: *Bilden Sie Infinitivsätze mit „sein" oder „haben"!*

1. Man konnte die Schrift nicht lesen. **2.** Du mußt heute abend pünktlich um 9 Uhr zu Haus sein. **3.** Was kannst du darauf antworten? **4.** Der Richter sagte zum Angeklagten: „Auf meine Frage müssen Sie antworten." **5.** Während der Fahrt müssen die Wagentüren geschlossen bleiben. **6.** Das kann man nicht glauben. **7.** Diese Regel kann man leicht lernen. **8.** Man kann ihn nicht verstehen. **9.** Die Studenten müssen an der Universität viel lernen. **10.** Wir müssen heute noch viel arbeiten. **11.** Da kann man nichts machen. (*Präs., Präter., Perf.*) **12.** Die Antwort des Angeklagten konnte man nicht verstehen. **13.** Viele Sätze einer fremden Sprache kann man nicht wörtlich übersetzen. **14.** Wenn es dunkel ist, kann man nichts sehen. **15.** Jeder Mensch muß seine Pflicht tun. **16.** Man kann dieses Buch empfehlen.

Studium in Deutschland

Herr Hassan (H) *trifft seinen Deutschlehrer* (L):

H: Herr Braun, haben Sie jetzt Zeit für mich?

L: Aber sicher, was gibt's denn?

H: Heute hat mir mein Vater endlich erlaubt, in Deutschland zu studieren. Ich möchte recht bald fahren, in vier Wochen beginnt ja schon das Semester.

L: Aber halt, Herr Hassan, so schnell geht das doch nicht! Zuerst müssen Sie eine Zulassung haben. Vorher können Sie überhaupt nicht fahren. Was wollen Sie denn studieren?

H: Volkswirtschaft, das ist auch meinem Vater recht. Wo ich studieren soll, das weiß ich allerdings noch nicht.

L: In Deutschland sind alle Universitäten gleich; ich meine damit, daß ein Diplom von Berlin nicht mehr gilt als ein Diplom von München oder Freiburg. Und Volkswirtschaft kann man an jeder Universität studieren. Ja, wenn Sie Bergbau oder Forstwirtschaft studieren wollten, das wäre etwas anderes. Diese Studienfächer gibt es nicht überall.

H: Eigentlich möchte ich nicht so gern in eine Großstadt.

L: Ich würde Ihnen auch raten, an eine kleinere Universität zu gehen.

H: Aber da könnte ich doch gleich hinfahren? Wenn ich einmal da bin, dann wird man mich schon aufnehmen.

L: Nein, das wird man bestimmt nicht. Die Universitäten verlangen eine Zulassung, und wenn Sie sich heute um eine Zulassung bewerben, dann können Sie übermorgen noch keine Antwort erwarten. Vorher ist auch noch soviel zu überlegen, daß Sie gerade zum folgenden Semester recht kommen.

H: Wenn Sie meinen! Was habe ich denn alles noch zu machen?

L: Um in Deutschland studieren zu können, müssen Sie vier Voraussetzungen erfüllen: Sie müssen mindestens 18 Jahre alt sein.

H: Das ist kein Problem, ich werde im nächsten Monat 19.

L: Die zweite Voraussetzung erfüllen Sie auch: Ihr Vater gibt Ihnen das Geld zum Studium.

H: Ja, das hat er mir versprochen.

L: Dann brauchen Sie die Zulassung zur Universität. Dazu müssen Sie einen Brief an die Universität schreiben und auch die erforderlichen Papiere beilegen: einen Lebenslauf in deutscher Sprache, ein polizeiliches Führungszeugnis, ein Gesundheitsattest, zwei Lichtbilder und vor allem Ihr Zeugnis, das Sie zum Besuch einer hiesigen Universität berechtigt.

H: Ob man aber mein Zeugnis in Deutschland lesen kann?

L: Sie schicken eine Ablichtung – nicht das Original, denn das könnte unterwegs verloren gehen – und eine beglaubigte Übersetzung.

H: Gilt dieses Zeugnis denn auch für eine deutsche Universität?

L: Das wird die Universität entscheiden. Vielleicht wird man Ihnen die Zulassung nur unter der Bedingung geben, daß Sie ein Studienkolleg besuchen. Das ist eine gute Sache, die man eingeführt hat, um den Ausländern den Anfang des Studiums zu erleichtern. Sie sind dann schon an der Universität immatrikuliert, aber Sie werden ein Jahr lang nach einem besonderen Arbeitsplan in die Fächer eingeführt, die für Ihr Studium besonders wichtig sind. Wenn Sie das Studienkolleg mit Erfolg abschließen, dann können Sie die Fachvorlesungen belegen.

H: Sie haben von vier Voraussetzungen gesprochen, eine fehlt noch.

L: Ja, und zwar die allerwichtigste. Sie müssen die deutsche Sprache gut können. Schon dem Brief an die Universität müssen Sie ein Sprachzeugnis beilegen. Gut, daß Sie gerade die Grundstufe II bestanden haben! Aber dazu doch eine Frage: Glauben Sie, daß Sie genug Deutsch können, um die Vorlesungen zu verstehen?

H: Das ist wirklich eine wichtige Frage. Ich kann mir schon denken, daß die Professoren bei ihren Vorlesungen nicht an die ausländischen Studenten denken. Sie werden schnell sprechen und vielleicht auch nicht so deutlich, wie Sie im Unterricht.

L: Da haben Sie recht. Sie sehen, daß die Zeit, die Ihnen noch bleibt, gar nicht zu lang ist.

H: Was habe ich also jetzt zu tun? Bitte, helfen Sie mir!

L: Aber gern! Schreiben Sie Ihren Lebenslauf, besorgen Sie sich die Papiere, von denen ich gesprochen habe und überlegen Sie sich, an welche Universität Sie gehen wollen. Hier haben Sie ein kleines Buch, das der DAAD* über das Studium der Ausländer in Deutschland zusammengestellt hat. Sie finden da auch alle Universitäten aufgezählt. Kommen Sie in der nächsten Woche wieder, dann sehe ich mir alles an, und wir schreiben einen Brief an die Universität.

H: Und was kann ich für meine Deutschkenntnisse tun?

L: Sie können hier in einen Kurs gehen, aber Sie müssen mehr arbeiten und regelmäßiger kommen als bisher, oder Sie fahren so frühzeitig nach Deutschland, daß Sie dort noch einen Sprachkurs besuchen können. Im Land lernt man Sprachen am besten. Auch dazu müssen Sie sich aber sofort anmelden, sonst sind die Kurse besetzt.

H: Davon hat mein Vater auch schon gesprochen. Können wir das dann auch gleich machen?

L: Aber sicher, kommen Sie nur!

H: Sehr gern, und vielen herzlichen Dank für Ihre große Hilfe.

---

*Deutscher Akademischer Austauschdienst in Bad Godesberg.

Im Examen

In Berlin lebte ein berühmter Medizinprofessor, der bei seinen Studenten sehr gefürchtet war. Wenn er Vorsitzender in der nächsten Prüfungskommission werden sollte, dann war stets große Aufregung, denn er war dafür bekannt, daß er die schwierigsten Fragen stellte und oft einen Kandidaten durchfallen ließ, wenn dieser nicht die Antwort gab, die der Professor zu hören wünschte. Hatte aber ein Kandidat bei ihm eine Prüfung bestanden, dann brauchte er sich um seine Zukunft keine Sorgen zu machen, denn kein Arzt konnte eine bessere Empfehlung haben als die, von diesem Professor geprüft worden zu sein.

Der Professor hielt wieder einmal eine Prüfung ab. Der Kandidat saß vor der Prüfungskommission und schaute etwas ängstlich und nervös den Professor an, der ihm seine kurzen, aber schwierigen Fragen stellte. Zuerst ließ sich der Professor von dem Kandidaten eine bestimmte Krankheit beschreiben. Als der Kandidat die Symptome der Krankheit richtig genannt hatte, fragte der Professor nach dem Heilmittel für diese Krankheit. Auch diese Frage beantwortete der Kandidat richtig. „Gut", sagte der Professor, „und wieviel geben Sie dem Patienten davon?" – „Einen Eßlöffel voll, Herr Professor", war die Antwort.

Während der Prüfungsausschuß über seine Leistungen beriet, mußte der Kandidat vor der Tür des Prüfungszimmers warten. Da fiel ihm ein, daß er sich geirrt hatte: ein Eßlöffel voll war ja zu viel! Aufgeregt öffnete er die Tür des Prüfungszimmers und rief: „Herr Professor! Ich habe mich geirrt! Ein Eßlöffel voll ist zu viel für den Kranken. Er darf nur fünf Tropfen bekommen!" – „Es tut mir leid", sagte der Professor kurz, „der Patient ist schon gestorben."

Das gefährliche Experiment

„Ich habe hier ein Fünfmarkstück", dozierte der berühmte Professor und hielt mit der linken Hand das Geldstück hoch, so daß es jeder seiner Studenten deutlich sehen konnte.

„Und hier", fuhr der Wissenschaftler fort und griff mit der Hand nach einem Reagenzglas, das bis zum Rand mit einer undurchsichtigen, milchig-weißen Flüssigkeit gefüllt war, „hier habe ich ein Gefäß mit Säure. Ich werde nun das Geldstück in das Glas werfen."

Er tat es mit einem beinahe traurigen Blick. Dann wandte er sich wieder an seine Hörer und fragte: „Was glauben Sie, meine Damen und Herren? Ist die Säure wohl stark genug, das Geldstück aufzulösen?"

Alle überlegten. Da kam von der letzten Bank des großen Hörsaals die Antwort: „Nein, auf gar keinen Fall!"

„Ausgezeichnet! Die Antwort ist richtig. Können Sie mir nun noch sagen, warum das so ist?"

„Selbstverständlich!", antwortete der Student. „Wenn die Säure das Geldstück auflösen könnte, dann hätten Sie sicher für ein solches Experiment nur ein Pfennigstück genommen!"

---

der Kandidat, -en   jemand, der eine Prüfung machen will
*durch*fallen in der Prüfung   in einer Prüfung keinen Erfolg haben
eine Prüfung bestehen   in der Prüfung Erfolg haben

Man besteht eine Prüfung

in der Schule mit:	sehr gut	1		in Kursen mit:	sehr gut	1
	gut	2			gut	2
	befriedigend	3			befriedigend	3
	ausreichend	4				
nicht bestanden:	mangelhaft	5				
„ „	ungenügend	6			nicht bestanden	4

Der Satz (III)

Objekte und Personenangaben

Das Verb bestimmt, ob die Objekte und die Personenangaben im Akkusativ oder im Dativ stehen oder mit Präpositionen verbunden werden. (Objekte im Genitiv sind sehr selten.)

1. Verben mit Akkusativ

Sehr viele Verben werden mit dem Akkusativ verbunden.

a) *Der Akkusativ ist eine Sache, z. B.:*

Fritz schreibt ein*en* Brief.	Der Gast lehnt *die* Zigarette ab.
Er kauft ein*en* neu*en* Anzug.	Hans bestellt *ein* Glas Bier.
Kinder trinken kein*en* Wein.	Lesen Sie dies*es* interessant*e* Buch!

b) *Der Akkusativ ist eine Person, z. B.:*

Er fragt *den* Polizisten.	Wir begrüßen unser*en* Gast.
Fritz liebt sein*en* Vater.	Wir verstehen d*en* Lehrer gut.
Herr Braun erwartet sein*en* Freund.	Gisela besucht ihr*e* Freundin.

2. Verben mit Dativ

Der Dativ ist sehr oft eine Person.

Beispiele:

antworten	Der Polizist antwortet *dem* Fremden.
ausweichen	Der Autofahrer weicht *dem* Fußgänger aus.
	Der Autofahrer weicht *dem* Hindernis aus.
begegnen	Gestern bin ich Herr*n* Schmidt begegnet.
danken	Er dankte *ihm* freundlich.
folgen	Der Polizist sagte: „Folgen Sie *mir!*"
gefallen (es gefällt)	Dieser Mantel gefällt *mir*.
gehen (es geht)	*Mir* geht es sehr gut.
gelingen (es gelingt)	Es gelang *ihm* nicht, Sieger zu werden.
gratulieren	Haben Sie *dem* Direktor schon gratuliert?
helfen	Die Tochter hilft *der* Mutter.
passen	Das Kleid paßt *ihr* sehr gut.

schaden	Es schadet *Ihnen*, wenn Sie soviel rauchen.
	Rauchen schadet Ihr*er* Gesundheit.
zujubeln	Die Leute jubelten *dem* Schauspieler zu.

3. Verben mit Dativ und Akkusativ

Wenn das Akkusativobjekt **eine Sache** *bezeichnet (1 a), dann steht das* **personale Objekt** *(notwendige Ergänzung) oder die* **Personenangabe** *im* **Dativ**.

Beispiele:

Er gibt *dem* Freund *den* Brief. Er bringt *den* Kindern *ein* Buch mit.
Ich glaube *ihm kein* Wort. Fritz hat *mir einen* Brief geschrieben.
Er gibt *ihm die* Zeitung zurück. Der Kellner bringt *ihm das* Essen.

4. Verben mit Präpositionen

Manche Verben werden **mit bestimmten Präpositionen** verbunden, z. B. mit:

an

beteiligt sein an D	Zwei Autos waren *an dem* Unfall beteiligt.
denken an A	Haben Sie *an Ihren* Brief gedacht?
(sich) erinnern an A	Ich erinnere mich gern *an meinen* Urlaub.
glauben an A	Ich habe nicht *an das* Gelingen dieser Sache geglaubt.
sterben an D	Der Patient ist *an seiner* Herzkrankheit gestorben.

auf

angewiesen sein auf A	Die Frau ist *auf unsere* Hilfe angewiesen.
ankommen auf A	Jetzt kommt es *darauf* an, daß er die richtige Antwort gibt.
antworten auf A	Er hat *auf meinen* Brief sofort geantwortet.
aufpassen auf A	Die Eltern müssen *auf ihre* Kinder aufpassen.
+ bestehen auf A	Die Frau bestand *darauf*, die Butter immer richtig gewogen zu haben.
sich beziehen auf A	Ich beziehe mich *auf Ihren* Brief vom 12. 8.
Eindruck machen auf A	Die Bäuerin machte *auf den* Richter einen guten Eindruck.

+ sich freuen auf A	Alle Schüler freuen sich *auf die* Ferien.
verzichten auf A	Der Angeklagte verzichtete *darauf*, Berufung einzulegen.
warten auf A	Peter Schmidt wartete *auf seinen* Freund.

aus

| + bestehen aus D | Ein Satz besteht *aus* mehrer*en* Wörtern. |

für

sich bedanken für	Ich möchte mich *für die* Einladung bedanken.
danken für	Die Kinder dankten den Eltern *für die* Geschenke.
sich entscheiden für	Er entschied sich *für eine* Reise an die See.
halten für	Ich halte ihn *für einen* guten Arzt.
sich interessieren für	Er interessiert sich *für* Kunst.
sorgen für	Der Vater sorgt *für seine* Familie.

in

einschließen in	Schließen Sie Ihren Koffer *in das* Schließfach ein!
eintreten in	Bitte treten Sie *in das* Zimmer ein!
einziehen in	Heute zieht er *in sein* neu*es* Zimmer ein.

mit

befreundet sein mit	Mein Vater ist *mit dem* Direktor befreundet.
beginnen mit	Heute beginnen wir *mit einer* Wiederholung.
bekannt sein mit	Sind Sie *mit* Herr*n* Meier bekannt?
einverstanden sein mit	Der Vater ist *damit* einverstanden, daß sein Sohn in München studiert.
+ sprechen mit	Der Richter sprach freundlich *mit der* Bäuerin.
telefonieren mit	Gestern habe ich lange *mit ihm* telefoniert.
+ sich unterhalten mit	Ich habe mich *mit* Herr*n* Braun unterhalten.
sich verabreden mit	Fritz hat sich *mit seinen* Freunden verabredet.
verbinden mit	Einige Verben werden *mit* Präpositionen verbunden.
verheiratet sein mit	Er ist *mit der* Tochter des Kaufmanns verheiratet.
verwandt sein mit	Fritz ist *mit mir* verwandt.
zusammenstoßen mit	Das Auto ist *mit der* Straßenbahn zusammengestoßen.

über

sich ärgern über A	Der Direktor ärgerte sich *über den* jungen Mann.
sich aufregen über A	Ich habe mich sehr *über diese* Geschichte aufgeregt.
+ sich freuen über A	Wir freuen uns *über das* schöne Wetter.
+ sprechen über A	Wir haben gestern *über die* Arbeit von Herrn Meier gesprochen.
+ sich unterhalten über A	Sie haben sich *über die* Kinovorstellung unterhalten.
verfügen über A	Sie können *über Ihr* Guthaben sofort verfügen.
sich wundern über A	Er wunderte sich *darüber*, daß Peter die Prüfung bestanden hatte.

um

besorgt sein um	Der Neffe war *um seinen* Onkel besorgt.
sich bewerben um	Der Student bewirbt sich *um die* Zulassung zur Universität.
bitten um	Er hat seinen Vater *um* Geld gebeten.
sich kümmern um	Auf der Reise mußten wir uns *um* alles kümmern.

von

abhängen von	Der Wohlstand des Landes hängt *von seiner* Wirtschaft ab.
sich erholen von	Er muß sich *von einer* schwer*en* Krankheit erholen.
überzeugt sein von	Der Richter ist *von der* Schuld des Angeklagten überzeugt.
unterscheiden von	Ich kann Hans nicht *von seinem* Bruder unterscheiden.
sich verabschieden von	Frau Braun verabschiedet sich *von ihrem* Gast.

zu

berechtigen zu	Ihr Zeugnis berechtigt *zum* Studium an der Universität.
gehören zu	Es gehört *zu den* Aufgaben der Polizei, den Verkehr zu regeln.
gratulieren zu	Ich gratuliere Ihnen *zum* Geburtstag.

Übung 1: *Bilden Sie mit den angegebenen Verben andere Sätze!*

Übung 2: *Beispiel:* Das schöne Wetter freut ihn.
　　　　　　Er freut sich über das schöne Wetter.

1. Der Unfall hat Herrn Braun sehr aufgeregt. **2.** Es ärgert den Direktor, daß der junge Mann Zeitung liest. **3.** Das Geschenk freut die Kinder. **4.** Es wundert den Professor, daß der Student die leichte Frage nicht beantworten kann. **5.** Die Reise im nächsten Sommer freut uns schon heute. **6.** Es wundert ihn, daß der Briefträger noch nicht gekommen ist.

Übung 3: *Ergänzen Sie die Präpositionen!*

1. Am Sonntag erholen sich die Leute ___ der Arbeit. **2.** Hans ist ___ Peter befreundet. **3.** Wir erinnern uns gern ___ Ihren Besuch im letzten Jahr. **4.** Herr Hassan hat sich ___ ein Studium in Deutschland entschieden. **5.** ___ meine Frage konnte er nicht antworten. **6.** Haben Sie ___ gedacht, das Geld zu bezahlen? **7.** Bitte, passen Sie ___ die Verkehrszeichen auf! **8.** Viele Frauen interessieren sich nicht ___ Politik. **9.** Ich verzichte ___, mich mit Ihnen zu unterhalten. **10.** Ich denke gern ___, wie schön es bei Ihnen war. **11.** Der Kandidat ärgerte sich ___, daß er eine falsche Antwort gegeben hatte. **12.** Ich bin ___ Ihrer Rechnung nicht einverstanden. **13.** Fritz gehört ___ den Leuten, die sich ___ alles kümmern müssen. **14.** Der Direktor ist nicht ___ einverstanden, daß Herr Braun im Juli Urlaub macht. **15.** Die Bundesrepublik ist ___ den Handel angewiesen. **16.** Gestern habe ich mich ___ Frau Meier unterhalten; wir haben ___ das Wetter und ___ anderes gesprochen. **17.** Sie kommen immer zu spät! ___ ärgere ich mich! Ich bestehe ___, daß Sie pünktlich kommen.

„von" mit Dativ statt des Genitivs

1. Herr Müller ist ein Bekannter *von Karl.* Das Haus *von Herrn Müller* ist ganz neu.

2. Das sind Arbeiten *von Schülern.* Das Anlehnen *von Fahrrädern* ist verboten.

1. Für den Genitiv steht manchmal, besonders in der Umgangssprache, „von" mit Dativ.

2. Für den Genitiv Plural ohne Artikel **muß „von" mit Dativ** gebraucht werden, wenn beim Nomen kein Adjektiv steht:

　　die Arbeiten *eines Schülers*　　　– die Arbeiten *von Schülern*
　　die Arbeiten *eines guten Schülers* – die Arbeiten *guter Schüler*

Übung: *Setzen Sie die kursiv gedruckten Wörter in den Plural!*

1. Die Größe *eines Kontinents;* der Bau *eines Hauses;* der Kauf *eines neuen Anzuges;* die Arbeit *eines Tages;* das Schreiben *einer Seite.* **2**. Die Bewohner *einer Stadt* sind nicht immer reicher als die Bewohner *eines Dorfes.* **3**. Die Arbeit *eines Schülers* kann nicht so gut sein wie die Arbeit *eines Professors.* **4**. Die Freundschaft *eines guten Menschen* ist mehr wert als die Freundschaft *eines reichen Menschen.* **5**. Die Einrichtung *eines Zimmers* ist teuer. **6**. Das Einwerfen *eines Briefes* wird oft vergessen. **7**. Das Wort *eines Mannes* ist mehr wert als das Wort *eines Kindes.* **8**. Das Leben *eines Blinden* ist oft sehr schwer. **9**. Das Erlernen *einer Sprache* ist nicht leicht.

Ein Krankenbesuch

Der Hausarzt: „Wie geht es Ihnen denn heute, Herr Börner? Lassen Sie mich einmal Ihren Puls fühlen! – Ach, schon viel besser, er schlägt nicht mehr so schnell. Ich glaube, Sie haben kein hohes Fieber mehr. Machen Sie bitte einmal den Mund auf! – Hm, die Zunge ist noch etwas belegt. Die Rötung hinten im Hals ist auch noch nicht zurückgegangen. Sie müssen täglich zweimal das Fieber messen, vergessen Sie das nicht! – Nun setzen Sie sich bitte auf und machen sich oben frei! Ich möchte Ihre Lungen abhorchen, um zu sehen, ob da alles in Ordnung ist. – Atmen Sie tief! Noch einmal! Und jetzt atmen Sie nicht! Gut! Da ist nichts, die Grippe haben Sie bald überstanden. Ein paar Tage müssen Sie aber noch im Bett bleiben und heute nachmittag noch einmal schwitzen. Decken Sie sich aber dabei immer fest zu, damit Sie keine Lungenentzündung bekommen! Ich verschreibe Ihnen noch etwas. – So, hier ist das Rezept. Die einen Tabletten nehmen Sie dreimal täglich möglichst nach dem Essen. Die anderen nehmen Sie stündlich. Aber schlucken Sie sie nicht hinunter! Sie müssen sie lutschen. Gurgeln Sie regelmäßig; dazu geben Sie 20 Tropfen von dem dritten Medikament in ein Glas Wasser! Seien Sie vorsichtig, damit Sie niemanden anstecken! Lassen Sie keinen aus Ihrem Glas trinken!

So, jetzt muß ich wieder gehen. Ich habe um 4 Uhr Sprechstunde; sicher warten schon viele Patienten auf mich. – Auf Wiedersehen und gute Besserung! Ich schaue morgen noch einmal herein. In einer Woche fehlt Ihnen sicher nichts mehr!"

Aus einem einsprachigen Wörterbuch:

anstecken, (*habe angesteckt*) *jn. oder sich*, Krankheitskeime, Infektion übertragen

das Fieber, *–s*, krankhafte Steigerung der Körpertemperatur

die Grippe, *–*, Influenza

gurgeln, (*habe gegurgelt*) *mit*, den Hals spülen

die Lungenentzündung, *–|–en*, schwere Erkältung der Atmungsorgane

lutschen, (*habe gelutscht*) *etwas*, *daran*, in den Mund stecken und daran saugen

der Puls, *–es|–e*, der fühlbare Schlag der Schlagadern

das Rezept, *–es|–e*, 1. schriftliche Arzneiverordnung, 2. Kochvorschrift

schwitzen, (*habe geschwitzt*), Schweiß absondern, *die Wände schwitzen*: Wasser tritt aus den Wänden

die Tablette, *–|–en*, Täfelchen, gepreßte Arzneimasse

das Thermometer, *–s|–*, Wärmemesser

*täg***lich**   Nehmen Sie die Medizin dreimal täglich, d. h. jeden Tag dreimal.

*–täg***ig**   Nach dreitägiger Verhandlung wurde das Geschäft abgeschlossen, d. h. die Verhandlung dauerte drei Tage lang.

*stünd***lich**   Nehmen Sie die Medizin stündlich, d. h. jede Stunde.

*–stünd***ig**   Der Professor hielt eine zweistündige Vorlesung, d. h. die Vorlesung dauerte zwei Stunden.

*jähr***lich**   Sie hat jährlich 28 Tage Urlaub, d. h. einmal in jedem Jahr.

*–jähr***ig**   Wir haben einen dreijährigen Vertrag für unsere Wohnung, d. h. der Vertrag gilt drei Jahre lang.

Das Haus der Erinnerung

von Erich Kästner*

Nach 25 Jahren treffen sich ehemalige Klassenkameraden in ihrem alten Schulzimmer wieder. Sie sprechen von alten Zeiten und vom Wert der Erinnerungen. Da fällt einem der Anwesenden eine Geschichte aus der Jugendzeit ein, die das merkwürdige Gefühl erklären soll, das über diese ehemaligen Schulkameraden gekommen ist.

„Warum muß gerade das Einfachste am schwersten zu erklären sein?" so fragt er die anderen. „Man kann nur in Bildern davon sprechen, und Bilder sind keine Beweismittel. Am Ende bringt uns ein Beispiel weiter? Irgend eine kleine Geschichte? –

Als ich ein Junge von zehn Jahren war, wollte ich fürs Leben gern ein Fahrrad haben. Mein Vater sagte, wir seien zu arm. Von da an schwieg ich . . . Bis ich eines Tages vom Jahrmarkt heimgerannt kam und aufgeregt berichtete, in einer Glücksbude sei der Hauptgewinn – ein Fahr-

---

*Erich KÄSTNER, geboren 1899, ist besonders durch seine heiteren Prosaerzählungen (u. a. Drei Männer im Schnee) und durch seine Jugendbücher (u. a. Emil und die Detektive) bekannt geworden. Diese Erzählung ist dem Band „Die kleine Freiheit" (Das Haus der Erinnerung), erschienen im Cecilie Dressler Verlag, Berlin / Atrium Verlag, Zürich, entnommen und leicht gekürzt.

rad! Ein Los koste zwanzig Pfennig! Der Vater lachte. Ich bat: „Wenn wir vielleicht zwei oder sogar drei Lose kaufen?" . . . Er antwortete: „Soviel Glück haben arme Leute nicht." Ich flehte. Er schüttelte den Kopf. Ich weinte. Nun gab er nach. „Gut", sagte er, „wir gehen morgen nachmittag auf den Jahrmarkt." Ich war selig.

Der nächste Nachmittag kam. Das Rad stand, Gott sei Dank, noch an Ort und Stelle. Ich durfte ein Los kaufen. Das Glücksrad drehte sich rasselnd. Ich hatte eine Niete. Es war nicht schlimm. Das Rad gewann keiner . . . Als der Hauptgewinn das zweite Mal verlost wurde, hielt ich das zweite Los in der Hand. Mein Herz schlug am Hals. Das Glücksrad schnurrte. Es stand scheppernd still. Losnummer siebenundzwanzig – ich hatte gewonnen. – – –

Erst als mein Vater lange tot war, erzählte mir die Mutter, was sich damals in Wahrheit abgespielt hatte . . . Er war am Abend vorher zum Hauswirt gegangen und hatte von diesem hundertfünfzig Mark geliehen. Dann hatte er den Besitzer der Glücksbude aufgesucht, ihm das Fahrrad zum Ladenpreis abgekauft und gesagt: „Morgen komme ich mit einem kleinen Jungen. Beim zweiten Los lassen Sie ihn gewinnen. Er soll besser als ich lernen, an sein Glück zu glauben." Der Mann, der das Glücksrad drehte, verstand sein Handwerk. Er hatte genau im Griff, welche Ziffer gewinnen sollte.

– Mein Vater hat das Geld in vielen kleinen Raten zurückgezahlt . . . Ich aber freute mich, wie nur ein Kind sich freuen kann. Denn mein Rad hatte, sage und schreibe, bloß vierzig Pfennig gekostet."

---

fürs Leben gern sehr gern (so, daß man sein Leben dafür geben möchte)
an Ort und Stelle an dem bestimmten Ort (es war an Ort und Stelle = es war da)
sage und schreibe tatsächlich, wirklich (man kann es sagen und schreiben, es ist wirklich so)
sein Handwerk verstehen genau wissen, wie etwas zu machen ist; hier ist „Handwerk" sowohl wörtlich zu verstehen als auch übertragen: *Der Schuster* versteht sein Handwerk; aber auch: *Der Dieb* versteht sein Handwerk.
Gott sei Dank! Ausruf, der sagt, daß man sehr zufrieden ist.

Maß- und Zeitangaben

Maßangabe im Akkusativ

Ich habe *einen Monat* in diesem Hotel gewohnt. – Warten Sie bitte *einen Augenblick!* – Wir fahren nur eine *halbe Stunde*. – Ich sehe ihn *jeden Sonntag**.

Die Straße ist *einen Kilometer* lang. – Diese Wand ist *einen Viertel Meter* dick. – Der Sack war *einen Zentner* schwer.
Dieses alte Auto ist *den hohen Preis* nicht wert.

> Das Maß der Zeit (Zeitdauer), des Raumes, des Gewichts und des Wertes wird oft durch den Akkusativ ausgedrückt.
> Adjektive, die ein Maß bezeichnen, werden *mit dem Akkusativ* verbunden, z. B. alt, breit, dick, groß, lang, schwer, tief, weit, wert**.

142 **Übung:** *Ergänzen Sie die Sätze!*

1. Wir sind (*ein Kilometer*) zu Fuß gegangen. **2.** Ich kann den Korb nicht tragen; er ist fast (*ein Viertel Zentner*) schwer. **3.** Der Tisch ist (*ein Meter vierzig*) lang, genau (*ein Meter*) breit und (*dreiviertel Meter*) hoch. **4.** Wir sind schon länger als (*ein Monat*) in Deutschland. **5.** Es ist schon sehr spät, wir dürfen (*kein Augenblick*) mehr warten. **6.** Es ist nicht gut, daß Sie den Unterricht nur (*jeder zweite Tag*) besuchen; Sie müssen (*jeder Tag*) kommen. **7.** Schuhe Nummer 38 sind nur (*1 Zentimeter*) kürzer als Schuhe Nummer 39. **8.** Wir warten auf ihn, er muß (*jeder Augenblick*) kommen. **9.** Ich möchte (*ein halber Tag*) frei haben. **10.** Das Kind ist (*zwei Monate und ein Tag*) alt. **11.** Hans ist genau (*ein Monat*) älter als Karl, aber er ist (*ein ganzer Kopf*) kleiner. **12.** Er streicht die Butter (*ein halber Zentimeter*) dick auf sein Brot.

Zeitangabe im Genitiv

Eines Tages kam ich vom Jahrmarkt heim und berichtete, . . .

Wir wohnten in einem kleinen Haus. *Eines Abends* hörten wir einen großen Lärm . . .

> In der Erzählung dient der Genitiv eines Zeitbegriffs mit unbestimmtem Artikel dazu, einen nicht genau bestimmten Zeitpunkt auszudrücken. (Merken Sie sich: ein*es* Nacht*s*.)

---

*Datum in einem Brief: Frankfurt, *den* 2. Januar 1960.
**Merken Sie sich die Redewendung: Es ist nicht *der Mühe* wert.

Der Satz (IV) – Stellung der Satzglieder

Objekte mit bestimmtem Artikel

Satz	P_1					P_2
Hat der Lehrer gestern dem Schüler das Buch gegeben?	P_1	S	A	Od	Oa	P_2
Sicher hat er gestern dem Schüler das Buch gegeben.	P_1	s	A	Od	Oa	P_2
Sicher hat es der Lehrer gestern dem Schüler gegeben.	P_1	oa	S	A	Od	P_2
Sicher hat ihm der Lehrer gestern das Buch gegeben.	P_1	od	S	A	Oa	P_2
Sicher hat es ihm der Lehrer gestern gegeben.	P_1	oa	od	S	A	P_2
Sicher hat er es ihm gestern gegeben.	P_1	s	oa	od	A	P_2

Ein Objekt mit unbestimmtem Artikel

Satz	P_1					P_2
Hat der Lehrer gestern dem Schüler ein Buch gegeben?	P_1	S	A	Od	Oa/u	P_2
Sicher hat er gestern dem Schüler ein Buch gegeben.	P_1	s	A	Od	Oa/u	P_2
Sicher hat der Lehrer gestern dem Schüler eins gegeben.	P_1	S	A	Od	oa/u	P_2
Sicher hat ihm der Lehrer gestern ein Buch gegeben.	P_1	od	S	A	Oa/u	P_2
Sicher hat ihm der Lehrer gestern eins gegeben.	P_1	od	S	A	oa/u	P_2
Sicher hat er ihm gestern eins gegeben.	P_1	s	od	A	oa/u	P_2

Ich gebe Ihnen jetzt **das Buch**.
Ich gebe **es**.

Ich gebe Ihnen jetzt **ein Buch**.
Ich gebe Ihnen jetzt **eins**.

Ich gebe Ihnen jetzt **das Buch nicht**.
Ich gebe **es** Ihnen jetzt **nicht**.

Ich gebe Ihnen jetzt **kein Buch**.
Ich gebe Ihnen jetzt **keins**.

Erklärung

Prädikatsteile: P_1, P_2

	Nomen	Pronomen	unbestimmt
Subjekt	**S**	**s**	**S s**
Akkusativobjekt	**Oa**	**oa**	**Oa/u oa/u**
Dativobjekt	**Od**	**od**	**Od/u od/u**
Angabe:	**A**		

Wir gehen *heute* spazieren.	temporal			
Wir gehen heute *wegen des schönen Wetters* spazieren.	temporal	kausal		
Wir gehen heute wegen des schönen Wetters *gemütlich* spazieren.	temporal	kausal	modal	
Wir gehen heute wegen des schönen Wetters gemütlich *im Park* spazieren.	temporal	kausal	modal	lokal

Nebensätze als Satzglieder

Nebensätze sind Satzglieder. Sie sind im Satz:

Subjekt
Ein Blinder hat es im Leben schwer. — *Wer blind ist*, hat es im Leben schwer.

Objekt im Akkusativ:
Die Sitzung beginnt um 9 Uhr, ich — Ich weiß bestimmt, *daß die Sitzung*
weiß *es* bestimmt. *um 9 Uhr beginnt.*

Objekt mit Präposition:
Er hat seinen Vater *um Geld* — Er hat seinen Vater darum gebeten,
gebeten. *daß er ihm recht bald Geld schickt.*

Ich hoffe *auf baldiges Wiedersehen!* — Ich hoffe darauf, *daß wir uns recht bald*
wiedersehen.

Der Richter ist *von der Schuld des* — Der Richter ist davon überzeugt, *daß*
Angeklagten überzeugt. *der Angeklagte schuldig ist.*

Sie haben gestern *über den Besuch* — Sie haben gestern darüber gesprochen,
ihres Freundes gesprochen. *daß ihr Freund sie besucht (besucht hat,*
besuchen will).

Angaben, z. B.: temporal (Zeit)
Vor meiner Reise komme ich noch — *Bevor ich abreise*, komme ich noch zu
zu dir. dir.

Nach dem Theater ging Herr Breuer — *Nachdem die Theatervorstellung aus war,*
in ein Café. ging Herr Breuer in ein Café.

Wir kamen gerade *zu Beginn des* — *Gerade als der Vortrag begann*, kamen
Vortrags in den Saal. wir in den Saal.

kausal (Grund)
Er geht *wegen seiner Halsschmerzen* — Er geht zum Arzt, *weil er Hals-*
zum Arzt. *schmerzen hat.*

Wegen seiner schlechten Augen — Er fährt nicht Auto, *weil er schlecht*
fährt er nicht Auto. *sieht.*

modal (Art und Weise)
Es ist so warm *wie im Sommer*. — Es ist so warm, *als ob es Sommer wäre*.

Ohne Gruß trat er ein. — Er trat ein, *ohne daß er uns grüßte*.
Er trat ein, *ohne zu grüßen*.

konditional (Bedingung)
Bei schlechtem Wetter findet das — *Wenn das Wetter schlecht ist*, findet das
Konzert im Saal statt. Konzert im Saal statt.

konzessiv (Einräumung)

Trotz großer Schwierigkeiten hat
er die Arbeit beendet.

– *Obwohl es für ihn sehr schwierig war* (er
große Schwierigkeiten hatte), hat er die
Arbeit beendet.

lokal (Ort)

Wir arbeiten *hier*.

– Wir arbeiten, *wo wir Arbeit finden*.

Übung: *Bilden Sie Nebensätze! Verbinden Sie die Sätze!*

1. *Trotz der vielen Arbeit* geht es mir sehr gut. **2.** *Wegen der Ankunft meines Vaters* muß ich hier bleiben. **3.** Er spricht *wie ein Münchner*. **4.** *Fritz ist heute nicht zu Haus.* Ich weiß es bestimmt. **5.** *Vielleicht kommt er morgen.* Ich weiß es nicht. **6.** *Fritz hat keinen Mantel angehabt.* Ich habe mich darüber gewundert. **7.** *Vor meiner Abreise* habe ich noch viel zu tun. **8.** Du kannst doch nicht *beim Fernsehen* lesen! **9.** Der Vater versprach dem Jungen *den Kauf eines Fahrrads*. **10.** *Er gewinnt das Rad.* Der Junge hofft es.

Die wichtigsten Komma-Regeln

1. Bei Satzgliedern und Satzglied-Teilen

a) **Gleichartige Satzglieder,** die nicht durch „und" oder „oder" verbunden werden, werden durch Komma getrennt.

Es *donnerte, blitzte und regnete* in Strömen. – *Heute, morgen und übermorgen* sind die Geschäfte geschlossen. – Er verlor *Hab und Gut, Haus* und *Hof.*

b) 1. **Attribute vor einem Nomen** werden durch Komma getrennt, wenn sie nicht auch mit „und" oder „oder" verbunden werden könnten, d. h. wenn das letzte Attribut nicht mit dem Nomen einen Begriff bildet. Nach *folgend* steht kein Komma.

Weiße, gelbe, blaue und rote Blumen blühen auf den Wiesen. – **Aber:** *Moderne technische* Unterrichtsmittel – *folgende nette* Geschichte

2. **Attribute, die dem Nomen im gleichen Fall folgen,** werden zwischen Kommas gesetzt, wenn es sich nicht um Beinamen (*Friedrich der Große*) handelt.

Der Aufsatz meines Freundes, *eines Professors der Universität Frankfurt,* ist soeben erschienen. – Ein Mädchen, *jung und hübsch wie du,* sollte nicht immer zu Haus sitzen.

c) Bei „bitte" am Satzanfang und im Satz steht nur ein Komma, wenn man es stark betonen will. Man schreibt also in der Regel:

Bitte geben Sie mir das Buch! – Geben Sie mir *bitte* das Buch!

Am Satzende trennt man es durch Komma: Geben Sie mir das Buch, *bitte!*

d) Beim **Datum** wird zwischen die Angabe des Ortes, des Tages und der Zeit ein **Komma** gesetzt:

München, den 28. August 1967 – Frankfurt, Freitag, den 14. 7. 67, 8.40 Uhr.

2. Bei Satzverbindungen

a) Hauptsätze

1. **Vollständige Hauptsätze** werden durch Komma getrennt.
Hans fährt mit der Straßenbahn zur Schule, Fritz nimmt lieber sein Fahrrad. – Wir fahren ins Gebirge, *und* Fritz kommt auch mit.

Eingeschobene Hauptsätze stehen zwischen Kommas:
Bei rotem Licht, *so lauten die Bestimmungen*, darf man nicht über die Straße gehen.

2. **Wenn der zweite Hauptsatz unvollständig ist,** also mit dem ersten einen Satzteil gemeinsam hat, werden die Sätze durch Komma getrennt, wenn sie nicht durch *und* oder *oder* verbunden sind.

Wir *fahren* ins Gebirge, unsere Freunde an die See. – aber: *Er* kam um 10 Uhr heim *und* legte sich sofort ins Bett.

b) Haupt- und Nebensätze

1. Haupt- und Nebensätze werden immer durch Komma getrennt. (Beachten Sie das *Komma vor und nach Relativsätzen!*)

Weil es regnet, bleiben wir zu Haus. – Das Zimmer, *das er gemietet hat*, ist nicht teuer. – Er kam früher, *als ich erwartet hatte*. (Aber: Er kam *früher als ich*.)

2. **Hauptsatz und verkürzter Nebensatz** (Infinitivsatz, Partizipialsatz) werden durch Komma getrennt.

Wir arbeiten, *um zu leben*, aber wir leben nicht, *um zu arbeiten*. – Er ging fort, *ohne zu grüßen*. – *An einer schweren Krankheit leidend*, konnte er das Haus nicht verlassen.

Der Infinitiv mit „zu" wird durch Komma getrennt, wenn er ein Satzglied hat oder wenn zwei Infinitive zusammenstehen:
Hört doch auf, *so laut zu singen!* – Ich bat ihn, *zu bleiben und nicht fortzugehen*.

Kein Komma steht nach *brauchen, scheinen, sein, haben* mit „zu".

Wir *brauchen* uns darüber keine Gedanken zu machen. – Sie *scheinen* die ganze Sache nicht verstanden zu haben.

Wenn Mißverständnisse auftreten können, setzt man ein Komma.
Wir erlaubten ihm nicht, zu arbeiten. Wir erlaubten ihm, nicht zu arbeiten.
Er bat, ihn zu fragen. Er bat ihn, zu fragen.

Übung: *Setzen Sie die Kommas in folgende Geschichte richtig ein!*　　144

Knigges Tod

Über den Tod des Freiherrn von Knigge dessen Buch „Umgang mit Menschen" vor fast zweihundert Jahren erschienen ist und noch heute oft zitiert wird erzählt man folgende kleine reizende Anekdote:

„Nachdem Herr von Knigge ein Leben lang viel für die Verbesserung der Tischsitten getan hatte fuhr er so erzählt man nach China um die dortigen Gebräuche zu studieren. Im Roten Meer fiel er von der Hitze ermüdet ins Wasser ohne daß das von jemandem bemerkt wurde. Er schwamm eine Weile in dem warmen trüben Wasser umher als er einen Haifisch auf sich zukommen sah. Entschlossen sich bis zum äußersten zu verteidigen holte er aus seiner Tasche ein Messer hervor das er mit einiger Mühe aufklappen konnte. Der Haifisch sah ihn jedoch erstaunt an und sagte: ‚Oh Herr von Knigge! Fisch mit dem Messer schneiden das tut man doch nicht!' Darauf blieb Herrn von Knigge dem Meister der feinen Tischsitten nichts anderes übrig als das Messer fallen und sich verschlingen zu lassen."

Liebe Freunde der deutschen Sprache!

Erlauben Sie uns, den Verfassern dieses Buches, am Schluß des Lehrgangs einige Zeilen unmittelbar an Sie zu richten. Wir wissen nicht, warum Sie die deutsche Sprache lernen wollten, vielleicht für Ihren Beruf, vielleicht aus Interesse an unserer Sprache oder an der deutschen Literatur. Eins aber wissen wir: Sie haben viel Fleiß und viel Mühe aufwenden müssen, um diese Kenntnisse zu erwerben, über die Sie nun nach gründlicher Arbeit verfügen.

Wir hoffen, daß Sie jetzt in der Lage sind, sich in der deutschen Sprache zurechtzufinden. Sie können deutsch sprechende Menschen verstehen und mit ihnen sprechen; es wird Ihnen auch nicht schwer fallen, mit Hilfe eines guten Wörterbuches deutsche Texte zu lesen. Sie haben eine gute Grundlage erworben, und wir sind sicher, daß Sie gern weiterlernen wollen. Hängt man doch an den Dingen, die man mit Mühe erworben hat, mehr als an denen, die einem geschenkt worden sind.

Sie haben sicher empfunden, daß Sie mit der Sprache, die Sie gelernt haben, auch eine neue und andere Welt kennenlernten. Mit jeder neuen Sprache, die man lernt, schließt sich die Welt weiter auf, denn die Sprache drückt die Gedanken und Gefühle eines Volkes aus. Denken Sie nur an Ihre Muttersprache! Haben nicht Ihre Dichter und Philosophen die Gedanken und Gefühle Ihres Volkes vollendet ausdrücken können? So ist es bei jedem Volk. Gewiß, so verschieden die Sprachen sind, so verschieden sind auch die Völker. Wenn Sie eine Sprache lernen, so lernen Sie auch das Volk verstehen, das diese Sprache spricht.

Sie kennen jetzt die Grundzüge der deutschen Sprache, nun müssen Sie darangehen, Ihren Wortschatz zu vergrößern und Ihre Kenntnisse über die Struktur der Sprache zu festigen. Verlieren Sie dabei bitte nicht den Mut! Der anschließende Deutschkurs für die Mittelstufe „Moderner deutscher Sprachgebrauch" kann Ihnen dabei ebenso weiterhelfen wie das Lesen von Texten. Wenn Sie mit dem gleichen Interesse weiterlernen, so werden Sie mit Ihrem Erfolg zufrieden sein. Dazu wünschen wir Ihnen viel Glück!

Die Verfasser

ANHANG

I. Teil:

**Zusätzliche und zusammenfassende Übungen,
Wiederholungsübungen**

Übung 1

Beispiel: Ist die Antwort richtig? – Nein, sie ist nicht richtig.

1. Arbeitet Peter fleißig?	Nein, — — — — .
2. Ist die Regel falsch?	Nein, — — — — .
3. Antwortet Peter langsam?	Nein, — — — — .
4. Ist der Artikel „ein" bestimmt?	Nein, — — — — .
5. Liegt das Buch dort?	Nein, — — — — .
6. Kommt Frau Meier aus Köln?	Nein, — — — — .

Übung 2

Beispiel: Ist die Antwort richtig? Nein, sie ist falsch.

1. Lernt Richard schnell?	Nein, — — — .
2. Fragt Herr Müller wenig?	Nein, — — — .
3. Antwortet Peter langsam?	Nein, — — — .
4. Ist die Regel falsch?	Nein, — — — .
5. Ist der Artikel „ein" bestimmt?	Nein, — — — .
6. Kommt Frau Meier aus Köln?	Nein, — — — Berlin.

Übung 3

Beispiel: Er hat ein Buch. – Ich habe auch ein Buch.

1. Er arbeitet viel.	Ich — — — .
2. Sie arbeiten zusammen.	Ihr — — — .
3. Ihr lernt Deutsch.	Wir — — — .
4. London ist eine Stadt.	Rom — — — — .
5. Afrika ist ein Kontinent.	Asien — — — — .
6. Richard ist ein Schüler.	Peter — — — — .

148 **Übung 1**: *Fragen und Antworten*

Beispiel: Hier ist ein Bleistift. Haben Sie auch einen Bleistift?

Nein, ich habe keinen Bleistift.

1. Hier ist ein Füller.
2. Hier ist ein Stuhl.
3. Hier ist eine Landkarte.
4. Hier ist ein Buch.
5. Hier ist ein Schwamm
6. Hier ist ein Fehler.
7. Hier ist ein Tisch.
8. Hier ist ein Haus.

149 **Übung 2**

Beispiel: (*Satz*) Was diktiert der Lehrer? – Er diktiert einen Satz.

1. (*Fehler*) Was verbessert der Lehrer?   — — — .
2. (*Buch*) Was zeigt Herr Müller?   — — — .
3. (*Wörter*) Was lernt Richard?   — — — .
4. (*Freund*) Wen fragt Peter oft?   — — — — .
5. (*Wort*) Was versteht Richard nicht?   — — — — .
6. (*Lehrer*) Wen versteht Richard nicht?   — — — — — .
7. (*Beispiel*) Was schreibt Herr Müller an die Tafel? — — — — — .
8. (*Bücher und Hefte*) Was schließen die Schüler?   — — — — .

150 **Übung 3**

Beispiel: Bildet Peter einen Satz? – Ja, er bildet einen Satz.

Bildet Paul auch einen Satz? – Nein, er bildet keinen Satz.

1. Verbessert Herr Müller einen Fehler?   Ja,   — — — — .
   Verbessert Richard auch einen Fehler?   Nein,   — — — — .

2. Erklärt der Lehrer eine Regel?   Ja,   — — — — .
   Erklärt Anton auch eine Regel?   Nein,   — — — — .

3. Hat Peter einen Freund?   Ja,   — — — — .
   Hat Anton auch einen Freund?   Nein,   — — — — .

4. Haben Sie ein Buch?   Ja,   — — — — .
   Haben Sie auch eine Landkarte?   Nein,   — — — — .

5. Haben Sie einen Bleistift?   Ja,   — — — — .
   Haben Sie auch einen Füller?   Nein,   — — — — .

Übung 1: *Antworten Sie mit „nein"!*

| noch | kein –mehr |

Beispiel: Kauft Herr Müller noch ein Heft? – Nein, er kauft kein Heft mehr.

1. Haben Sie noch ein Markstück?   Nein, __ __ __ __ __ .
2. Hat Peter noch einen Fehler?   Nein, __ __ __ __ __ .
3. Hat das Haus noch eine Tür?   Nein, __ __ __ __ __ .
4. Haben Sie noch eine Frage?   Nein, __ __ __ __ __ .
5. Haben Sie noch Unterricht?   Nein, __ __ __ __ __ .
6. Habt ihr noch Zeit?   Nein, __ __ __ __ __ .
7. Haben Sie noch Geld?   Nein, __ __ __ __ __ .
8. Kaufst du noch Bücher?   Nein, __ __ __ __ __ .

Übung 2: *Rechnen Sie!*

Wieviel ist drei und vier? $3 + 4 = 7$
Wieviel ist fünf weniger drei? $5 - 3 = 2$

$8 + 4$	$7 - 4$	$12 + 10$	$143 - 33$
$6 + 2$	$9 - 3$	$40 + 8$	$155 - 40$
$3 + 5$	$8 - 5$	$95 + 25$	$126 - 26$
$7 + 9$	$6 - 2$	$77 + 17$	$555 - 50$

Übung 3: *Bilden Sie Singularformen!*

Beispiel: Wir haben keine Fehler. – Ich habe keinen Fehler.

1. Ihr versteht die Wörter nicht.
2. Die Kinder schließen die Fenster.
3. Sie haben keine Bleistifte.
4. Die Zimmer kosten viel Geld.
5. Die Schülerinnen schreiben Sätze.
6. Wir fragen die Lehrer.

Übung 4: *wieviel? – wie viele?*

Beispiel: Es ist 7 Uhr.   Wieviel Uhr ist es?

1. Ich habe 10 Mark.   __ Geld hast du?
2. Er hat 2 Stunden Zeit.   __ Zeit hat er?
3. Eine Stunde hat 60 Minuten.   Wie viele Minuten hat eine Stunde?
4. Hier sind 15 Stühle.   __ __ Stühle sind hier?
5. Ich habe 3 Markstücke.   __ __ Markstücke hast du?

6. Er kauft 3 Bücher. — — Bücher kauft er?

7. Der Füller kostet 24 DM. Wieviel kostet der Füller?

8. Ein Heft kostet 30 Pfennig. — — drei Hefte?

9. Die Rechnung macht 27 Mark. — — die Rechnung?

155 **Übung 1**

Beispiel: Ich fahre nach Köln. – Er fährt auch nach Köln.

1. Ich lese ein Buch.
2. Ich nehme einen Füller.
3. Ich fahre nur bis Bonn.
4. Ich lese eine Zeitung.
5. Ich kaufe eine Fahrkarte.
6. Ich gehe in die Talstraße.
7. Ich nehme den Schnellzug.
8. Ich steige in den Zug ein.

156 **Übung 2**

Beispiel: Der Zug fährt ab.
  (*in Köln*) Der Zug fährt in Köln ab.
  (*um 12 Uhr*) Der Zug fährt um 12 Uhr in Köln ab.

1. Herr Breuer steigt ein. – in Mainz – um 9 Uhr
2. Mein Freund kommt an. – in Paris – heute
3. Frau Meier fährt ab. – in Berlin – um 5 Uhr
4. Peter steigt aus. – in München – um 7 Uhr
5. Das Taxi kommt an. – bei Peter – um 6 Uhr
6. Anton fährt ab. – in München – pünktlich

157 **Übung 3:** *Wiederholung: Uhr oder Stunde?*

1. Der Schnellzug fährt von 8 __ bis 10 __. Er fährt 2 __.
2. Der Unterricht dauert von 9 __ bis 12 __. Er dauert 3 __.
3. Wir haben heute 6 __ Unterricht.
4. Haben Sie eine __? Wieviel __ ist es?
5. Frau Meier hat in München 3 __ Aufenthalt; sie geht in die Stadt und kauft eine __.
6. Ich arbeite heute nur 2 __; um 11 __ fahre ich nach Haus.
7. Jetzt ist es 6 __. Ich habe noch 2 __ Zeit.
8. Wieviel __ ist es? 7 __ schon! Ich habe nur noch 1 __ Zeit.

Übung 1: *Antworten Sie!*

1. Wem öffnet Frau Braun die Tür? **2.** Was gibt der Briefträger Frau Braun?
3. Wer besucht heute Familie Braun? **4.** Um wieviel Uhr kommt Walter an?
5. Wohin fährt Walter? **6.** Wann fährt er weiter? **7.** Bleibt er lange in Köln?
8. Wem gehört das Auto?
9. Wo lebt Ihre Familie? **10.** Haben Sie Geschwister? **11.** Wie viele Vettern
haben Sie? **12.** Leben Ihre Großeltern noch?

Übung 2: *Negation*

a) 1. Der Mann gibt Frau Braun den Brief. Er gibt Frau Braun den Brief nicht.
   2. Sie gibt Walter den Koffer. — — — — — — .
   3. Herr Braun kauft den Kuchen. — — — — — .
   4. Herr Braun hilft seiner Frau. — — — — — .
   5. Walter unterbricht seine Reise. — — — — — .
   6. Sie bietet dem Gast den Kuchen an. — — — — — — .
   7. Walter lehnt die Zigarette ab. — — — — — .
   8. Er gibt dem Kind das Buch. — — — — — — .

b) 1. Der Mann gibt Frau Braun einen Brief. Er gibt Frau Braun keinen Brief.
   2. Sie gibt Walter einen Koffer. — — — — — .
   3. Herr Braun kauft Kuchen. — — — — .
   4. Herr Braun hilft einer Frau. — — — — .
   5. Walter unterbricht eine Reise. — — — — .
   6. Er bietet dem Gast Kuchen an. — — — — — .
   7. Walter lehnt Zigaretten ab. — — — — — .
   8. Er gibt dem Kind ein Buch. — — — — — — .

Übung 3: *Bilden Sie Sätze (Fragen und Antworten)!*

1. Verben:

Verb + Dat.	Verb + Akk.		Verb + Dat. und Akk.	
antworten	ablehnen	haben	anbieten	kaufen
danken	aufmachen	lesen	bringen	nehmen
gehören	begrüßen	rauchen	diktieren	öffnen
helfen	brauchen	schließen	erklären	schreiben
schaden	erreichen	sehen	geben	zeigen
	essen	verstehen		
	finden	zählen		
	fragen	zumachen		

2. Sachen: Bleistift – Brief – Buch – Fahrkarte – Fenster – Füller – Geld – Heft
– Koffer – Kuchen – Straße – Stuhl – Tasche – Taxi – Telegramm –
Tür – Wörterbuch – Zeitung – Zigarette – Zimmer

3. Personen: Briefträger – Eltern – Familie – Frau – Freund – Gast – Gastgeber
– Großmutter – Kind – Kusine – Lehrer – Lehrerin – Leute –
Mann – Mutter – Onkel – Schüler – Schülerin – Sohn – Tante –
Tochter – Vater

Abschnitt 6

161 **Übung 1:** *Antworten Sie!*

1. Seit wann studiert Robert in München? **2.** Bei wem wohnt Robert? **3.** Wohnt
Robert allein beim Kaufmann Krüger? **4.** Wo wohnt Robert? **5.** Geht Robert
zu Fuß zur Universität? **6.** Wie lange braucht Hans von seiner Wohnung zur
Universität? **7.** Was machen Robert und Hans mittags? **8.** Hat Hans nachmittags auch Vorlesungen? **9.** Was machen die Freunde abends? **10.** Gehen
sie spät zu Bett?
11. Wie heißen die drei Mahlzeiten in Deutschland? **12.** Was trinkt man zum
Frühstück? **13.** Was ißt man mittags zum Nachtisch? **14.** Was ist ein Besteck?

162 **Übung 2:** *Antworten Sie kurz!*

Beispiel: Mit wem arbeitet Paul oft? (*seine Schwester*) – Mit seiner Schwester.

1. Bei wem wohnen Sie? (*mein Vater, meine Eltern, mein Freund, meine Tante,
mein Großvater, meine Familie*)
2. Von wem haben Sie das Geld? (*meine Schwester, der Briefträger, der Gast, der
Kellner, mein Onkel, meine Geschwister, ein Freund*)
3. Zu wem gehen die Studenten? (*ihre Hausfrau, der Kaufmann, mein Großvater,
ihre Eltern, ihr Lehrer, ein Freund, ihre Freunde*)
4. Seit wann ist Paul in Deutschland? (*eine Woche, ein Jahr, ein Monat, vier
Tage, drei Monate, zwei Jahre*)

163 **Übung 3:** *Negation*

Beispiel: Wohnt Paul bei seinem Vater? – Nein, er wohnt nicht bei seinem
Vater.

1. Ißt du heute mit deinem Freund?   Nein, — — — — — — .
2. Arbeitet Herr Braun bei einer Firma?   Nein, — — — — — — .
3. Fährt Herr Müller zur Universität?   Nein, — — — — — —.
4. Gehst du mit deiner Schwester spazieren?   Nein, — — — — — — .

5. Kommt Ihr Vater mittags nach Haus? Nein, — — — — — — .
6. Fahren wir durch die Stadt? Nein, — — — — — — .
7. Beginnen die Vorlesungen um 8 Uhr? Nein, — — — — — — .
8. Bringt der Briefträger das Geld für
   meinen Vater? Nein, — — — — — — — .
9. Gehen Sie heute durch den Park? Nein, — — — — — — .
10. Trinken wir Bier aus einer Tasse? Nein, — — — — — — .

Übung 1: *Antworten Sie!* 164

1. Wohin geht Herr Robertson heute abend? **2.** Was will er noch kaufen?
3. Was bringt er Frau Müller mit? **4.** Was will er den Kindern schenken?
5. Um wieviel Uhr schließen die Geschäfte? **6.** Wie gratuliert man zum Geburtstag?
7. Warum kann Fritz nicht zu Peter kommen? **8.** Was will er morgen machen?
9. Wann will er zu Peter kommen? **10.** Um wieviel Uhr muß er bei ihm sein?
11. Was wollen sie nach dem Essen machen? **12.** Wann beginnt die Vorstellung?

Übung 2 165

Beispiel: Herr Müller unterbricht den Unterricht. (*jetzt*) Unterbricht er ihn
jetzt?

1. Walter raucht die Zigarette. — — — jetzt?
2. Peter begrüßt seinen Freund. — — — herzlich?
3. Der Großvater braucht das Geld. — — — sofort?
4. Hans ißt das Menü. — — — gern?
5. Erika liest das Buch. — — — heute?
6. Die Mutter antwortet der Tochter. — — — freundlich?
7. Erika fragt ihre Mutter. — — — oft?
8. Das Kind braucht die Bücher. — — — morgen?

Übung 3: *Antworten Sie!* 166

Beispiel: Wem gibt der Lehrer heute das Buch? (*Kind*)
Heute gibt er es dem Kind.

1. Was kauft Peter jetzt seinem Freund? (*Zigarren*) Jetzt . . . . .
2. Wem schaden die Zigaretten immer? (*Kinder*) Immer . . . .
3. Was bestellt Herr Müller jetzt seinem Sohn? (*Bier*) Jetzt . . . .

4. Wer öffnet morgen der Dame die Tür? (*Herr*)   Morgen . . . . .
5. Wem kann er jetzt die Suppe bringen? (*ich*)   Jetzt . . . .
6. Wer bringt uns heute die Zigaretten mit? (*Walter*)   Heute . . . .
7. Wem schreibt Peter morgen die Karte? (*sein Freund*)   Morgen . . . .
8. Wer will heute der Tante die Blumen schenken? (*wir*)   Heute . . . .

167   **Übung 4**

Beispiel 1 : Lernt Erika die Wörter? – Ja, sie muß sie lernen.

1. Liest Fritz das Buch? – Ißt das Kind die Suppe? – Begrüßen Sie den Direktor? – Helfen Sie der Frau? – Antworten Sie den Leuten?
2. Bringen Sie dem Lehrer die Aufgaben? – Zeigen Sie den Leuten das Haus? – Erklärt Herr Meier den Schülern die Wörter? – Schreibt Peter seinem Vater den Brief?

Beispiel 2 : Essen Sie die Suppe noch? – Nein, ich kann sie nicht mehr essen.

1. Trinken Sie den Kaffee noch? – Trinken Sie das Bier noch? – Essen Sie das Brot noch? – Essen Sie den Nachtisch noch? – Essen Sie die Sauce noch?
2. Bringen Sie dem Freund das Buch noch? – Bringen Sie Erika die Suppe noch? – Bringen Sie der Frau den Kaffee noch? – Bringen Sie den Kindern das Frühstück noch?

Abschnitt 8

168   **Übung 1:** *Bitte antworten Sie!*

1. Wollen Sie das Haus in der Gartenstraße sehen? – Wie viele Stockwerke hat es? – Wo ist die Hausnummer? – Was kann man auf dem Dach sehen? – Wo ist die Garage? – Wo ist die Treppe? – Was ist im Keller? – Wo ist das Bad? – Wo steht die Couch? – Wohin stellen sie den Tisch und die Stühle? – Wohin stellen sie den Fernsehapparat? – Wohin wollen sie ein Bild von München hängen? – Wo trinken sie noch ein Glas Wein? – Wo ist die Familie?
2. Wohin kann der Student seine Kleider hängen? – Wo kann er abends bequem sitzen? – Wohin geht er zum Waschen? – Muß er sein Zimmer aufräumen? – Kann er seinen Radioapparat mitbringen? – Ist das Zimmer ruhig? – Was kostet es im Monat? – Kann der Student auch Frühstück bekommen? – Wieviel muß er bezahlen? – Zieht der Student in das Zimmer ein?

Übung 2

Beispiel: (*Sonntag*) Wann fahren wir nach Wien? – Am Sonntag.

1. (*mein Geburtstag*) Wann bekomme ich viele Geschenke?
2. (*September*) Wann beginnt in Deutschland der Herbst?
3. (*9 Uhr*) Wann gehen Sie zur Vorlesung?
4. (*Sonnabend*) Wann gehen Sie mit Ihrem Freund ins Kino?
5. (*diese Woche*) Wann fährt Robert nach Köln?
6. (*Sommer*) Wann besucht dich dein Onkel?
7. (*Geburtstag*) Wann schreiben wir eine Postkarte?
8. (*Winter*) Wann müssen die Leute ihre Zimmer heizen?
9. (*1970*) Wann macht er die Prüfung?

Übung 3: *Ändern Sie nur einen Satzteil!*

1. Frau Braun	schreibt	ihrem Sohn	eine Postkarte.
2. Herr Müller	—	—	—
3. —	—	—	(*ein Brief*)
4. —	bringt	—	—
5. —	—	(*seine Tochter*)	—
6. —	—	—	(*ein Kleid*)
7. —	kauft	—	—
8. —	—	—	(*ein Füller*)
9. Die Hausfrau	—	—	—
10. —	(*mitbringen*) —		—

Übung 4

Beispiel: Wir sind unten. Jetzt gehen wir nach oben.

1. Er ist vorn. — — — — hinten.
2. Ihr seid oben. — — — — unten.
3. Sie wartet unten. — — — — oben.
4. Frau Meier wohnt oben. — — — — unten.
5. Er steht links. — — — — rechts.

Übung 5: *Antworten Sie!*

Beispiel: Die Mutter legt das Kind ins Bett. – Wo ist das Kind jetzt? – Es liegt im Bett.

1. Meine Schwester stellt die Blumen auf den Tisch. – Wo sind die Blumen jetzt?

2. Die Großmutter setzt das Kind auf den Stuhl. – Wo ist das Kind jetzt?
3. Er hängt seinen Mantel an den Haken. – Wo ist der Mantel jetzt?
4. Der Briefträger steckt die Briefe in die Tasche. – Wo sind die Briefe jetzt?
5. Hans stellt das Fahrrad hinter das Haus. – Wo ist das Fahrrad jetzt?
6. Wir hängen das Bild an diese Wand. – Wo ist das Bild jetzt?
7. Walter stellt sein Auto vor das Haus. – Wo ist das Auto jetzt?
8. Herr Braun legt das Heft zwischen die Bücher. – Wo ist das Heft jetzt?
9. Erika legt das Besteck neben den Teller. – Wo ist das Besteck jetzt?
10. Wir stellen die Bücher in den Schrank. – Wo sind die Bücher jetzt?
11. Wir legen die Bücher auf den Tisch. – Wo sind die Bücher jetzt?
12. Wir stellen die Couch an die Wand. – Wo ist die Couch jetzt?
13. Der Vater steckt den Schlüssel ins Schloß. – Wo ist der Schlüssel jetzt?
14. Er hängt die Lampe an die Decke. – Wo ist die Lampe jetzt?

173 **Übung 6:** *Wiederholungsübung (Präpositionen)*

1. Mein Freund fährt mit d_ Fahrrad in d_ Stadt. **2.** Heute muß ich ohne _(er) in d_ Vorlesung gehen. **3.** Mein Vater sieht auf sein_ Uhr. **4.** Essen wir heute in d_ Gasthaus oder bei mein_ Hausfrau? **5.** Ich gehe d_ Korridor entlang und komme in d_ Schlafzimmer. **6.** Robert wohnt neben d __ Post, Peter wohnt d_ Post gegenüber. **7.** Bringen Sie bitte d_ Stuhl aus d_ Arbeitszimmer in d_ Wohnzimmer! **8.** Das Gasthaus ist in d_ Gartenstraße neben d_ Post. **9.** Das Taxi wartet vor d_ Bahnhof auf __ (ich). **10.** Wir gehen nicht mit d_ Mantel in d_ Zimmer, sondern hängen ihn in d_ Garderobe an d_ Haken. **11.** Robert wohnt bei sein_ Tante in d_ Ludwigstraße. **12.** In dies_ Woche haben wir kein_ Vorlesungen in d_ Universität. **13.** Wir müssen durch dies_ Straße zu d_ Bahnhof gehen. **14.** Durch dies_ Tür kommen Sie in d_ Schlafzimmer. **15.** Wir suchen mein_ Füller. Wo ist er? Ist er in mein_ Tasche, liegt er auf d_ Tisch, unter d_ Tisch, unter d_ Heft, hinter d_ Büchern? Hier ist er, er liegt vor __ (Sie)!

Abschnitt 9

174 **Übung 1:** *Antworten Sie bitte!*

Wo stieg der Kaufmann aus? – Wen wollte er dort treffen? – Wohnte er bei seinem Freund? – Wo mietete er ein Zimmer? – Wohin ging er dann? – Wann ging er in sein Hotel zurück? – Wie waren die Straßen der Stadt? – Waren viele Leute auf der Straße? – Was hörte er plötzlich? – Woher kam ein Mann? – Was passierte dann? – Was sagte der Mann? – Warum lief der Kaufmann dem Mann nach? – Was sagte er zu ihm? – War der Kaufmann freundlich zu dem

Mann? – Was machte der Mann? – Was sah der Kaufmann in seinem Hotelzimmer? – Wie viele Uhren hatte der Kaufmann jetzt? – Wer war der Taschendieb? – Wie schlief der Kaufmann in dieser Nacht? – Wohin brachte er die Uhr? – Konnte die Polizei den Mann finden?

Übung 2: *Bilden Sie das Präteritum!*

1. Er wohnt in dem Haus. – Er hängt den Mantel in die Garderobe. – Wir stellen den Tisch ans Fenster. – Du kaufst ein Geschenk. – Ihr gratuliert ihm zum Geburtstag. – Ich wünsche ihm viel Vergnügen. – Sie erwarten ihn um 7 Uhr. – Wir antworten ihm sofort. – Sie arbeiten fleißig. – Ihr wollt nach Hamburg fahren.

2. Ich kenne ihn gut. – Ihr kennt ihn nicht. – Wir kennen ihn schon lange. – Wann bringt er das Geld? – Sie bringen das Geld sofort. – Wir müssen arbeiten. – Ihr müßt auch arbeiten. – Das Kind muß nicht arbeiten. – Ich habe keine Zeit. – Er hat auch keine Zeit. – Du hast viel Zeit. – Ich kann das Buch lesen. – Ihr könnt das Buch lesen. – Er kann das Buch noch nicht lesen.

3. Wir trinken Kaffee. – Sie trinken Milch. – Der Unterricht beginnt. – Fritz findet das Buch. – Er gibt es mir. – Wir helfen der Frau. – Die Stimme klingt zornig. – Er kommt aus Frankfurt. – Sie lesen ein Buch. – Du liegst im Bett. – Ihr nehmt die Zeitung. – Er sieht das Haus. – Das Kind sitzt im Sessel. – Die Kinder sitzen auf der Couch. – Ich treffe Fritz. – Wir essen zu Mittag. – Er ißt Fisch. – Trinken Sie Bier? – Sie geben mir das Buch.

4. Er bietet Zigaretten an. – Wir bieten Kuchen an. – Wir ziehen den Mantel aus. – Er zieht die Schuhe aus. – Sie ziehen die Handschuhe aus. – Er schließt die Tür. – Wir schließen das Fenster. – Sie schließen die Tür auf.

5. Ich bleibe hier. – Sie bleiben auch hier. – Wir bleiben zu Haus. – Der Zug hält. – Die Wagen halten. – Die Schnellzüge halten in Mainz. – Wie heißt die Dame? – Die Kinder schlafen noch. – Wir schreiben einen Brief. – Sie gehen spazieren. – Das Haus gefällt mir. – Fritz läuft sehr schnell.

6. Wir fahren nach München. – Sie fahren fort. – Er fährt nach Haus. – Ich lade ihn ein. – Sie laden den Freund ein.

Abschnitt 10

Übung 1: *Antworten Sie!*

1. Auf wen wartet Peter Schmidt vor dem Kino? 2. Wo hat er Inge kennengelernt? 3. Kennt er sie schon lange? 4. Warum kommt Inge nicht pünktlich? 5. Wie stellt sie Herrn Schmidt ihrer Freundin vor? Was sagt sie? 6. Spricht Peter zornig mit den Mädchen? 7. Was macht Gisela? 8. Können die drei den

Film noch sehen? **9.** Was machen sie nach dem Film? **10.** Bringt Peter Inge nach Haus? **11.** Hat Inge Peter ihre Telefonnummer gegeben? **12.** Ist das richtig von Inge? **13.** Verabredet sich Peter mit Gisela? **14.** Warum kommt Inge nicht mit?

Übung 2

Beispiel 1 : Ich gehe heute ins Kino. Hoffentlich unterhalte ich mich gut.

1. Wir gehen heute ins Theater.   Hoffentlich __ __ __ __ .
2. Du gehst morgen zum Tanzen.   Hoffentlich __ __ __ __ .
3. Sie gehen heute in ein Café.   Hoffentlich __ __ __ __ .
4. Er geht mit Inge spazieren.   Hoffentlich __ __ __ __ .
5. Frau Meier hat Besuch.   Hoffentlich __ __ __ __ .
6. Sie gehen heute zu Hans.   Hoffentlich __ __ __ __ .

Beispiel 2 : Die Kinder bekommen Schokolade. Sie freuen sich sehr.

1. Frau Meier bekommt Blumen.   Sie __ __ __ .
2. Wir haben keinen Unterricht.   Wir __ __ __ .
3. Peter hat die Prüfung gemacht.   Er __ __ __ .
4. Wir fahren nach Italien.   Wir __ __ __ .
5. Gisela kauft sich ein Auto.   Sie __ __ __ .
6. Das Kind hat keinen Fehler.   Es __ __ __ .

Beispiel 3 : Mein Vater kauft Anton einen Füller. Ich kaufe mir den Füller selbst.

1. Die Mutter wäscht dem Kind die Hände.   Ich __ __ __ __ __ .
2. Mein Vater kauft Hans einen Mantel.   Paul __ __ __ __ __ .
3. Das Fräulein wäscht ihm die Haare.   Du __ __ __ __ __ .
4. Die Frau putzt mir die Schuhe.   Peter __ __ __ __ __ .
5. Die Putzfrau wäscht ihm die Wäsche.   Gisela __ __ __ __ __ .

Beispiel 4 : Ich habe mich mit Herrn Meier verabredet. (*Wir*)
           Wir haben uns mit Herrn Meier verabredet.

du – Fräulein Huber – Peter – der Professor – die Schülerinnen – der Student – meine Großeltern – meine Tante – mein Vetter – ihr

Beispiel 5 : Ich habe mich von meinem Onkel verabschiedet. (*Peter*)
           Peter hat sich von seinem Onkel verabschiedet.

du – Fräulein Inge – meine Kusine – unsere Hausfrau – Herr Krüger – wir – die Kinder – der Schüler – mein Freund

Übung 3

Beispiel: Heute kaufe ich die Kinokarte. (*Peter*)
        Gestern hat sie Peter gekauft.

1. Heute bestelle ich den Kaffee. (*mein Onkel*) **2.** Heute mache ich die Arbeit im Haus. (*die Putzfrau*) **3.** Heute koche ich das Essen. (*meine Mutter*) **4.** Heute fragt mich der Lehrer. (*Inge*) **5.** Heute lerne ich Herrn Meier kennen. (*Herrn Huber*) **6.** Heute erzählt er mir die Geschichte. (*dir*) **7.** Heute heizt Frau Meier das Zimmer. (*nicht*) **8.** Heute hänge ich meinen Mantel an den Haken. (*nicht*)

Übung 4

Beispiel: Gestern hat er lange geschlafen. Heute schläft er nicht so lange.

1. Gestern hast du viel gegessen. **2.** Gestern hat sie mir viel geholfen. **3.** Gestern haben wir lange geschrieben. **4.** Gestern hat Inge oft angerufen. **5.** Gestern hat es oft geregnet. **6.** Gestern hat er oft eine Zigarette genommen. **7.** Gestern hat sie viel Wasser getrunken. **8.** Gestern hat Walter viel gesprochen. **9.** Gestern hat die Frau viel Wäsche gewaschen. **10.** Gestern sind sie lange bei uns geblieben.

Übung 5

schon	*noch nicht (noch kein_)*
Hast du die Karte schon gekauft?	Nein, ich habe sie noch nicht gekauft.
1. Hast du das Zimmer schon gemietet?	Nein, — — — — — — .
2. Hast du das Frühstück schon bekommen?	Nein, — — — — — — .
3. Hast du die Zigarette schon geraucht?	Nein, — — — — — — .
4. Hast du den Kaffee schon getrunken?	Nein, — — — — — — .
5. Hast du den Kuchen schon geholt?	Nein, — — — — — — .
Hast du schon eine Karte gekauft?	Nein, ich habe noch keine Karte gekauft.
1. Hast du schon ein Zimmer gemietet?	Nein, — — — — — — .
2. Hast du schon Frühstück bekommen?	Nein, — — — — — — .
3. Hast du schon eine Zigarette geraucht?	Nein, — — — — — — .
4. Hast du schon Kaffee getrunken?	Nein, — — — — — — .
5. Hast du schon Kuchen geholt?	Nein, — — — — — — .

Übung 6: *Üben Sie die Formen!* (*Perfekt*)

1. Ich schreibe einen Brief – Wir bleiben lange bei euch – Er steigt in München aus – Sie bleiben leider nicht hier – Steigen Sie in Frankfurt ein? – Er schreibt die Rechnung sofort – Wir bleiben bis Montag

2. Sie schließen die Fenster und die Türen – Er bietet Walter eine Zigarette an – Er zieht sich gerade an – Wir ziehen die Mäntel aus – Ich hebe die Arme – Ihr schließt jetzt die Bücher

3. Er findet den Weg nicht – Seine Stimme klingt zornig – Sie trinken Kaffee zum Frühstück – Ich finde meine Schlüssel nicht – Wir trinken immer viel Milch – Trinken Sie manchmal Wein?

4. Wir treffen uns heute abend – Der Unterricht beginnt um 8 Uhr – Er nimmt das Buch aus dem Regal – Die Kinder sprechen laut – Der Kaufmann erschrickt – Der Dieb stiehlt die Uhr – Der Zug kommt um 6 Uhr an – Er hilft der Frau – Ich werfe ein Geldstück ein – Beginnt die Vorstellung schon? – Er wirft den Brief sicher ein – Ihr kommt am Montag – Du hilfst mir – Er spricht laut – Ich erschrecke

5. Er liest die Zeitung – Wir bitten um Entschuldigung – Er ißt kein Obst – Wir sitzen auf der Couch – Er gibt es mir – Jetzt sieht er Inge – Er liegt nicht – Sie sitzt im Sessel und liest

6. Peter lädt Fritz ein – Waschen Sie heute Ihre Wäsche? – Wir fahren nach Berlin – Er wäscht sich gründlich – Der Zug fährt ab – Fahren Sie immer langsam? – Sie fahren zu schnell

7. Der Zug hält in Mainz nicht – Wir schlafen zu lange – Wir fangen sofort an – Schlafen Sie gut? – Ich stoße mit ihm zusammen – Er läuft schnell weg – Wie heißt der Mann? – Er ruft heute an – Der Kaufmann heißt Krüger – Das Fahrrad stößt mit einem Auto zusammen – Das Kind läuft auf die Straße – Wir rufen wieder an – Er schläft sofort ein

8. Ich gehe zum Bahnhof – Ich bringe ihm das Buch – Er kennt den Mann nicht – Die Kinder gehen in die Schule – Herr Braun geht in ein Geschäft – Er bringt den Kindern Schokolade mit – Der Sessel steht immer in der Ecke – Bringt ihr es mit?

Abschnitt 11

182 **Übung 1:** *Antworten Sie!*

1. Wer hat einmal eine Reise gemacht? **2.** Hat der Student nur die Städte besucht? **3.** Ist er nur auf den Hauptstraßen gefahren? **4.** Was haben die Bauern gemacht? **5.** Wie ist das Wetter zuerst gewesen? – und dann? **6.** Was hat der Student gemacht? **7.** Wieviel Uhr ist es da gewesen? **8.** Wohin hat sich der Franzose gesetzt? **9.** Hat er Hunger gehabt? **10.** Warum hat er dann kein Essen bestellt, hat der Wirt nicht französisch verstanden? **11.** Wie hat der Franzose dann doch sein Essen bestellt? **12.** Hat der Wirt die Zeichnung richtig verstanden?

Übung 2

Beispiel 1 : die Arbeit, der Bauer – die Arbeit des Bauern

die Zeichnung, der Franzose – die Ecke, der Tisch – die Reise, der Student –
die Rechnung, der Doktor – der Körper, der Mensch – der Name, der Herr –
die Ernte, der Bauer (*Pl.*) – das Buch, mein Vetter – das Wasser, dieser See –
die Tür, das Haus – die Arbeit, dieser Herr (*Pl.*) – die Vorlesung, der Professor
– die Vorlesungen, der Professor (*Pl.*)

Beispiel 2 : die Arbeit, Fritz – die Arbeit von Fritz

die Hauptstadt, Deutschland – die Freundin, Inge – das Zimmer, Peter – die
Frau, Herr Meier – die Mutter, Frau Müller – die Wohnung, Kaufmann Krüger

Übung 3: *Antworten Sie mit nein!*

1. Haben Sie den Namen verstanden? Nein, ich habe ihn nicht verstanden.
2. Haben Sie den Brief eingeworfen? Nein, — — — — — .
3. Haben Sie das Buch gelesen? Nein, — — — — — .
4. Haben Sie sich rasiert? Nein, — — — — — .
5. Haben Sie Herrn Meier angerufen? Nein, — — — — — .
6. Haben Sie mir das Buch gebracht? Nein, ich habe es Ihnen nicht gebracht.
7. Haben Sie mir das Geld gegeben? Nein, — — — — — — .
8. Haben Sie sich die Äpfel genommen? Nein, — — — — — — .
9. Haben Sie ihm den Brief geschrieben? Nein, — — — — — — .
10. Haben Sie sich die Hände gewaschen? Nein, — — — — — — .
11. Sind Sie aus Frankreich gekommen? Nein, ich bin nicht aus Frankreich gekommen.
12. Haben Sie im Sessel gesessen? Nein, — — — — — .
13. Haben Sie im Bett gelegen? Nein, — — — — — .
14. Sind Sie nach Berlin gefahren? Nein, — — — — — .
15. Sind Sie in Bonn geblieben? Nein, — — — — — .

Übung 4: *Verben mit Präpositionen*

1. Ich danke Ihnen für die Einladung. (*Ihr Besuch, Ihr Brief, die Blumen, das Geschenk, das Geld*)
2. Peter wartet auf den Freund. (*Inge, sein Bruder, seine Eltern, das Mädchen, der Professor, sein Vater*)

3. Darf ich Sie zu einem Glas Wein einladen? (*eine Tasse Kaffee, das Mittagessen, eine Fahrt ins Gebirge, das Frühstück, mein Geburtstag*) Darf ich Sie ins Kino einladen? (*das Theater, das Café, meine Wohnung*)
4. Ich bitte Sie um Ihren Rat. (*Entschuldigung, Geld, eine Quittung, Ihr Besuch, Ihre Unterschrift*)

186 **Übung 1**

Beispiel 1 : Ich habe das Besteck auf den Tisch gelegt. Es hat dann lange auf dem Tisch gelegen.

1. Ich habe den Schrank in die Ecke gestellt. **2.** Ich habe mich auf diesen Sessel gesetzt. **3.** Mein Vater hat den Schlüssel ins Schloß gesteckt. **4.** Wir haben das Bild an die Wand gehängt. **5.** Ich habe den Koffer in den Keller gestellt. **6.** Ich habe meinen Mantel an diesen Haken gehängt. **7.** Ich habe die Zeitung in das Regal gelegt. **8.** Ich habe meine Handschuhe in die Schublade gelegt. **9.** Ich habe den Teller in den Schrank gestellt. **10.** Ich habe den Anzug auf den Kleiderbügel gehängt. **11.** Ich habe mich auf die Couch gelegt. **12.** Ich habe den Teppich auf den Boden gelegt.

Beispiel 2 : Das Besteck liegt auf dem Tisch. Ich habe es nicht auf den Tisch gelegt.

1. Die Blumen stehen auf dem Tisch. **2.** Die Kinokarten stecken in meiner Tasche. **3.** Das Besteck liegt im Wasser. **4.** Der Stuhl steht im Garten. **5.** Der Mantel liegt auf dem Boden. **6.** Mein Hut liegt im Bad. **7.** Das Bild hängt in der Küche. **8.** Das Kind sitzt auf dem Sessel. **9.** Das Handtuch hängt im Bad. **10.** Das Paket steht auf dem Tisch. **11.** Die Milch steht im Flur. **12.** Die Uhr liegt auf dem Nachttisch.

187 **Übung 2:** *Verben mit Präpositionen*

1. Der Mann arbeitet für seine Prüfung. (*seine Familie, sein Vater, seine Eltern, sein Freund*)
2. Fangen wir mit der Arbeit an! (*die Übung 1, die Landkarte, der Unterricht, der Abschnitt 12, das Essen*)
3. Er hat mir von seinem Land erzählt. (*seine Familie, sein Freund, seine Frau, eine Reise, sein Vater, sein Haus, seine Wohnung*)
4. Der Besuch bringt Schokolade mit. Die Kinder freuen sich über die Schokolade. (*Buch, Füller, Blume, Geschenk, Obst, Korb, Äpfel*)
5. In drei Wochen beginnen die Ferien. Die Kinder freuen sich auf die Ferien. (*die Reise, der Sommer, der Winter, der Urlaub, der Unterricht*)

6. Gisela hat sich mit ihrem Bruder unterhalten. (*ihr Vetter, ihr Professor, Herr Berger, der Briefträger, der Kaufmann, der Bauer*)
7. Sprechen Sie bitte mit meinem Professor! (*mein Vater, meine Freundin, meine Frau, die Studenten, die Bauern, Herr Breuer*)
8. Erich verabschiedete sich von seinem Vater. (*seine Eltern, deine Großmutter, sein Freund, der Professor, das Fräulein an der Kasse, Herr Braun*)

Übung 3: *Fragen Sie bei Übung 2 nach dem Nomen bei den Präpositionen!*   188

Beispiel: Der Mann arbeitet für sein Prüfung. Wofür arbeitet er?
Der Mann arbeitet für seine Familie! Für wen arbeitet er?

Übung 4   189

Beispiel 1: Du möchtest ein Kleid. Dann kauf dir doch eins.

Du möchtest einen Hut. – Du möchtest einen Füller. – Du möchtest Obst. – Du möchtest Milch. – Du möchtest einen Rinderbraten. – Du möchtest einen Mantel. – Du möchtest Zigaretten.

Beispiel 2: Sie wollen Zigaretten. Haben Sie denn keine?

Sie wollen Milch. – Sie wollen Käse. – Sie wollen Bücher. – Sie wollen Wein. – Sie wollen Geld. – Sie wollen eine Zeitung.

Beispiel 3: Haben Sie den Mann gesehen? Nein, er war nicht hier.
  • Haben Sie einen Mann gesehen? Nein, da war keiner.

1. Haben Sie meinen Freund gesehen? 2. Haben Sie eine Frau gesehen? 3. Haben Sie die Frau des Professors gesehen? 4. Haben Sie ein Haus für den Professor gesehen? 5. Haben Sie einen Kellner gesehen? 6. Haben Sie den Kaufmann Krüger gesehen? 7. Haben Sie einen Freund gesehen?

Abschnitt 13

Übung 1   190

Beispiel: Der Mantel ist braun. Der braune Mantel hängt im Schrank.

Das Kleid ist blau. – Das Kostüm ist elegant. – Die Jacke ist weinrot. – Der Anzug ist dunkel. – Die Hose ist schwarz. – Der Regenmantel ist billig.

Übung 2   191

Beispiel: Gehört Ihnen der braune Mantel? Ja, das ist mein brauner Mantel.

Gehört Ihnen die große Tasche? – Gehört Ihnen der gelbe Koffer? – Gehört Ihnen der rote Kugelschreiber? – Gehört Ihnen das dunkle Kleid? – Gehört

Ihnen das blaue Heft? – Gehört Ihnen das lange Messer? – Gehören Ihnen die schwarzen Schuhe? – Gehören Ihnen die braunen Handschuhe? – Gehören Ihnen die vielen Bücher?

192 **Übung 3**

Beispiel: Die Suppe ist kalt. Ich möchte eine warme Suppe.

Die Antwort ist falsch. – Der Bleistift ist kurz. – Der Sessel ist unbequem. – Das Zimmer ist teuer. – Der Koffer ist schwer. – Der Kaffee ist kalt. – Der Mantel ist dunkel. – Die Jacke ist ungefüttert. – Das Bild ist nicht schön. – Die Zigarette ist nicht gut.

193 **Übung 4**

Beispiel: der alte Mann – Helfen Sie dem alten Mann!

das kleine Kind – der freundliche Briefträger – mein kleiner Neffe – der ausländische Gast – der deutsche Student – der höfliche Herr – die guten Menschen – die fleißige Putzfrau – meine lieben Eltern – meine alte Tante – die kleine Erika

194 **Übung 5**: *Setzen Sie das richtige Adjektiv ein!*

alt –bekannt – bequem – berühmt – groß – modern – schlecht – schön – viele

1. Die Stadt hat ein Schloß und eine Kirche. **2.** Goethe war ein Dichter. **3.** Man hat hier eine Aussicht auf den Dom und die Stadt. **4.** Trotz des Doms und der Kirchen ist Köln heute eine Stadt. **5.** Hamburg ist ein Handelsplatz. **6.** Wegen des Wetters gehen wir heute nicht spazieren. **7.** Mit diesem Auto fahre ich nicht mehr. **8.** Auf diesem Sessel sitze ich gern.

195 **Übung 6**: *Verwenden Sie für die Lösung folgende Adjektive: billig, braun, gefüttert, grün, gut, lang, neu, rot!*

Beispiel 1: Ich möchte ein Kleid. – Was für ein Kleid? (Was für eins?) – ein blaues

Ich möchte eine Mappe – Bananen – Salat – Äpfel – einen Mantel – ein Zimmer – Handschuhe – ein Auto

Beispiel 2: Ich kaufe den Mantel. Welchen Mantel? (*Welchen?*) – den braunen

Ich kaufe das Kleid – die Mappe – die Bananen – den Salat – die Äpfel – die Handschuhe – das Auto – den Anzug – die Jacke

Beispiel 3: wie Beispiel 1 und 2 (Adjektive z. B. *alt, braun, grün, dunkel, modern, neu, rot, teuer, gut*)

Ich möchte in die Kirche gehen. – Ich fahre mit meinem Auto nach Italien. – Ich brauche einen Hut. – Heute ziehe ich den Mantel an. – Ich muß die Schuhe putzen. – Er ging nachts durch die Straßen. – Diese Häuser gefallen mir nicht. – Heute kaufe ich Bananen und Äpfel, aber keinen Salat.

Übung 7: *Sind diese Sätze richtig?* Versuchen Sie es mit folgenden Adjektiven:
blind, faul, kalt, kaputt, modern!

Beispiel: Ich möchte ins Kino gehen. In welches Kino? Ich möchte in das neue Kino gehen.

Ein Mann kann nicht über die Straße gehen. – Trotz der vielen alten Kirchen ist München eine Stadt. – Mit einem Auto kann man nicht fahren. – Im Winter kann man nicht in einem Haus wohnen. – Schüler können nichts lernen.

Abschnitt 14

Übung 1: *Antworten Sie!*

1. Warum finden die Wettkämpfe für Segler 1972 in Kiel statt? **2.** Wie viele Stimmen hatte Kiel? Wie viele Stimmen hatte Lübeck? **3.** Was hat sich in Neustadt ereignet? Wann hat sich dieser Verkehrsunfall ereignet? (*Datum*) **4.** Was hat der Personenwagen gemacht? **5.** Warum hat sich dieser Unfall ereignet? **6.** Was wollte der Fahrer machen? **7.** Wann hat er die Fußgänger gesehen? **8.** Warum stieß er mit der Straßenbahn zusammen? **9.** Ist der Fahrer sehr langsam gefahren? **10.** Was passierte mit dem Wagen? **11.** Was passierte mit der Straßenbahn? **12.** War der Fahrer verletzt? **13.** Wer war verletzt? **14.** Wann ist der Wagen verschwunden? – Wem gehörte er? **15.** Wen haben die Fußgänger beobachtet? **16.** Wo hielt sich der junge Mann auf? **17.** Wie sah der Mann aus? **18.** Was lag im Wagen? **19.** Warum hofft die Polizei, daß sie den Mann bald finden wird? **20.** Wer nimmt die Nachrichten entgegen?

Übung 2

Beispiel: Ich kann nicht kommen, ich habe keine Zeit. – Ich kann nicht kommen, weil ich keine Zeit habe.

1. Ich kann die Bücher nicht kaufen. Ich habe kein Geld. **2.** Ich kann die Suppe nicht essen. Ich habe keinen Löffel. **3.** Ich kann das Kennzeichen nicht lesen. Ich habe keine Brille. **4.** Der Schutzmann schreibt Sie auf. Sie haben falsch geparkt. **5.** Der Mann ist verdächtig. Er hat sich in der Nähe aufgehalten.

6. Ich gehe auf die Brücke. Man hat dort eine schöne Aussicht. **7.** Die Kauf-leute kommen nach Hamburg. Sie haben dort Geschäftsfreunde. **8.** Das Parfüm in dieser Flasche heißt Kölnisch Wasser. Es kommt aus Köln. **9.** Es gibt viele Lieder über den Rhein. Es ist dort sehr schön.

199   **Übung 3:** *Was wissen Sie?*

Beispiel: Er kommt morgen. Ich weiß, daß er morgen kommt.

Köln ist eine große Stadt. – An einer Kreuzung muß man langsam fahren. – Man muß auf die Fußgänger achten. – Die Buchmesse findet in Frankfurt statt. – Ein Jahr hat 12 Monate. – Ich kann nicht mit dem Omnibus fahren, ich muß die Straßenbahn nehmen. – Im Winterschlußverkauf ist alles billig. – Der Zug fährt pünktlich ab. – Ich muß in Mainz umsteigen. – Der junge Mann hatte eine karierte Jacke an. – Wir essen heute um 1 Uhr. – Du trinkst keinen Kaffee mehr.

Abschnitt 15

200   **Übung 1:** *Bitte antworten Sie!*

1. Warum muß Herr Robertson viel arbeiten? **2.** Warum kann er nicht nach Haus fahren? **3.** Was hat er gelesen? **4.** Warum schreibt er Herrn Bergmeier? **5.** Was für ein Zimmer sucht er? **6.** Antwortet ihm Herr Bergmeier schnell? **7.** Warum freut sich Herr Bergmeier? **8.** Hat er in der Zeitung gute Anzeigen gefunden? **9.** Welches Angebot findet er gut? **10.** Hat Herr Robertson die Zeitungen erhalten? **11.** Was hat er dann gemacht? **12.** Hat er eine schrift-liche Antwort bekommen? **13.** Findet er ein Zimmer mit voller Pension? **14.** Worauf freut sich Herr Robertson?

201   **Übung 2:** *Was wünschen Sie mir? Nehmen Sie das Adjektiv „gut"!*

__ Tag, __ Morgen, __ Abend, __ Nacht, __ Appetit, __ Reise, __ Gesundheit, einen __ Freund, viele __ Freunde, __ Unterhaltung

202   **Übung 3:** *alt – neu   alt – jung*

der Anzug, viele Anzüge, mit diesem Anzug, die Taschen in Anzügen, ein Anzug – die Jacke, viele Jacken, mit dieser Jacke, die Taschen in Jacken, eine Jacke – das Kleid, viele Kleider, mit diesem Kleid, die Taschen in Kleidern, ein Kleid – der Mensch, viele Menschen, mit diesem Menschen, die Augen von Menschen, ein Mensch – die Frau, viele Frauen, mit diesen Frauen, das Kleid von Frauen, eine Frau – der Baum, viele Bäume, mit diesen Bäumen, Bäume am Ufer, ein Baum

Beispiele: Ich denke, die Prüfung ist leicht. Aber ich sehe jetzt: Sie ist nicht so
leicht, wie ich gedacht habe.
Ich denke, die Prüfung ist leicht, und jetzt sehe ich: Sie ist wirklich
so leicht, wie ich gedacht habe.

Die Gegend ist schön. – Der Dom ist alt. – Die Stadt ist modern. – Das Haus
ist teuer. – Herr Breuer ist zornig. – Sie kommen pünktlich. – Das Kind ist
klein. – Die Suppe schmeckt gut. – Der Schutzmann antwortet mir höflich. –
Die Gaststube ist gut geheizt. – Peter spricht deutlich. – In der Stadt fahren
die Autos langsam.

Beispiel: Vielleicht hast du Zeit. Kommst du zu mir?
Ich komme, wenn ich Zeit habe. (*Wenn ich Zeit habe, komme ich.*)

Vielleicht hast du Geld. Kaufst du dir ein Auto?
Vielleicht kommen meine Eltern morgen. Ich kann dann nicht ins Kino gehen.
Vielleicht habe ich meine Prüfung bestanden. Dann feiern wir!
Vielleicht ist morgen schönes Wetter. Dann gehen wir spazieren.
Vielleicht werde ich hundert Jahre alt. Ich kann diese Arbeit doch nicht beenden.
Vielleicht arbeiten die Schüler viel. Dann lernen sie auch Deutsch.

Beispiel 1:

Das Kleid gehört Gisela. – *Das Kleid* ist im Schrank.
Das Kleid, das im Schrank ist, gehört Gisela.

der Mantel – das Kostüm – die Wäsche – der Hut – die Schuhe – die Bücher –
die Handschuhe – die Tasche

Beispiel 2:

Die Stadt war sehr interessant. Wir haben *die Stadt* gesehen.
Die Stadt, die wir gesehen haben, war sehr interessant.

der Film – das Bild – der Prospekt – der Dom – die Kirchen – die Schlösser –
das Museum – der Hafen

Beispiel 3:

Ich denke an *meinen Freund.* Ich habe *meinem Freund* lange nicht geschrieben. Ich denke an meinen Freund, dem ich lange nicht geschrieben habe.

mein Vater – meine Mutter – meine Tante – meine Hausfrau – Erika – Richard – Peter – meine Eltern – meine Geschwister – meine Großeltern – meine Freunde

Beispiel 4:

Er besucht *einen Freund.* Er hat *für den Freund* ein Geschenk gekauft. Er besucht einen Freund, für den er ein Geschenk gekauft hat.

einen Professor – Frau Meier – seine Lehrerin – seine Freunde – seine Groß-eltern – seine Hausfrau – Herrn Braun – seinen Onkel

Beispiel 5: Er hat *den Unfall* gesehen. Wir haben nur *von dem Unfall* gehört. Er hat den Unfall gesehen, von dem wir nur gehört haben.

der Film – die interessante Stadt – der Kölner Dom – der neue Wagen von Erika – der Filmschauspieler – die hohen Berge – viele Städte – viele Länder

206 ## Übung 2

Beispiel: fremd: Wer steht dort? Der Fremde – ein Fremder – die Fremde – Fremde

krank: Wer kommt ins Krankenhaus?
Wen besucht der Arzt?
Wem hilft der Arzt?
alt: Wer geht dort über die Straße?
Wem hast du das Geld geschenkt?
Mit wem muß man immer freundlich sein?
fremd: Wem hat der Wirt das Zimmer gegeben?
Wer hat euch diese Geschichte erzählt?
Mit wem habt ihr gesprochen?

Abschnitt 17

207 ## Übung 1: *Sagen Sie den Komparativ!*

der alte Mann – eine anstrengende Reise – ein bedeutendes Kunstwerk – ein bekannter Dichter – ein bequemer Sessel – ein berühmter Arzt – die billige Seife – eine deutliche Schrift – ein dunkler Anzug – der fleißige Student – ein freundlicher Schaffner – ein gutes Bier – viel Geld – wenig Zeit – hohe Häuser – die jungen Leute – weite Wege – mit großem Erfolg – zu hohen Preisen – ein teurer Hut – ein schwerer Unfall – mit einem leichten Koffer

Übung 2

Beispiel 1 : Ich bin nicht älter als mein Freund.

Ich bin ebenso alt wie mein Freund.

Der schwarze Hut ist nicht teurer als der braune. – Dieses Formular ist nicht länger als das andere. – Kaffee ist nicht besser als Tee. – Sein Auto ist nicht schöner als meins. – Der Zug um 8 Uhr fährt nicht schneller als der um 12 Uhr. – Das Kaufhaus Müller ist auch nicht preiswerter als das Kaufhaus Schmidt. – Dieses Angebot ist auch nicht günstiger als das andere. – Fritz braucht das Geld nicht nötiger als Paul.

Beispiel 2 : Ich bin älter als mein Freund.

Mein Freund ist nicht so alt wie ich.

Berlin ist größer als München. – Die Zugspitze ist höher als der Feldberg. – Wein ist besser als Bier. – Im Juni sind die Tage länger als im Dezember. – Ein Mantel ist teurer als ein Kleid. – Mein Mantel ist wärmer als deiner. Dein Glas ist nicht so voll wie meins. – Ich bin nicht so pünktlich wie du. – Im Gasthaus ist der Kaffee meist nicht so stark wie zu Haus. – Heute waren die Zuschauer nicht so begeistert wie sonst. – Im Sommer sind die Eier nicht so teuer wie im Winter.

Übung 3

Beispiel : hoher Turm: Das ist der höchste Turm, den ich gesehen habe.

weite Reise:	Das ist die	— —,	— ich gemacht habe.
schöne Kirche:	Das ist die	— —,	— ich gesehen habe.
nettes Mädchen:	Das ist das	— —,	— ich kenne.
gutes Menü:	Das ist das	— —,	— ich (je) gegessen habe.
viel Geld:	Das ist das	— —,	— ich je verdient habe.
schwere Arbeit:	Das ist die	— —,	— ich je gemacht habe.
leichte Übung:	Das ist die	— —,	— in diesem Buch ist.
teures Hotel:	Das ist das	— —,	in — ich je übernachtet habe.
dunkles Kleid:	Das ist das	— —,	— Erika je gehabt hat.
hohe Preise:	Das sind die	— —,	— ich je bezahlt habe.

Übung 4: *Ergänzen Sie das richtige Modalverb (dürfen, können, müssen, wollen)!*

1. Es ist schon spät, ich — jetzt nach Haus. **2.** Es ist zu dunkel. Ich — die Zeitung nicht lesen. **3.** Heute gibt es einen interessanten Film. Peter — ihn sehen. Seine Schwester — nicht mitgehen, sie ist noch zu klein. **4.** — in Ihrem Land kleine Kinder ins Kino gehen? **5.** Der Zug fährt nicht weiter. Sie — hier aussteigen. **6.** Mein Freund macht morgen Examen. Er — heute nicht zu uns kommen. **7**. Hans hat mir 10 Mark gegeben; ich __ sie ihm gestern zurückzahlen, aber ich __ es nicht. **8**. In Deutschland __ man rechts fahren, man __ nicht links fahren. **9**. __ Sie wirklich nichts mehr essen? **10**. __ ich Ihnen noch eine Tasse Kaffee anbieten? **11**. Um wieviel Uhr __ Sie morgens im Büro sein? **12**. __ ich Sie um das Salz bitten?

211 **Übung 5**

Beispiel: Meine Mutter kocht. Ich helfe ihr. – Ich helfe meiner Mutter kochen.
Mein Vater kommt. Ich sehe ihn. – Ich sehe meinen Vater kommen.

1. Der Herr steigt in den Zug ein. Peter sieht ihn. **2**. Die Kinder spielen auf der Straße. Ich sehe sie. **3**. Herr Braun ruft laut. Ich höre ihn. **4**. Der Briefträger klingelt. Ich höre ihn. **5**. Die Kinder sind zur Haltestelle gelaufen. Der Polizist hat sie gesehen. **6**. Die Leute haben laut gesprochen. Wir haben sie gehört. **7**. Richard hat das Formular ausgefüllt. Der Beamte hat ihm geholfen. **8**. Peter hat studieren wollen. Die Eltern haben es erlaubt.

Abschnitt 18

212 **Übung 1**

Beispiel: Ich fahre morgen. Und du? Wirst du auch mitfahren?

1. Fritz fährt nach Helgoland. Und ihr? **2**. Wir gehen am Samstag ins Theater. Und ihr? **3**. Mein Vater reist nach Amerika. Und deine Mutter? **4**. Am Sonntag kommen wir alle zu Fritz. Und Peter? **5**. Wir gehen heute tanzen. Und Gisela und Peter? **6**. Wir fahren jetzt mit dem Auto weg. Und ihr?

213 **Übung 2**

Beispiel: Was, ihr geht in diesen Film! – Ihr werdet doch nicht in diesen Film gehen!

1. Du gehst erst um 12 Uhr ins Bett! **2**. Ihr schlaft bis mittag! **3**. Du ißt soviel Schokolade! **4**. Du mietest ein so teures Zimmer! **5**. Ihr macht eine Reise mit dem Autobus! **6**. Sie ziehen heute Ihren Wintermantel an! **7**. Sie tragen grüne Anzüge! **8**. Sie schreiben mit roter Tinte!

214 **Übung 3**

1. Warum ist Peter nicht zu Haus? Ich weiß es nicht, er wird im Kino sein.
krank – im Theater – bei seinem Freund – im Unterricht – beim Skifahren – im Garten – beim Reisebüro

2. Warum war Peter gestern nicht im Unterricht? Ich weiß es nicht, er wird
   Besuch bekommen haben.
   krank sein – einen Ausflug machen – lieber ins Café gehen – seinen Freund
   besuchen – seine Aufgaben nicht machen

Übung 4: *Bilden Sie das Perfekt!* 215

1. Wir wollen abreisen! – Er kann dann weggehen. – Peter kann kein Zimmer
   finden. – Das Kind will nicht schlafen. – Sie müssen die Rechnung bezahlen. – Er soll um 8 Uhr kommen. – Sie müssen sich anmelden. – Wir mußten
   uns sofort entscheiden. – Ich wollte nicht stören.
2. Ich hörte meinen Vater sprechen. – Ich sah den Wagen kommen. – Ich half
   meiner Mutter kochen. – Meine Tante half ihr die Koffer packen. – Er
   ließ die Kinder nicht auf der Straße spielen. – Er ließ sich einen Anzug machen. – Ich sah Peter in den Park gehen. – Ich hörte die Straßenbahn kommen.
3. Peter lernte Inge beim Tanzen kennen. – Lernten Sie auch Deutsch sprechen?
   – Das Kind lernte schnell laufen. – Wir blieben bis 8 Uhr im Bett liegen. –
   Gestern gingen Peter und Inge tanzen. – Er ging mit seinem Freund Kaffee
   trinken. – Paul blieb in dem teuren Zimmer wohnen. – Der Junge blieb nicht
   auf seinem Stuhl sitzen.

Übung 5 216

Beispiel 1: Kommen Sie heute? – Ich weiß nicht, ob ich heute komme.

Fahren Sie im Juli? – Gibt es heute Fisch? – Fahren Sie auch nach Hamburg?
– Ist das Wetter im Juli gut? – Regnet es im Sommer viel? – Können Sie den
Ausflug mitmachen? – Müssen Sie den Brief gleich schreiben?

Beispiel 2: Kommen Sie heute? – Wie bitte? – Ich habe Sie gefragt, ob Sie
             heute kommen.
Fahren Sie morgen weg? – Essen Sie gern Fisch? – Trinken Sie lieber Wein
als Bier? – Gefällt es Ihnen hier? – Gehen Sie gern ins Kino? – Fahren Sie
Ski? – Habe ich Sie gestört? – Hat Ihnen die Übung gefallen?

Übung 6: *Verben mit Präpositionen* 217

1. Das Reisebüro sorgt für die Fahrkarten. (*seine Kunden, die Fahrgäste, ich, wir,
   er, Herr Meier*)
2. Es kümmert sich um die Zimmer. (*das Essen, die Fahrkarten, der Ausflug, die
   Zugverbindung, der Führer im Museum, der Aufenthalt in Helgoland*)

3. Ich entscheide mich für diese Reise. (*der blaue Hut, der rote Mantel, dieses kleine blaue Auto, der Platz in der 4. Reihe, dieser graue Wagen*)

4. Wir waren mit dieser Reise sehr zufrieden. (*dieses Zimmer, die Fahrt nach Helgoland, die freundliche Auskunft, seine Arbeit, das Gasthaus, das Essen, der Kellner*)

5. Ich bin mit Ihrem Wunsch einverstanden. (*die Verlängerung, dieses Reisebüro, eine Reise ins Gebirge, daß Peter studiert, daß wir heute ins Theater gehen, daß er das Geld erst später zurückgibt*)

6. Vielen Dank für Ihre Hilfe! (*Ihren Rat, die freundliche Auskunft, die schönen Blumen, daß Sie mir geholfen haben, daß ich mit Ihnen sprechen konnte, daß Sie mich eingeladen haben*)

218 **Übung 1:** *Antworten Sie!*

1. Wozu verurteilte das Gericht den Autodieb? – Weswegen wurde er verurteilt? **2.** Wann hat er den Wagen gestohlen? – Was für ein Wagen wurde gestohlen? **3.** Wer hat den Dieb verhaftet? – Warum wurde er so schnell verhaftet? **4.** Wer hat den gestohlenen Wagen wiedergefunden? – Konnte er wiedergefunden werden? **5.** Wer hat die Zeugen vernommen? – Wann wurden sie vernommen? **6.** Wer schnallt das Polizeikoppel eng? – Warum wird es so eng geschnallt?

219 **Übung 2**

Beispiel 1 : Die Polizei verhaftet den Dieb.
　　　　　　 Was tut die Polizei? Sie verhaftet den Dieb.
　　　　　　 Was geschieht (ist) mit dem Dieb? Er wird verhaftet.

Peter liest ein Buch. – Ich kaufe eine Fahrkarte. – Die Polizei hat den Dieb gefunden. – Der Arzt heilt die Kranken. – Der Schweizer hat den Österreicher überholt. – Inge ruft mich an. – Der Rundfunk hat das Konzert übertragen. – Der Herr buchte die Reise gestern. – Er erzählte eine Geschichte. – Die Frau hat das Zimmer vermietet. – Das Reisebüro besorgt alles. – Sie haben das Ende des Semesters gefeiert. – Wir haben Brot und Butter gegessen. – Wir haben viele Zigaretten geraucht.

Beispiel 2 : Erika hilft mir. – Was geschieht? Mir wird geholfen.
　　　　　　　　　　　　　　　　 Es wird mir geholfen.

Fritz antwortet mir. – Niemand hat mir gedankt. – Keiner hat mir geholfen. – Man sorgte für die Kunden. – Niemand hat für die Kunden gesorgt. – Man hat nicht auf mich gewartet. – Man sorgt für alte Leute. – Niemand hat mit mir gesprochen. – Man gratulierte mir zum Geburtstag.

Beispiel 3 : Man kann ihm helfen. Was kann geschehen?

Ihm kann geholfen werden.

Es kann ihm geholfen werden.

Ich muß auf die Kinder aufpassen. – Er muß ihm danken. – Niemand kann ihm helfen. – Die Polizei konnte den Verbrecher verhaften. – Wir konnten das Auto kaufen. – Das Reisebüro hat für die Kunden sorgen können. – Man muß nicht auf mich warten. – Hier dürfen Sie tanzen und singen. – Jetzt können Sie rauchen. – Sie dürfen die Wiese nicht betreten.

Übung 3

220

Beispiel 1 : Ich freue mich. Ich bin fertig. – Ich freue mich fertig zu sein.

Ich kann gut tanzen. – Ich bekomme ein Geschenk. – Ich kann spazieren gehen. – Ich muß nicht zu Haus bleiben. – Ich habe Fritz getroffen. – Ich habe den Zug erreicht. – Ich bin gut angekommen. – Ich reise morgen ab.

Beispiel 2 : Es ist schwer. (viel Geld verdienen)

Es ist schwer, viel Geld zu verdienen.

alles richtig machen – keine Fehler machen – um 6 Uhr aufstehen – keine Zigarette rauchen – meine Großmutter unterhalten – eine Zigarette ablehnen – einen guten Platz im Theater bekommen – nette Menschen kennenlernen – sich um alles kümmern

Abschnitt 20

221

Übung 1: *Antworten Sie!*

1. Was ist ein aufregendes Ereignis in der Politik? 2. Wer interessiert sich besonders für die Politik eines neuen Kabinetts? 3. Warum schicken die Zeitungen ihre Berichterstatter in die Hauptstadt? 4. Hatte bei der letzten Wahl die bisherige Regierungspartei gesiegt? 5. Warum interessierte man sich für die erste Sitzung des neuen Kabinetts? 6. Sagten die Minister etwas über die kommende Sitzung? 7. Wo waren die Reporter während der Sitzung? 8. Was machten sie? 9. Konnten die Reporter während der Sitzung jemanden aus dem Saal sehen und ihn fragen? 10. Was geschah nach vier Stunden? 11. Was machten die Bildreporter? 12. Wer kam als letzter aus dem Saal? 13. Was wurde zwischen dem Minister und den Reportern gesprochen?

Übung 2: *Infinitiv mit „zu" oder daß-Satz?*

222

Beispiel: Ich hoffe – ich kann kommen: ich hoffe, kommen zu können.

er kann kommen: ich hoffe, daß er kommen kann

er bringt das Geld – ich bekomme das Geld – ich fahre nach Italien – er fährt zu mir – ich habe nichts vergessen – er hat nichts vergessen – wir haben nichts vergessen – unsere Sportler gewinnen – ich gewinne den Preis.

223 **Übung 3**

Beispiel 1: du kommst. (*Zeit haben*): Wann kommst du? Wenn ich Zeit habe.

Du fährst ab. (*fertig sein*) – Peter schreibt. (*Geld brauchen*) – Wir setzen den Hut auf. (*regnen*) – Der Briefträger kommt. (*einen Brief für uns haben*) – Er bringt das Essen. (*fertig sein*) – Wir machen einen Ausflug. (*Sonne scheinen*) – Wir gehen ins Kino. (*einen schönen Film geben*) – Wir machen eine Reise. (*Urlaub haben*)

Beispiel 2: du bist gekommen. (*Zeit haben*): Wann bist du gekommen? Als ich Zeit hatte.

Du bist abgefahren. (*fertig sein*) – Peter schrieb. (*Geld brauchen*) – Wir haben den Mantel angezogen. (*regnen*) – Der Briefträger kam. (*einen Brief für uns haben*) – Er brachte das Essen. (*fertig sein*) – Wir haben einen Ausflug gemacht. (*Sonne scheinen*) – Wir sind ins Kino gegangen. (*den bekannten Film geben*) – Wir haben eine Reise gemacht. (*Urlaub haben*)

Abschnitt 21

224 **Übung 1:** *Fragen Sie!*

Beispiel: Der Vater des Jungen ist verreist. Wessen Vater ist verreist?

Die Schwester meiner Mutter ist meine Tante. – Der Sohn unseres Lehrers ist krank. – Das Büro des Bürgermeisters ist im Rathaus. – Der Hut unseres Gastes liegt noch hier. – Das Haar der Dame war blond. – Das Haus des Direktors ist groß.

225 **Übung 2:** *Bilden Sie Relativsätze!*

Beispiel: Das Mädchen geht dort. *Ich kenne ihren Vater* (= Vater des Mädchens)
Das Mädchen, dessen Vater ich kenne, geht dort.

1. Die Reisenden waren sicher unvorsichtig. (*Ihre Koffer wurden gestohlen.*) **2.** Die Leute müssen warten. (*Ihr Zug ist fortgefahren.*) **3.** Herr Meier geht zu Fuß. (*Sein Auto ist kaputt.*) **4.** Frau Meier geht zu Fuß. (*Ihr Auto ist kaputt.*) **5.** Heute besucht mich ein Mann. (*Ich bin mit seinem Bruder befreundet.*) **6.** Heute besucht mich eine Dame. (*Ich bin mit ihrem Bruder befreundet.*) **7.** Heute besuchen mich Herr und Frau Berger. (*Ich bin mit ihrem Sohn befreundet.*) **8.** Dort ist Dr. Bauer. (*Ich gehöre zu seinen Patienten.*)

236

Übung 3: *Erklären Sie mit einem Relativsatz!*

Was ist: ein Wörterbuch – ein Fotoapparat – ein Reporter – eine Rate – ein Angeklagter – ein Täter – ein Binnensee – ein Badeort – ein Kleiderschrank – ein Reisebüro – ein Suppenlöffel – eine Kaffeetasse – eine Untertasse

Abschnitt 22

Übung 1

Beispiel: Er ist leichtsinnig. Ich wäre nicht so leichtsinnig.

Er ist unpünktlich – er hat viel Zeit – er ist mit allem zufrieden – er kann lange verreisen – er ist nicht gekommen – er ist lange geblieben – er hat den Wagen gekauft – er hat die Straße gleich gefunden – er ist sehr langsam gefahren – er kann sehr viel essen – er weiß sehr viel – er weiß immer eine Antwort

Übung 2

Beispiel: Er arbeitet wenig. Ich würde mehr arbeiten.

er kommt zu spät – er ißt wenig Obst – er fährt sehr schnell – er bittet um Geld – er bäckt das Brot selbst – er hilft den Leuten nicht – er lädt Fritz ein – er liegt bis 10 Uhr im Bett – er wäscht sich mit kaltem Wasser – er trinkt immer Milch – er vergißt alles.

Abschnitt 23

Übung 1: *Temporalsätze (bevor – während – nachdem)*

Beispiel: Vor der Reise kaufe ich eine Fahrkarte. – Bevor ich eine Reise mache, kaufe ich eine Fahrkarte.

1. Vor dem Essen nehme ich eine Tablette. – Während des Essens liest man nicht. – Nach dem Essen trinke ich eine Tasse Kaffee.
2. Vor der Prüfung muß man viel arbeiten. – Während der Prüfung muß man sehr ruhig sein. – Nach der Prüfung möchte man gleich seine Note wissen.
3. Vor dem Besuch eines Museums kaufe ich einen Führer. – Beim Betrachten der Bilder lese ich im Führer nach. – Nach dem Besuch des Museums gehe ich spazieren.

Übung 2: *obwohl oder trotzdem*

1. Er fährt gut Auto – er hat einen Unfall. **2.** Er lernte viel – er fiel in der Prüfung durch. **3.** Der Wetter ist schön – er bleibt zu Haus. **4.** Er hat viel Geld – er kauft einen ganz kleinen Wagen. **5.** Die Reporter haben lange gewartet – sie haben nichts erfahren. **6.** Er fährt nach Deutschland – er lernt nicht deutsch. **7.** Der Dieb leugnet die Tat – er wurde bei der Tat gesehen. **8.** Er wird Arzt – sein Vater hat eine Möbelfabrik. **9.** Ich habe helles Bier bestellt – der Kellner bringt dunkles. **10.** Ich habe einen langen Brief erwartet – ich habe nur eine Karte bekommen.

231 **Übung 1**

Beispiel: Übung lösen – Die Übung ist noch (nicht mehr) zu lösen.

Füller gebrauchen – Kleid kürzer machen – Rechnung bezahlen – Flugzeug sehen – Brief einwerfen – Arbeit machen – bei dieser Sache viel Geld verdienen – Bäuerin freisprechen

232 **Übung 2**

Beispiel: Er ist leichtsinnig. Ich wäre nicht (so) leichtsinnig.

Der Direktor arbeitet viel. – Der Kranke nimmt viel Medizin. – Der Arzt macht auch nachts Besuche. – Sie sind sofort weggegangen. – Er hat sein Geld noch bekommen. – Vater hat die Rechnung bezahlt. – Herr Hofmann hat den Brief eingeworfen. – Die Schneiderin hat das Kleid sehr kurz gemacht.

II. Teil:

Übungen zur Aussprache

Vorübung

i – i:	i ist – in – sind – Indien – Finnland – nicht – Madrid i: liegt – hier – Griechenland – Brasilien – Paris – Berlin
	Indien liegt in Asien – hier liegt Finnland – hier ist Griechenland – hier ist Berlin – wo liegt Wien? – Griechenland und Finnland sind in Europa
ä – ä: – e:	ä west – Länder – Helsinki – Belgien – Ägypten – Berlin ä: spät – Dänemark e: Schweden – Norwegen
	Schweden und Norwegen sind Länder – Dänemark und Norwegen – Städte und Länder – Schweden und Ägypten

a – a:	a Land – Stadt – Karte – Frankreich – Kalkutta – Frankfurt a: Asien – Spanien – Italien – Japan

eine Karte von Spanien – Japan ist ein Land in Asien – Kalkutta ist eine Stadt in Asien – Asien und Amerika – Italien und Frankreich

o – o:	o ost – nord – Portugal – Moskau – Kontinent – Marokko o: Rom – Polen – Barcelona – Europa

Osteuropa – Nordeuropa – Rom und Moskau – Europa ist ein Kontinent – Polen, Portugal und Marokko

ao – ae – oö	ao auch – Australien – Moskau ae ein – Kairo – Mailand oö Europa – Deutschland

Abschnitt 1

i – i:	i ist – in – ich bin – immer – nicht richtig – bestimmt i: ihr – wir – sie – hier – viel – liegen – Griechenland

sie ist nicht hier – ich bin nicht in Wien – Helsinki liegt in Finnland – wir sind nicht in Griechenland – das ist bestimmt richtig

ü – ü:	ü Füller – Herr Müller – Brüssel – München ü: üben – Übung – Süd – Schüler

die Schüler üben – Herr Müller ist kein Schüler – immer nach Süden – die Schule, der Schüler, die Schülerin – hier sind die Bücher – Südindien – Brüssel und München sind nicht in Südeuropa

Abschnitt 2

ä – ä: – e:	ä Heft – Herr – lernen – Decke – Fenster – hängen – schnell – jetzt – rechts ä: Präsens – erklären – Dänemark e: sehr – geht – gehen – Regel – Lehrer – wenig – Fehler – verstehen – Gegenteil – sehr wenig Fehler

er geht – wir gehen – er erklärt die Regel – der Lehrer geht schnell – er erklärt das Präsens – das Gegenteil von wenig ist viel – er versteht die Regel schnell

i: – e:	ihr geht – wie geht die Regel – viele Fehler – vier Fehler – sehr viele Lehrer – wir verstehen – er schließt – schließen Sie die Fenster!
Betonung	lernen – üben – arbeiten – antworten – Lehrerin – Unterricht – Wörterbuch Grammatik – Italien – Berlin – Paris – zusammen – bestimmt – wiederholen fragen und antworten – verstehen und üben – arbeiten und wiederholen – München und Berlin – Brüssel und Paris

Abschnitt 3

p – b	p	Peter – Paul – Papier – Person – Plural – Paris – Portugal – ab – Verb – Abschnitt – Schreibtisch – Lampe – er schreibt – ihr habt – ihr gebt siebzehn Personen – Peter schreibt aus Paris – ihr gebt mir Papier – habt ihr eine Lampe?
	b	Buch – bitte – bilden – billig – ich bin – Bleistift – Brief – aber – oben – haben – sieben – schreiben – Silbe haben Sie das Buch? – ich bin oben – bitte den Bleistift – sieben Bleistifte – billige Bücher – sie schreiben den Brief
		Briefpapier – er schreibt, sie schreiben – ihr habt, sie haben – das Verb, die Verben – bilden Sie den Plural! – haben Sie Papier und Bleistift? – Paul schreibt sieben Verben
t – d	t	Tag – Tisch – Tür – Tafel – teuer – Freund – und – Kind – Geld – Wort – Wand – Arbeit – acht – bestimmt – beginnt – Antwort – hinten – bitte – Unterricht – acht Tage Der Unterricht beginnt – eine teure Arbeit – eine bestimmte Antwort – hinten ist die Landkarte
	d	du – der – das – die – drei – dann – diktieren – bilden – Freundin – Kreide – Kinder – Stunde – Wände – wieder die Kreide – die Stunde – die Kinder haben Kreide – drei Stunden
		das Kind, die Kinder – die Wand, die Wände – der Freund, die Freundin – acht Kinder – drei Stunden Arbeit – die Stunde beginnt – Peter diktiert die Antwort

Abschnitt 4

g – k

g gut – groß – gehen – Geld – es gibt – Regel – sagen – morgen – zeigen – Gegenteil – beginnen – vergleichen

sagen Sie die Regel! – morgen gibt es Geld – sie sagen das
Gegenteil – die Regel ist gut – guten Morgen

k Kind – Koffer – kurz – kein – kaufen – Karte – kosten –
klein – Kreide – erklären – Tag – Zug – Mittag – stark – er
fragt – ihr sagt – er zeigt – pünktlich

er fragt das Kind – der Zug kommt pünktlich – er kauft
keinen Koffer – ein kleines Kind

Kleingeld – guten Tag! – der Tag beginnt – ein großer Koffer –
das Geld kommt morgen – ich habe kein Geld – morgen Mittag
– der Tag, die Tage – er fragt, sie fragen – ihr sagt, wir sagen –
er zeigt, wir zeigen – die Regel ist kurz

Abschnitt 5

Vokalischer Anlaut

Abendessen – Großeltern – Wortendung – Südeuropa – Per-
sonenauto – Zugaufenthalt – Osteuropa – Nordengland – am
Abend

es ist ein Uhr – der Eilzug hat acht Minuten Aufenthalt – der
Unterricht ist aus – wir essen immer um ein Uhr – er sagt dem
Onkel auf Wiedersehen – er arbeitet oft abends

ö – ö:

ö Köln – öffnen – möchte – Wörter – Töchter – zwölf

wir möchten öffnen – er hört die Wörter – der Satz hat zwölf
Wörter

ö: Söhne – gehören – Bahnhöfe

das Wort, die Wörter – der Bahnhof, die Bahnhöfe – der Sohn,
die Söhne – ich möchte Köln sehen – Köln hat drei Bahnhöfe –
meine Söhne und Töchter – das gehört meinen Töchtern – ein
Wörterbuch für meine Söhne

Abschnitt 6

a – a:

a ab – an – Abteil – Anton – Gast – Park – Platz – Hand –
Mann – Tasche – Sache – halten – machen – Monat – Firma

acht Monate in einer Firma – er hat die Hand in der Tasche

a: Abend – Glas – Tag – Jahr – Fahrt – Zahl – Vater – schade – Bahnhof – Straße – Fahrrad – gerade – Haar

sie fahren mit dem Fahrrad – Bahnhofstraße – Tag und Abend

ab, Abend – Gast, Glas – hat, haben – Abend, Nacht – der Parkplatz am Bahnhof – eine Firma in der Parkstraße – sie machen eine Fahrt

ä – ä: –
oder e: Weg – ablehnen – gehen – sehen – lesen – Vorlesung – geben – Messer – essen – bestellen – denn – er hält – Schwester – helfen – herzlich – Gläser – er fährt

lesen, essen – zehn Gläser – er fährt um sechs Uhr in die Vorlesung – das Bett steht in der Ecke – die Zeit vergeht schnell – ich sehe den Lehrer

Abschnitt 7

o – o: o Otto – Onkel – noch – von – Post – kochen – Woche – Schokolade – wollen – hoffen – Sommer – kommen – Kartoffel – Kino

wir kommen aus dem Kino – die Kartoffeln kochen – Kinder wollen Schokolade

o: ohne – oder – das Ohr – vor – Vorstellung – das Brot – tot – Monat – schon – groß – Bahnhof – betonen – Telefon – der Sohn – wohnen – so

ein großer Bahnhof – mein Sohn wohnt in Rom – ich bin ohne Telefon

Wochen und Monate – Sohn und Tochter – Kartoffeln und Brot – im Monat Oktober – wir wohnen bei der Post – die Großeltern kommen im Sommer – mein Onkel hat einen Sohn

o: – ö: der Sohn, die Söhne – der Bahnhof, die Bahnhöfe – Brot, Brötchen – Sohn, Söhnchen – ohne Söhne

o – ö die Tochter, die Töchter – das Wort, die Wörter – kommen, können – offen, öffnen – mochte, möchte – zwölf Wochen – ich möchte Schokolade

Abschnitt 8

f – v

f der Fisch – der Fuß – frei – fort – vor – viel – fern – das Fleisch – Vater – fahren – kaufen – hoffen – Löffel – auf – er ruft – ihr lauft – der Ruf

v Weg – wo – wie – Wein – weit – Winter – Wagen – wollen – wünschen – Weihnachten – Wohnung – Woche – aufwachen

fort, Wort – fein, Wein – voll, wollen – Vetter, Wetter – vier, wir – auf Wiedersehen! – wir fahren für vier Wochen fort – er kauft Fleisch und Wurst – wir freuen uns auf Weihnachten – viel Vergnügen zum Wochenende!

s – z

s das – aus – es – groß – essen – er ißt – Straße – Schlüssel – Terrasse – rechts – nichts – morgens

z Sache – sicher – Salat – Satz – Semester – sitzen – Reise – Apfelsine – lesen – gesund

das Haus, die Häuser – der Reis, die Reise – naß, Straße, Nase – er las, gelesen – er besucht seinen Sohn – wir sitzen auf der Terrasse – er ißt Salat – das ist gesund

Abschnitt 9

u – u:

u und – uns – kurz – Stunde – Nummer – Einladung – Rechnung – gesund – Wurst

wir gratulieren zum Geburtstag – die Rechnung bitte an uns

u: Zug – Uhr – Fuß – Stuhl – Schule – Plural – Flur – Hut – nur – gut – Kuchen

er geht zu Fuß in die Schule

Fluß, Fuß – das Kursbuch liegt auf dem Stuhl – der Zug fuhr nur eine Stunde – die Rechnung für hundert Uhren – kurz und gut

u – u:
ü – ü:
i – i:

die Wurst, die Würste – der Fuß, die Füße – das Buch, die Bücher – der Hut, die Hüte – der Mund, mündlich – Nummer, nimmer – Schüler, Schiller – süd, er sieht – diese Tür führt in die Küche – wir wünschen Ihnen viel Vergnügen – wir müssen für die Prüfung üben – ich bin müde – über uns wohnt Familie Müller

Abschnitt 10

| ao | ao Haus – aus – faul – auf – dauern – kaufen – Auto – brauchen – laufen – Bauch – Lautsprecher – Hauptstadt – Couch – ich brauche kein Auto – er kauft dieses Haus – das Kind liegt auf dem Bauch – sie laufen aus dem Haus |

ae ae ein – klein – Kreide – Bleistift – Beispiel – heißen – schreiben – zeigen – weiß – einsteigen – Seite – Kleid – Arbeit – Heizung – ich schreibe mit dem Bleistift – bitte Seite drei – ich weiß ein Beispiel – ein weißes Kleid – Weißwein

oö oö euch – deutsch – Freund – neun – teuer – freuen – Leute – Neujahr – Häuser – beugen – Fräulein – mein Freund und meine Freundin kommen heute – deutsch lernen macht mir Freude – Fräulein Breuer besucht euch zu Neujahr

ao – ae – oö Frau, Fräulein – Haus, Häuser – laufen, er läuft – nein, neun – das neue Kleid – Seite neun – ich brauche kein neues Auto – das kleine Haus kostet neunzigtausend Mark – heute schreibt er auf deutsch – bitte auch für meinen Freund ein Glas Weißwein!

Abschnitt 11

ʃ – ʒ   ʃ schön – schreiben – schwach – schwer – Schalter – Tasche – Tisch – waschen – Entschuldigung – Abschied – Schreibtisch – Mensch

Ich habe eine schwere Tasche – kein Mensch war am Schalter – eine schöne Unterschrift – die Frau wäscht meine Wäsche

ʒ Garage – Etage – die Großgarage hat drei Etagen

der Mann in der Garage wäscht meinen Wagen – das schöne Haus hat zehn Etagen

ts – tʃ   tz die Zahl – zehn – zwölf – zwei – zählen – zeichnen – ziehen – heizen – Anzug – kurz – der Blitz – der Satz – der Besitzer – der Platz – der Arzt

er zahlt dreizehn Mark – das Zimmer kostet achtzig Mark – zählen Sie bis zweiundzwanzig! – ziehen Sie den schwarzen Anzug an! – der Platz ist zu nahe an der Heizung – er schließt sein Zimmer zu

244

tʃ　deutsch – rutschen – entschuldigen Sie!

er zahlt zwanzig deutsche Mark – entschuldigen Sie, ist der Platz frei? – in Deutschland studiert ein Arzt zehn bis zwölf Semester

Abschnitt 12

ç – j

ç　ich – mich – die Küche – die Milch – das Gespräch – sicher – freundlich – glücklich – fleißig – billig – leicht – möglichst – Chemie – China

das Licht ist hier schlecht – für mich bitte möglichst wenig Milch – ein freundliches Gespräch

j　ja – jetzt – jung – jeder – das Jahr – die Jacke – zweijährig

jeder ist nur einmal jung – die Jacke ist zwei Jahre alt

die Jacke ist billig – ich bin jetzt sehr fleißig – jetzt gehe ich in die Küche – nicht jedes Gespräch ist wichtig – sprechen Sie nicht alle gleichzeitig!

x – h

x　das Dach – der Koch – lachen – hoch – noch – doch – rauchen – brauchen – er sprach – er dachte – machen – gebracht

das Haus braucht ein neues Dach – er dachte lange nach – der Koch machte noch eine Nachspeise

h　heute – Haus – Herr – hier – hinten – haben – Haar – heißen – hoffen – hören – Hotel – Bahnhof – Aufenthalt

offen, hoffen – Haus, aus – ihr, hier – Hans hat helles Haar – Herr Meier hat acht Hefte – heute gehe ich in ein altes Haus – das Hotel am Bahnhof heißt Hotel Astoria

ç – x

lächeln, lachen – sprechen, sprach, gesprochen – dich, Dach – mich, macht – die Milch kocht noch nicht – in der Küche raucht man nicht – er dachte nicht mehr an die glücklichen Jahre – wir brauchen euch nicht

ç – g

billig, ein billiges Zimmer – schmutzig, schmutzige Schuhe – geduldig, ein geduldiger Mensch – dieser Mann ist freundlich und geduldig – er ist ein freundlicher, geduldiger Mann – wenig Zeit, nur wenige Tage

Abschnitt 13

r, R	rechts – rot – die Reise – rufen – der Brief – die Brille – der Preis – die Prüfung – drehen – die Treppe – grün – die Kreide – frei – die Straße – die Sprache – das Büro – fahren – die Ferien – gerade – geboren – die Birne – dürfen – die Farbe – das Gebirge – die Person – Kartoffel – Erde – Wort – Berg – Dorf – durch – kurz – Schirm – gern – Karl – Jahr – war – wir – Ohr – Uhr – Vater – Lehrer – vergessen

her, Herr – ihr, irren – Uhr, surren |
| l | Lampe – laufen – Leben – leer – leider – Licht – Löffel – Luft – eilig – Polizei – erzählen – allein – bald – Balkon – klingeln – klein – plötzlich – Blume – glauben – schlecht – Schloß – dunkel – Möbel – Sessel – Schüssel

der Löffel lag links – die Polizei lief eilig über den Platz – das ist das Glas meines Onkels – der Schlüssel steckt im Schloß – wir glauben nicht alles |
| r – l | ein braunes Kleid – ein grünes Blatt – ein großes Glas – ein kleiner Schlüssel – der Schlüssel für den Schrank – wir werden bald hier sein |

Abschnitt 14

Betonung	aussuchen – einkaufen – weiterfahren – wiederkommen – besuchen – unterbrechen – verstehen – rasieren – diktieren – buchstabieren – der Professor, die Professoren – der Direktor, die Direktoren

April – August – September – das Pronomen – der Student – das Besteck – die Kartoffel – der Kamin – das Büro – elektrisch – das Paket – die Illustrierte – das Telegramm – das Telefon – die Universität – die Apfelsine – die Schokolade – der Appetit – das Theater |
| kv | Qualität – Quittung – bequem – Quadratmeter
ein bequemer Sessel von guter Qualität |

ks	Xaver – das Taxi – die Hexe – sechs – der Keks – der Klecks

Xaver fährt mit dem Taxi – an der Ecke stehen sechs Taxis – sechs Füchse

Abschnitt 15

m – n – ŋ	m	Mark – mehr – mein – modern – mögen – Monat – am Morgen – Stimme – immer – Dame – Semester – Empfänger – Kanne

kommt morgen zu mir – im Arbeitszimmer ist ein Kamin – ich muß im nächsten Semester nach München

n nun – nie – Nacht – noch – nebeneinander – kennen – danken – regnen – begegnen – besonders – Freund – nennen – er kann

nette Menschen – nehmen Sie die Straßenbahn Nummer neun! – wir kennen den freundlichen Mann nicht – es regnet noch

ŋ hängen – bringen – Hunger – klingeln – singen – er sang – entlang – Kleidung – Wohnung – Prüfung – Vorstellung

das war eine lange Übung – er klingelte an der Wohnungstür – es regnete lange

Abschnitt 16

ʃt – st – ʃp ʃt die Stadt – stark – stehen – die Straße – vorstellen – aussteigen – ausstrecken

st Ost – die Weste – die Brust – zuerst – der Gast – das Fenster – du lernst – du lächelst – du weißt – das Obst – der Herbst – das Institut – du hast es nicht gewußt

ʃp spät – die Speise – die Spitze – die Sprache – spazieren gehen – der Spiegel – aufspringen – aussprechen

Obststand – der Gast ist spät aufgestanden – du gehst auf der Straße spazieren – du sprichst deutsch – zuerst muß du dich vorstellen – hast du verstanden? – du darfst laut sprechen

247

III. Teil:

Ländernamen und abgeleitete Nationalitätsnomen und -adjektive

Ägypten, der Ägypter, ägyptisch
Äthiopien, der Äthiopier, äthiopisch
Afghanistan, der Afghane, afghanisch
Albanien, der Albaner, albanisch
Algerien, der Algerier, algerisch
Andorra, der Andorraner,
 andorranisch
Argentinien, der Argentinier,
 argentinisch
Australien, der Australier, australisch
Belgien, der Belgier, belgisch
Birma, der Birmane, birmanisch
Bolivien, der Bolivianer, bolivianisch
Brasilien, der Brasilianer, brasilianisch
Bulgarien, der Bulgare, bulgarisch
Ceylon, der Ceylonese, ceylonesisch
Chile, der Chilene, chilenisch
China, der Chinese, chinesisch
Costa Rica, der Costaricaner,
 costaricanisch
Cypern, der Cypriote, cyprisch
Dänemark, der Däne, dänisch
Deutschland, der Deutsche, deutsch
Dominikanische Republik, der
 Dominikaner, dominikanisch
Ecuador, der Ecuadorianer,
 ecuadoranisch
El-Salvador s. Salvador
England, der Engländer, englisch
Finnland, der Finne, finnisch
Frankreich, der Franzose, französisch
Ghana, der Ghanaer, ghanaisch
Griechenland, der Grieche, griechisch
Großbritannien, der Brite, britisch
Guatemala, der Guatemalteke,
 guatemaltekisch

Haiti, der Haitaner, haitanisch
Holland s. die Niederlande
Honduras, der Honduraner,
 honduranisch
Indien, der Inder, indisch
Indonesien, der Indonesier,
 indonesisch
Irak, der Iraker, irakisch
Iran, der Iraner, iranisch
Irland, der Ire, irisch
Island, der Isländer, isländisch
Israel, der Israeli, israelisch
Italien, der Italiener, italienisch
Japan, der Japaner, japanisch
Jemen, der Jemenite, jemenitisch
Jordanien, der Jordanier, jordanisch
Jugoslawien, der Jugoslawe,
 jugoslawisch
Kambodscha, der Kambodschaner,
 kambodschanisch
Kamerun, der Kamerune,
 kamerunisch
Kanada, der Kanadier, kanadisch
Kenya, der Keniane, kenianisch
Kolumbien, der Kolumbianer,
 kolumbianisch
Kongo, der Kongolese, kongolesisch
Korea, der Koreaner, koreanisch
Kuba, der Kubaner, kubanisch
Laos, der Laote, laotisch
der Libanon, der Libanese,
 libanesisch
Liberia, der Liberier, liberisch
Libyen, der Libyer, libysch
Liechtenstein, der Liechtensteiner,
 liechtensteinisch

Luxemburg, der Luxemburger,
  luxemburgisch
Madagaskar, der Madegasse,
  madegassisch
Malaysia, der Malaie, malaisch
Marokko, der Marokkaner,
  marokkanisch
Mexiko, der Mexikaner, mexikanisch
Monaco, der Monegasse,
  monegassisch
Mongolische Volksrepublik,
  der Mongole, mongolisch
Nepal, der Nepalese, nepalesisch
Neuseeland, der Neuseeländer,
  neuseeländisch
Nicaragua, der Nicaraguaner,
  nicaraguanisch
die Niederlande,
  der Niederländer (Holländer),
  niederländisch (holländisch)
Nigeria, der Nigerianer, nigerianisch
Norwegen, der Norweger,
  norwegisch
Österreich, der Österreicher,
  österreichisch
Pakistan, der Pakistaner,
  pakistanisch
Panama, der Panamaer,
  panamanisch
Paraguay, der Paraguayaner,
  paraguayanisch
Peru, der Peruaner, peruanisch
die Philippinen, der Filipino,
  philippinisch
Polen, der Pole, polnisch
Portugal, der Portugiese,
  portugiesisch

Rumänien, der Rumäne, rumänisch
Salvador, der Salvadorianer,
  salvadorianisch
Saudi(sch)-Arabien,
  der Saudi(sch)-Araber,
  saudi-(sch)-arabisch
Schweden, der Schwede, schwedisch
die Schweiz, der Schweizer,
  schweizerisch
Siam s. Thailand
die Sowjetunion, der Sowjetrusse
  (der Sowjetbürger), sowjetisch
Spanien, der Spanier, spanisch
Sudan, der Sudanese, sudanesisch
die Südafrikanische Republik
  der Südafrikaner, südafrikanisch
Syrien, der Syrer, syrisch
Tansania, der Tansanier, tansanisch
Thailand, der Thailänder,
  thailändisch
Togo, der Togolese, togolesisch
die Tschechoslowakei,
  der Tschechoslowake,
  tschechoslowakisch
die Türkei, der Türke, türkisch
Tunesien, der Tunesier, tunesisch
Ungarn, der Ungar, ungarisch
Uruguay, der Uruguayer,
  uruguayisch
der Vatikan, —, vatikanisch
die Vereinigten Staaten
  (von Amerika),
  der Amerikaner, amerikanisch
Venezuela, der Venezolaner,
  venezolanisch
Vietnam, der Vietnamese,
  vietnamesisch

IV. Teil:

Wichtige starke und unregelmäßige Verben

1. Vorbemerkung:

1. Diese Liste enthält die Stammformen der wichtigsten starken und unregel-mäßigen Verben. Die meisten der Verben können mit Vorsilben verbunden werden. Solche Vorsilben sind:

ab-	ein-	heim-	um-
abwärts-	einander-	her-	unter-
an-	ent-	herein-	ver-
auf-	entgegen-	hier-	voll-
aufwärts-	entlang-	hin-	vor-
aus-	emp-	hinaus-	weg-
be-	empor-	hinter-	wider-
bei-	er-	los-	wieder-
da-	fort-	miß-	zer-
daran-	für-	mit-	zu-
darauf-	ge-	nach-	zurück-
draußen-	gegenüber-	nahe-	zusammen-
durch-	gleich-	über-	zwischen-

Manche Verben können auch zwei Vorsilben haben, z. B.: kaufen, verkaufen, ausverkaufen.

2. Verben in alphabetischer Ordnung*

Infinitiv (3. Pers. Präsens)	Präteritum (Konj. II)	Part. Perfekt
backen	buk (büke)	gebacken
befehlen (befiehlt)	befahl (befähle)	befohlen
beginnen	begann (begänne)	begonnen
bewegen	bewog (bewöge)	bewogen
biegen	bog (böge)	gebogen
bieten	bot (böte)	geboten
binden	band (bände)	gebunden
bitten	bat (bäte)	gebeten
blasen (bläst)	blies	geblasen
bleiben	blieb	ist geblieben
braten (brät, bratet)	briet	gebraten
brechen (bricht)	brach (bräche)	gebrochen
brennen	brannte (brennte)	gebrannt

---

* Die mit * versehenen Verben sind Modalverben.

Infinitiv (3. Pers. Präsens)	Präteritum (Konj. II)	Part. Perfekt
bringen	brachte (brächte)	gebracht
denken	dachte (dächte)	gedacht
dringen	drang (dränge)	hat, ist gedrungen
dürfen * (darf)	durfte (dürfte)	gedurft
empfehlen (empfiehlt)	empfahl (empfähle)	empfohlen
essen (ißt)	aß (äße)	gegessen
fahren (fährt)	fuhr (führe)	ist, hat gefahren
fallen (fällt)	fiel	ist gefallen
fangen (fängt)	fing	gefangen
finden	fand (fände)	gefunden
fliegen	flog (flöge)	ist, hat geflogen
fliehen	floh (flöhe)	ist geflohen
fließen	floß (flösse)	ist geflossen
frieren	fror (fröre)	gefroren
geben (gibt)	gab (gäbe)	gegeben
gehen	ging	ist gegangen
gelingen	gelang (gelänge)	ist gelungen
gelten (gilt)	galt (gälte)	gegolten
genießen	genoß (genösse)	genossen
geschehen (geschieht)	geschah (geschähe)	ist geschehen
gewinnen	gewann (gewönne)	gewonnen
gießen	goß (gösse)	gegossen
gleichen	glich	geglichen
graben (gräbt)	grub (grübe)	gegraben
greifen	griff	gegriffen
haben (du hast, er hat)	hatte (hätte)	gehabt
halten (hält)	hielt	gehalten
hängen	hing	gehangen
heben	hob (höbe)	gehoben
heißen	hieß	geheißen
helfen (hilft)	half (hülfe)	geholfen
kennen	kannte (kennte)	gekannt
klingen	klang (klänge)	geklungen
kommen	kam (käme)	ist gekommen
können * (kann)	konnte (könnte)	gekonnt
laden (lädt)	lud (lüde)	geladen
lassen (läßt)	ließ	gelassen
laufen (läuft)	lief	ist gelaufen
leiden	litt	gelitten

Infinitiv (3. Pers. Präsens)	Präteritum (Konj. II)		Part. Perfekt
leihen	lieh		geliehen
lesen (liest)	las (läse)		gelesen
liegen	lag (läge)		gelegen
lügen	log (löge)		gelogen
meiden	mied		gemieden
messen (mißt)	maß (mäße)		gemessen
mögen * (mag)	mochte (möchte)		gemocht
müssen * (muß)	mußte (müßte)		gemußt
nehmen (nimmt)	nahm (nähme)		genommen
nennen	nannte (nennte)		genannt
raten (rät)	riet		geraten
reiben	rieb		gerieben
reißen	riß	ist, hat	gerissen
reiten	ritt	ist, hat	geritten
rennen	rannte (rennte)	ist	gerannt
riechen	roch (röche)		gerochen
ringen	rang (ränge)		gerungen
rufen	rief		gerufen
salzen	salzte		gesalzen
scheinen	schien		geschienen
schieben	schob (schöbe)		geschoben
schlafen (schläft)	schlief		geschlafen
schlagen (schlägt)	schlug (schlüge)		geschlagen
schließen	schloß (schlösse)		geschlossen
schneiden	schnitt		geschnitten
(er)schrecken (-schrickt)	erschrak (erschräke)	ist	erschrocken
schreiben	schrieb		geschrieben
schreien	schrie		geschrien
schreiten	schritt		geschritten
schweigen	schwieg		geschwiegen
schwimmen	schwamm (schwämme)	ist, hat	geschwommen
schwinden	schwand (schwände)	ist	geschwunden
schwingen	schwang (schwänge)		geschwungen
schwören	schwur, schwor (schwüre)		geschworen
sehen (sieht)	sah (sähe)		gesehen
sein (ist)	war (wäre)	ist	gewesen
singen	sang (sänge)		gesungen
sinken	sank (sänke)	ist	gesunken
sitzen	saß (säße)		gesessen

Infinitiv (3. Pers. Präsens)	Präteritum (Konj. II)	Part. Perfekt
sollen * (soll)	sollte	gesollt
sprechen (spricht)	sprach (spräche)	gesprochen
springen	sprang (spränge)	ist gesprungen
stechen (sticht)	stach (stäche)	gestochen
stehen	stand (stünde)	gestanden
stehlen (stiehlt)	stahl (stähle)	gestohlen
steigen	stieg	ist gestiegen
sterben (stirbt)	starb (stürbe)	ist gestorben
stoßen (stößt)	stieß	gestoßen
streichen	strich	ist, hat gestrichen
streiten	stritt	gestritten
tragen (trägt)	trug (trüge)	getragen
treffen (trifft)	traf (träfe)	getroffen
treten (tritt)	trat (träte)	hat, ist getreten
trinken	trank (tränke)	getrunken
trügen	trog (tröge)	getrogen
tun (tut)	tat (täte)	getan
verderben (verdirbt)	verdarb (verdürbe)	verdorben
vergessen (vergißt)	vergaß (vergäße)	vergessen
verlieren	verlor (verlöre)	verloren
wachsen (wächst)	wuchs (wüchse)	ist gewachsen
waschen (wäscht)	wusch (wüsche)	gewaschen
werben (wirbt)	warb (würbe)	geworben
werden (wird)	wurde (würde)	ist geworden
werfen (wirft)	warf (würfe)	geworfen
wiegen	wog (wöge)	gewogen
wissen (weiß)	wußte (wüßte)	gewußt
wollen * (will)	wollte	gewollt
(ver)zeihen	verzieh	verziehen
ziehen	zog (zöge)	hat, ist gezogen
zwingen	zwang (zwänge)	gezwungen

V. Teil:
Index

1 München, Ludwigstraße

2 München, Universität

3   Blick auf das Wettersteingebirge

4   Strand an der Lübecker Bucht

5   Frankfurt, Mainpanorama

6   Die Severinsbrücke in Köln

7   Hamburg, Blick auf Stadt und Hafen

8   Die Süderelbe bei Hamburg

9 Düsseldorf, Blick auf Stadt und Rhein

10 Düsseldorf, Thyssen-Hochhaus und Goldfingerbrunnen

11 Bonn, Bundeshaus

12 Autobahnauffahrt
in München

13 Frankfurt,
Berliner Straße

14 Autobahn
Stuttgart-Ulm

15 Berlin, Neue Philharmonie

16 Berlin, Blick auf die Gedächtniskirche

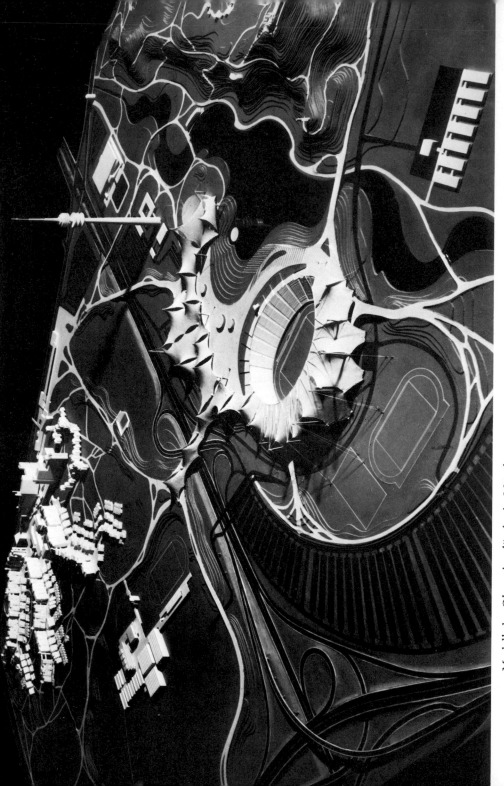

17 Modell des Olympiageländes in München